(Sello del Registro Civil)

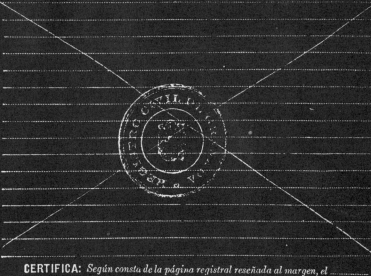

CERTIFICA: *Según consta de la página registral reseñada al margen, el*

Secretario D. ..... López Díaz de la Guardia

GRANADA , a 20 de Junio de 19 73

(En los Juzgados de Paz, firmarán el Juez y el Secretario)

Importe de la certificación: P. u. 30

Tarifa Tributaria, n.º 32 (en pólizas)....	5,00 ptas.
Tasas (Decretos de 18-6-59, art. 4, y artículo 37, tarifa 1.ª)...............	32,00 »
Busca (art. 40, tarifa 1.ª) (3).........	— »
Urgencia (art. 41, tarifa 1.ª) (4)........	— »
Impreso (5).	13,00 »
TOTAL...............	

(1) «Las certificaciones son documentos públicos» (Ley del Registro Civil de 8 de junio de 1957, art. 7).—«En toda certificación que haga fe de la filiación se hará constar que se expide para los asuntos en que las leyes directamente distingan la clase de filiación, sin que sea admisible a otros efectos. (Reglamento de 14 de noviembre de 1958, artículo 30).

(2) Se consignará el folio y no la página si se certifica de libros ajustados al modelo anterior a la Ley vigente del Registro Civil; en otro caso se consignará sólo la página.

(3) CINCO PESETAS por cada período de busca de tres años, quedando exento el primer período de tres años.

(4) CINCO PESETAS cuando se despache dentro de las veinticuatro horas.

(5) Modelo oficial, de acuerdo con la Orden de 24 de diciembre de 1958.

RIVADENEYRA, S. A.—MADRID

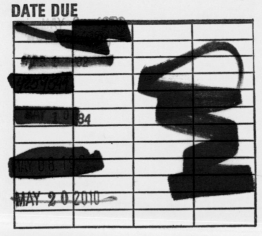
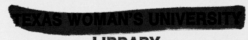

espejo
de
españa

10

1. La colección ESPEJO DE ESPAÑA, bajo el signo de Editorial Planeta, pretende aportar su colaboración, no por modesta menos decidida, al cumplimiento de una tarea que, pese a contar con tantos precedentes ilustres, día tras día se evidencia como más urgente y necesaria: el esclarecimiento de las complejas realidades peninsulares de toda índole —humanas, históricas, políticas, sociológicas, económicas...— que nos conforman individual y colectivamente, y, con preferencia, de aquellas de ayer que gravitan sobre hoy condicionando el mañana.

2. Esta aportación, a la que de manera muy especial invitamos a colaborar a los escritores de las diversas lenguas hispánicas, se articula inicialmente en siete series:

  I los españoles
  II biografías y memorias
  III movimientos políticos, sociales y económicos
  IV la historia viva
  V la guerra civil
  VI la España de la posguerra
  VII testigos del futuro

Con ellas, y con las que en lo sucesivo se crea oportuno incorporar, aspiramos a traducir en realidades el propósito que nos anima.

3. Bueno será, sin embargo, advertir —puesto que no se pretende engañar a nadie— que somos conscientes de cuantas circunstancias nos limitan. Así, por ejemplo, en su deseo de suplir una bibliografía inexistente muchas veces, que cabe confiar estudios posteriores completen y enriquezcan, ESPEJO DE ESPAÑA en algunos casos sólo podrá intentar, *aquí y ahora,* una aproximación —sin falseamiento, por descontado, de cuanto se explique o interprete— a los temas propuestos, pero permítasenos pensar, a fuer de posibilistas, que tal vez los logros futuros se fundamentan ya en las tentativas presentes sin solución de continuidad.

4. Al texto de los autores que en cada caso se eligen por su idoneidad manifiesta para el tratamiento de los temas seleccionados, la colección incorpora un muy abundante material gráfico, no, obviamente, por razones estéticas, sino en función de su interés documental, y, cuando la obra lo requiere, tablas cronológicas, cuadros sinópticos y todos aquellos elementos que pueden complementarlo eticazmente. Se trata, en definitiva, de que cada uno de los títulos, en su unidad texto-imagen, responda a la voluntad de testimonio que preside las diversas series.

5. Sería ingenuo desconocer, empero, que este ESPEJO que, acogido a la definición que Stendhal aplicara a la novela, pretendemos pasear a lo largo del camino, según se proyecte a su izquierda o a su derecha recogerá, sin duda, sobre los mismos hombres, sobre los mismos hechos y sobre las mismas ideas, imágenes diversas y hasta contrapuestas. Nada más natural y deseable. La colección integra, sin que ello presuponga identificación con una u otra tendencia, obras y autores de plural ideología, consecuente con el principio de que ser liberal presupone estar siempre dispuesto a admitir que *el otro* puede tener razón. Aspiramos a crear un ágora de libre acceso, cerrada, única excepción, para quienes frente a la dialéctica de la palabra preconicen, aunque sólo sea por escrito, la dialéctica de la pistola.

6. Y si en algunas ocasiones la estampa que ESPEJO DE ESPAÑA nos ofrezca hiere nuestra sensibilidad o conturba nuestra visión convencional, unamos nuestra voluntad de reforma a la voluntad de testimonio antes aludida y recordemos la vigencia de lo dicho por Quevedo: «Arrojar la cara importa, que el espejo no hay de qué.»

RAFAEL BORRÀS BETRIU
Director

García Lorca, ASESINADO: toda la verdad

José Luis Vila-San-Juan nació en
Barcelona en 1926. Después de obtener el título
de piloto militar, deja el ejército e inicia una
colaboración regular en diversos diarios y
revistas. Al crearse la Facultad de Ciencias
de la Información en la Universidad Autónoma de
Barcelona, fue nombrado miembro del Consejo
asesor de la misma. Es técnico publicitario
diplomado, director del Departamento de
Publicidad de una importante empresa y
presidente-adjunto de la Asociación Española
de Anunciantes.

En 1967 colaboró con José María Pemán
en la obra **Comentarios a mil imágenes de la
guerra civil española** y en 1971 publicó **¿Así
fue? Enigmas de la guerra civil española**, en la
que se trataba de despejar algunas incógnitas
de nuestra historia reciente. Durante más
de dos años ha realizado una exhaustiva
investigación, fruto de la cual es su última obra,
Garcia Lorca, asesinado: toda la verdad,
con la que ha obtenido el Premio Espejo
de España 1975.

García Lorca, ASESINADO: toda la verdad

José Luis Vila-San-Juan

PREMIO ESPEJO DE ESPAÑA 1975

EDITORIAL PLANETA   BARCELONA

ESPEJO DE ESPAÑA
Dirección: Rafael Borràs Betriu
Serie: La guerra civil

© José Luis Vila-San-Juan, 1975
Editorial Planeta, S. A., Calvet, 51-53, Barcelona (España)
Edición al cuidado de Marcel Plans
Sobrecubierta: Hans Romberg

Procedencia de las ilustraciones: Alberto Viñals, Alfonso, A.P.N., Archivo Mas, Archivo Planeta, Autor, Camera Press-Zardoya, Cifra, Coprensa, Europa Press, Harlingue, Gibello, Gyenes, Instituto Municipal de Historia (Barcelona), Jalón Ángel, Keystone, Kindel, Leal Sotos, Mella, P.I.C., Pérez de Rozas, Ráfols, Studio 12, Torres Molina, Vendrell, Vidal, X.

Producción y maquetas: equipo técnico de Editorial Planeta
Dirección artística y compaginación: Eduardo Asensio y Ángel Bueso
Primera edición: marzo de 1975 (22.000 ejemplares)
Segunda edición: mayo de 1975 (5.000 ejemplares)
Tercera edición: mayo de 1975 (8.000 ejemplares)
Cuarta edición: julio de 1975 (7.000 ejemplares)
Depósito legal: B. 29096-1975
ISBN 84-320-5610-3
Printed in Spain/Impreso en España
Composición, compaginación e impresión: Talleres Gráficos "Duplex, S. A.", Ciudad de la Asunción, 26-D, Barcelona-16

espejo
de
españa

*Esta obra obtuvo el Premio Espejo de España 1975,
concedido por el siguiente jurado: José M.ª de Areilza,
Manuel Aznar Zubigaray, Manuel Fraga Iribarne,
Torcuato Luca de Tena Brunet, Ramón Serrano Suñer,
José Manuel Lara Hernández y Rafael Borràs Betriu*

ÍNDICE

A mis hijos, Sergio, Begoña, Marta y José Luis, con especial agradecimiento al primero por su colaboración.

El régimen debiera ser el principal interesado en aclarar punto por punto la muerte de Federico. No aceptar la verdad histórica no es haberlo matado, es seguir matándole.

Luis Rosales
Declaraciones al diario *Arriba*, 7-IV-74

Durante treinta años el régimen de Franco se ha dedicado concienzudamente a mentir acerca de la muerte del poeta y de la represión granadina. Lo ocurrido con Lorca ha sido recubierto de un tejido de mentiras tan espeso que las nuevas generaciones de españoles no saben casi nada de la verdad del caso como tampoco de la guerra civil en general. En una sociedad donde el poder de la censura sigue siendo implacable, a pesar de la pretendida liberalización de la Ley de prensa, *es difícil imaginar que la verdad sobre la muerte de García Lorca sea conocida pronto por el público español* (1).

Ian Gibson
La represión..., p. 133

(1) El subrayado es mío. ¿Podrá romperse ese tabú?

GRANADA

Éstas son las verdes praderas de mi país,
en cuyas sombras se ha perdido la aurora.
El agua que fluye siglo tras siglo
sigue siendo deliciosa y abundante.
Ya la cantaba entonces Hamduna
cuando brillaba el alba en su collar.

¿Dónde están Ibn Zaydún y sus amigos?
Aún charlando en las sombras y sin mañana.
Ya el sembrado amarillea y marcha
mi hermano a segar sus espigas.

Mira a Zoraya que pasa,
ésa es Nora, aquélla Uraynab.
Ellas son dulces ojos de gacela.
¡Cielos! ¡Qué aroma y qué belleza!

Granada, tu historia es mi pena.
Aleja tus manos, que mi llanto es copioso,
y las lágrimas que derraman los enamorados
tan valiosas como perlas y rubíes.

Las páginas de la historia callan, avergonzadas,
desde que la opulencia y la gloria nos dejaron.

Yusuf 'Izzidin

(Versión de María Luisa Cavero
Publicado en *ABC*, 10-II-74)

¿Por qué murió García Lorca? En este libro he intentado analizar y explicar cómo se produjo su muerte, en qué circunstancias, qué factores de carácter individual y colectivo influyeron de una manera más o menos decisiva en aquel asesinato que, treinta y nueve años después, sigue apasionando al mundo entero y provocando incontables y enconadas polémicas. Pero ¿por qué murió? Porque era un hombre entre los veintiséis millones de españoles que en julio de 1936 tenían que estar a un lado o a otro. Federico García Lorca, que indiscutiblemente era republicano, no era político, no le interesaba la política; pero en aquellos momentos la división había de ser tajante, absoluta, y cayó víctima de una simplificación abusiva y criminal.

Pero lo que hoy nadie debe olvidar, en medio de la enmarañada leyenda partidista que rodea el nombre de Lorca, es que su muerte no fue ni más ni menos trágica que la de tantos millares de personas que en una y otra zona, entre 1936 y 1939, murieron en España *sin combatir*, y en la retaguardia.

J. L. V.

¿Por qué murió García Lorca? En este libro he intentado analizar y explicar cómo se produjo su muerte, en qué circunstancias, qué factores de carácter individual y colectivo influyeron de una manera más o menos decisiva en aquel asesinato que, treinta y nueve años después, sigue apasionando al mundo entero y provocando incontables y enconadas polémicas. Pero ¿por qué murió? Porque era un hombre entre los veintiséis millones de españoles que en julio de 1936 tenían que estar a un lado o a otro. Federico García Lorca, que indiscutiblemente era republicano, no era político, no le interesaba la política; pero en aquellos momentos la división había de ser tajante, absoluta, y cayó víctima de una simplificación abusiva y criminal.

Pero lo que hoy nadie debe olvidar, en medio de la enmarañada leyenda partidista que rodea el nombre de Lorca, es que su muerte no fue ni más ni menos trágica que la de tantos millares de personas que en una y otra zona, entre 1936 y 1939, murieron en España *sin combatir*, y en la retaguardia.

J. L. V.

I. Silencios, banderas e investigaciones en torno a una muerte

1. Explosión y telones

La absurda muerte de Federico García Lorca, como una tragedia suya, con toda la fuerza de los imponderables, del fatalismo y del fanatismo de su propio pueblo y de nuestra propia sangre, parece escrita por él mismo junto a *Yerma, Bodas de sangre* y *La casa de Bernarda Alba* en sus odios y sus dolores; cerca de *Mariana Pineda* en su concepción de sacrificio inútil; y con ribetes de *Doña Rosita la soltera* en la mezcla de aire limpio y cursi de alegrías y penas burguesas granadinas determinadas de antemano. Todos los personajes reales del drama que él vivió levantaban el telón en los calores de mil novecientos treinta y seis.

A Federico le tocó, en el reparto, un papel más, de víctima, en la enésima parte de la explosión de aquella granada —aquella Granada—, uno de los muchos granos que estallaban, uno a uno, en toda España.

Varios de los personajes de ese drama que vivió, acompañados —silenciosamente— de otros varios espectadores, bajaron el *telón rápido* a finales de agosto de 1936.

En principio, tenían otros dramas para representar o para asistir. Más tarde, *aquél*, aquel en el que había muerto Federico, era una pesadilla oscura que había que olvidar y esconder, como se había escondido su cuerpo con el cráneo horadado, y como se intentaba olvidar —o hacer olvidar— su poesía con alma de gigante.

Serie AC   Nº 441094

MINISTERIO DE JUSTICIA
Registros Civiles

CERTIFICACION LITERAL DE INSCRIPCION DE DEFUNCION-- (1)

Sección   3ª.

Tomo   208-1

Pág.

Folio (2)   163

REGISTRO CIVIL DE **GRANADA**

Provincia de

El asiento al margen reseñado literalmente dice así: Número 542.-

Nombre y apellidos FEDERICO GARCIA LORCA.- Registro Civil de Granada, Juzgado Municipal núm. 1.- En la Ciudad de Granada a las doce y media del día veinte y uno de Abril de mil novecientos cuarenta, - ante Don Enrique Jiménez-Herrera Béjar, Juez Municipal y Don Nicolás Mª López Díaz de la Guardia, Secretario, se procede a inscribir la defunción de Don Federico García Lorca, hijo legítimo de D. Federico García Rodríguez, y de Dª Vicenta Lorca Romero, soltero, de 38 años de edad, natural de Fuente Vaqueros y vecino de esta Capital en Callejones de Gracia, Huerta S. Vicente, el cual falleció en el mes de Agosto de 1.936 a consecuencia de heridas producidas por hecho de guerra, siendo encontrado su cadáver el día veinte del mismo mes en la carretera de Viznar a Alfacar.- Esta inscripción se practica en virtud de Auto dictado por el Sr. Juez de Instrucción de este Distrito en armonía con lo dispuesto en el Decreto de 8 de Noviembre de 1.936 y orden de 10 del mismo mes y lo dictaminado por el Excmo. Sr. Fiscal de esta Audiencia; habiéndola presenciado como testigos D. Miguel Giménez Bocanegra y D. Juan de Dios Moya Villanova, de esta vecindad.- Leida este acta se estampó el sello del Juzgado y la firmaron el Sr. Juez y los testigos, certifico.- Firmado: Enrique J.Herrera Béjar.- M. Gimenez.- Juan de D. Moya.- Nicolás Mª López.- Rubricados.- Hay un sello.-

CERTIFICA: *Según consta de la página registral reseñada al margen, el* _____

Secretario D. Nicolás M.ª López Díaz de la Guardia

GRANADA, a **20** de **Junio** de 19**73**

(En los Juzgados de Paz, firmarán el Juez y el Secretario)

Importe de la certificación: P. u. 30	
Tarifa Tributaria, n.º 32 (en pólizas)....	5,00 ptas.
Tasas (Decretos de 18-6-59, art. 4, y artículo 37, tarifa 1.ª).............	32.00 »
Busca (art. 40, tarifa 1.ª) (3)............	»
Urgencia (art. 41, tarifa 1.ª) (4)........	»
Impreso (5)............................	13,00 »
TOTAL.............	85

(1) «Las certificaciones son documentos públicos» (Ley del Registro Civil de 8 de junio de 1957, art. 7).—«En toda certificación que haga fe de la filiación se hará constar que se expide para los asuntos en que las leyes directamente distingan la clase de filiación, sin que sea admisible a otros efectos» (Reglamento de 14 de noviembre de 1958, artículo 30).

(2) Se consignará el folio y no la página si se certifica de libros ajustados al modelo anterior a la Ley vigente del Registro Civil; en otro caso se consignará sólo la página.

(3) CINCO PESETAS por cada período de busca de tres años, quedando exento el primer período de tres años.

(4) CINCO PESETAS cuando se despache dentro de las veinticuatro horas.

(5) Modelo oficial, de acuerdo con la Orden de 24 de diciembre de 1958.

RIVADENEYRA, S. A.—MADRID

Fotocopia de la certificación literal de inscripción de defunción de Federico García Lorca, expedida a petición del autor el 20 de junio de 1973.

El acta de defunción reproducida antes de estas páginas es auténtica. El suceso que en ella se relata, no. O, por lo menos, no es *totalmente* cierto.

Federico García Lorca murió, sí, en el mes de agosto de 1936. Pero expresar que falleció *a consecuencia de heridas producidas por hecho de guerra* es un eufemismo en la total acepción de la palabra eufemismo, que «el Casares» define: «Modo de decir o sugerir con disimulo o decoro ideas cuya recta y franca expresión sería dura o malsonante.»

En torno a la muerte del poeta se han producido eufemismos —¡y silencios!— unas veces estúpidos, otras cobardes y otras culpables por muchos españoles que viven en España. Desde el otro lado —por otros muchos españoles que viven o no en España— se ha tomado el nombre y el cadáver de Federico como una agitada bandera antifranquista o antifalangista.

En este aspecto no cabe la menor duda que han sido más inteligentes éstos —los del otro lado—, aunque el procedimiento haya sido detestable, ya que Federico García Lorca, a pesar de declararse *revolucionario*, no quiso nunca ser bandera política.

Pero el triunfo embriaga. Si en la parte del silencio y el eufemismo se había caído en la estupidez de así, precisamente, *dar cartas al enemigo*, la parte de la inteligente agitación de banderas *se ha pasado de rosca*, hasta el punto que, en 1949, en una gira poética por Hispanoamérica, Luis Rosales fue abucheado públicamente llamándosele «asesino de García Lorca»... ¡a él, a Luis Rosales, su amigo, quien le dio hospitalidad en su casa, quien sufrió persecución por su causa, quien estuvo a punto, también, de caer cosido a una bala gemela a la que mató a Lorca!

3. Investigaciones

Dejando aparte a los *interesados* en una u otra versión sobre la muerte de Lorca y, naturalmente, a los estudiosos o apologistas de su obra y su vida —no de su muerte—, hasta hoy sólo cinco, y los

Antonio Machado, «El crimen fue en Granada». (En la foto, Machado dirigiéndose
al pueblo de Valencia durante un acto celebrado en plena guerra civil.)

cinco extranjeros, pueden considerarse verdaderos investigadores del desgraciado asunto. Investigadores que se han documentado a conciencia en España —especialmente en Granada y Madrid—, conversando, indagando y entrevistando a personas que estuvieron relacionadas con los hechos, comparando y confirmando (o desechando) declaraciones, posibles pruebas, etc. Son, por orden de aparición de sus trabajos: Gerald Brenan (*The face of Spain*, 1950), Claude Couffon (*Ce que fut la mort de Federico García Lorca*, 1951), Jean-Louis Schonberg (*Enfin la verité sur la mort de Lorca*, 1956), Marcelle Auclair (*Enfances et mort de Garcia Lorca*, 1968) e Ian Gibson (*La represión nacionalista de Granada en 1936 y la muerte de Federico García Lorca*, 1971).

Naturalmente, la bibliografía sobre este tema es mucho más amplia, y las versiones directas, libros y artículos se han repetido unos y contradicho otros. Como curiosidad, en cambio, llama la atención el que no se hable de la muerte de García Lorca en los principales libros de autores que, en esas fechas, estaban en la zona republicana, eran adictos a esa idea y publicaron sus trabajos de inmediato, o sea, antes de terminar la guerra (ejemplos: M. Kolstov, *Diario de la Guerra de España*; George Orwell, *Homenaje a Cataluña*; Franz Borkenau, *El reñidero español*; Carlo Rosselli, *Hoy en España, mañana en Italia*, etc.). Después, sí, años después, todas las «Historias de la Guerra Civil Española», de tipo general, escritas por extranjeros (Thomas, Jackson, etc.) más o menos ecuánimes —la ecuanimidad en las «Historias» editadas en España tardaría aún mucho en llegar—, relataron someramente el crimen.

Antonio Machado, fallecido en 1939, ya había escrito *El crimen fue en Granada*:

1

EL CRIMEN

Se le vio, caminando entre fusiles,
por una calle larga,
salir al campo frío,
aún con estrellas, de la madrugada.
Mataron a Federico
cuando la luz asomaba.
El pelotón de verdugos
no osó mirarle la cara.
Todos cerraron los ojos;

rezaron: ¡ni Dios te salva!
Muerto cayó Federico
—sangre en la frente y plomo en las entrañas—.
...Que fue en Granada el crimen
sabed —¡pobre Granada!— en su Granada...

2

EL POETA Y LA MUERTE

Se le vio caminar solo con ella
sin miedo a su guadaña.
—Ya el sol en torre y torre; los martillos
en yunque— yunque y yunque de las fraguas.
Hablaba Federico,
requebrando a la muerte. Ella escuchaba.
«Porque ayer en mi verso, compañera,
sonaba el golpe de tus secas palmas,
y diste el hielo a mi cantar, y el filo
a mi tragedia de tu hoz de plata,
te cantaré la carne que no tienes,
los ojos que te faltan,
tus cabellos que el viento sacudía,
los rojos labios donde te besaban...
Hoy como ayer, gitana, muerte mía,
qué bien contigo a solas,
por estos aires de Granada, ¡mi Granada!»

3

Se le vio caminar...
          Labrad, amigos,
un túmulo al poeta,
de piedra y sueño, en el Alhambra,
sobre una fuente donde llore el agua,
y eternamente diga:
el crimen fue en Granada, ¡en su Granada!

No se ajusta, con exactitud, a la verdad. Pero es poesía: poesía apologética y poesía épica, aunque no hubiese —en la realidad—

ninguna heroicidad, ni en los verdugos ni en la víctima. Y, así, por lo tanto, la frase «el crimen fue en Granada», que es, quizá, la única verdad de toda la poesía, quedará fijada como un epitafio en la inexistente losa.

4. Análisis de las investigaciones publicadas

El texto de Brenan es escueto y bastante imparcial. Su mayor mérito consiste en haber abierto el camino a la investigación del caso. Él fue quien alumbró por primera vez, públicamente, la pista sobre el pueblo de Víznar, cerca del cual está enterrado el poeta.

Couffon dio a conocer el artículo mencionado en *Le Figaro Littéraire* en su número del 18 de agosto de 1951. Más tarde, junto a otros de tipo descriptivo alrededor del pueblo natal de Federico (Fuente Vaqueros), la finca de su padre (Huerta San Vicente) y otros aspectos de su vida y su obra, lo incluyó en un tomo: *À Grenade, sur les pas de García Lorca*. En 1967 fue publicado, en castellano, por Editorial Losada (Buenos Aires) con el título de *Granada y García Lorca*. En la traducción del artículo de referencia cambia su original (*Ce que fut la mort de García Lorca*) y lo encabeza, precisamente, con el verso de Machado: *El crimen fue en Granada*. Ocupa las páginas 78-132 del libro, y está dedicado a Manuel Ángeles Ortiz (1). Couffon, desde luego, indagó a fondo pero quizá hizo excesivo caso de cuanto le informaron. En Granada, así como hay muchas personas que no quieren decir absolutamente nada, sea por miedo o por culpabilidad, hay otras —también muchas— que aseguran versiones dispares y circunstancias inventadas, sea por credulidad ingenua o por afán de notoriedad. (El «enterao», el hombre que, en todo momento y sobre cualquier cosa, «sabe la verdad», es un producto muy español y, en Andalucía, frecuentísimo.)

Couffon escribe que, en 1934, Gil Robles «conoció su hora de

---

(1) Pintor granadino, gran amigo de Lorca, de reconocida fama. Es autor de una maqueta para un hipotético monumento al poeta, en Granada, cuya fotografía fue reproducida en el número 8-9 de la revista *Litoral* (octubre de 1969). «Representa --dice su autor— un muro en el que por una gran grieta aparece una chumbera; en los extremos, como en su parte posterior, hay tres granadas; por los dos espacios de la base pasaría el agua; la altura de la construcción sería de 25 metros.»
En una de mis visitas a Granada (noviembre de 1973), Manuel Ángeles Ortiz exponía en la galería del Banco de Granada, resaltando, entre numerosas obras abstractas y de explosivo color, un retrato a lápiz de Federico.

«... el crimen fue en Granada, ¡en su Granada!»

celebridad al convertirse en el campeón de la represión obrera» (sic), añadiendo que «militarmente, fue obra de los generales Goded y Franco». Se refiere a la revolución de Asturias (octubre). Pero, aun cuando Gil Robles, como jefe de la CEDA, muy probablemente capitaneaba una política de mano dura que le llevó después a plantear la crisis de marzo del 35 al negarse a aceptar los indultos de González Peña y Teodomiro Menéndez, en esa fecha el ministro de la Guerra no era aún Gil Robles, sino Diego Hidalgo (radical), el presidente del Gobierno, Lerroux (Gil Robles no llegó a serlo nunca), y Goded no tuvo acción alguna en aquella ocasión. Franco estaba en Madrid, por casualidad, de permiso, cuando la rebelión se produjo. El ministro Diego Hidalgo le nombró inmediatamente su asesor especial. En Asturias combatían contra la revolución roja —y en ésa sí que los propios revolucionarios se autodenominaron «rojos», calificativo que en 1936 desecharon— el general López Ochoa y el coronel Aranda. Franco envió refuerzos de África —legionarios y moros «regulares»— al mando del teniente coronel Yagüe. La verdadera represión gubernamental empezó una vez sojuzgada la revuelta. Fue obra del comandante Doval, de la Guardia Civil.

También dice que en 1934 el Gobierno era de extrema derecha. No es cierto el extremismo.

Y que los monárquicos estaban apoyados («como siempre», especifica) por Falange y por la CEDA... Esto es desconocer las tres (en principio, tres; si por «monárquicos» sólo alude a los alfonsinos) ideologías de entonces.

En Granada sitúa, el 19 de julio de 1936, seiscientos falangistas. Este dato lo ha tomado, probablemente, de la *Historia de la Cruzada*, de Arrarás, que, como es bien sabido, a su infantil triunfalismo añade buena cantidad de errores. En Granada, capital, había, en julio del 36, como máximo, unos 60 falangistas. En el resto de la provincia, quizá 40 más.

Dejando aparte la generalidad histórica española, y ciñéndonos al relato de la muerte de Federico, también comete rotundos errores: «...su posición política, bastante desvaída en un principio, se convirtió en extremadamente precisa en la víspera de la guerra» (2). En otras páginas de este trabajo demuestro la falsedad de esta aserción. Es ella (la idea, la hipótesis que Couffon expresa al igual que lo podían creer los extremistas contrarios) la base principal en la que pudo fundamentarse «la excusa» para matar a Lorca. La «excusa», no la base real que, como veremos, fue más complicada. Y, tam-

(2) COUFFON, pp. 83-84.

Gerald Brenan: la primera pista
sobre el pueblo de Víznar.

Claude Couffon, Marcelle Auclair, Ian Gibson,
tres investigadores documentados a conciencia.

Claude Couffon

**Granada
y García Lorca**

Losada

Biblioteca
clásica
y contemporánea

MARCELLE AUCLAIR
Enfances
et mort de GARCIA
LORCA

SEUIL

Ian Gibson

**La represión
nacionalista
de Granada
en 1936
y la muerte
de Federico
García Lorca**

bién en esa misma hipótesis ha sido basada la «bandera Lorca» antifranquista y antifalangista, no dándose cuenta, muchos de esos abanderados, que la verdad de que el poeta no tuviese, ni quisiese, posición política definida (y mucho menos «extremadamente precisa») convertía el crimen, además de *crimen*, en *crimen estúpido*.

Couffon habla también de una supuesta carta anónima (recibida por Federico a últimos de julio o primeros de agosto, estando aún en casa de sus padres, la «Huerta San Vicente») en la que se le amenazaba, calificándole de «bicho asqueroso y peligroso». De esa carta se ha hablado, después, mucho. Schonberg también la cita, imaginando que era un chantaje. Tanto Marcelle Auclair como Ian Gibson —investigadores mucho más profundos que los dos anteriores— creen que no existió tal carta anónima. «La familia del poeta me ha asegurado que no hubo ningún intento de chantaje», dice Gibson (3). Sí lo hubo, pero fue más tarde; y, en realidad, no fue chantaje, sino *timo*, pues el poeta ya estaba muerto (4).

Otro invento de Couffon —o credulidad al informe de algún «enterao»— es el intento de huida del poeta, ya en casa de los Rosales, cuando llegaron para detenerle: «En el patio, la señora Rosales parlamenta. Está sola en la casa y debe prevenir a su hijo Miguel. Le telefoneará y Ruiz Alonso tendrá que explicarle sus intenciones... En el segundo piso, escuchando en el vestíbulo, Federico ha comprendido bien. Después de haber clavado sobre doña Luisa sus ojos, llenos de espanto, se lanza hacia la parte superior de la casa. Pues sólo le cabe una esperanza, por cierto una esperanza de loco: la huida por los techos» (5). Si de tal intento sé, positivamente, que no existió, por cuanto me han relatado los hermanos Rosales (6), en aquel momento ausentes, pero que oyeron mil veces explicar lo sucedido a su madre y a su tía Luisa; aún es más el absurdo de tal acción, precisamente, por el propio miedo, o *espanto*, de Federico. El salto que, al parecer de Couffon, se proponía el poeta, es sólo imaginable en un *telefilm* de serie. El valor personal de Federico no era de resaltar normalmente, ¡no digamos en aquellos instantes! Es más, ni Lorca, ni la señora de Rosales, ni doña Luisa, pensaban que aquella detención era ya la muerte.

(3) GIBSON, p. 65.
(4) Declaración de Luis Rosales al autor. Véase cap. VI.
(5) COUFFON, p. 121. (Obviamente, el traductor de Couffon ha confundido *tejados* y *techos*.)
(6) En distintas conversaciones, distintos lugares y distintas fechas. Miguel, Luis y José Rosales no están, ni mucho menos, confabulados, ni han inventado o reconstruido una «verdad-tipo» (según se ha insinuado por algún partidario del silencio). Todo lo contrario: hay opiniones o recuerdos que lealmente se contradicen entre los tres. En negar tal huida estaban los tres de acuerdo.

Añade que de allí le llevan a Comisaría de Policía, pero: «los García eran personalidades demasiado importantes en Granada para que un comisario de barrio se atreviese a arrestar a uno de ellos sin orden superior. El comisario se declara incompetente» (!)... De allí le envía —siempre según el relato de Couffon, claro— al Gobierno Civil, y de allí a la cárcel, donde «convertido al anonimato, confundido con la multitud que le rodeaba, no era otra cosa que un preso igual a los otros, un detenido hosco, salvaje, esperando que apareciese alguien para leerle la sentencia de muerte» (7).

La descripción es fascinante. Parece vivida. Sin embargo, ni los García Lorca eran tan importantes en Granada, ni en agosto de 1936 un comisario de policía podía declararse «incompetente» (así, por las buenas) respecto a un detenido sospechoso de «espía ruso» (8). Pero aún más: García Lorca no fue llevado a la comisaría, sino directamente al Gobierno Civil. Tampoco estuvo en la cárcel. Del Gobierno Civil fue sacado hacia Víznar. La certeza a este respecto es total. Para terminar —no los errores de Couffon, que hay varios más, sino su análisis— resaltaré uno de los más importantes: «A todo esto, y en esa misma noche, la noticia de la detención del poeta corrió por toda Granada como un reguero de pólvora.» Falso; ni esa noche, ni siquiera más tarde, la noticia salió de un ámbito reducidísimo en Granada. «Al volver a su domicilio, Luis Rosales, informado de la situación, multiplicó sus esfuerzos en la Gobernación Civil.» Cierto, pero Luis no *volvió a su domicilio* como quien llega de la oficina o de tomar el aperitivo; fue llamado urgentemente al frente, donde se hallaba. Y, una vez en el Gobierno Civil, según Couffon «solamente encontraron a un coronel de la Guardia Civil, que se limitó a registrar su declaración, y a Ruiz Alonso, quien, descubierto y amenazado por Rosales, se apresuró a eclipsarse» (9). Luis Rosales me ha relatado, en distintas ocasiones (con dos años de diferencia entre la primera y la última conversación), y siempre igual, la escena: le recibió un teniente coronel de la Guardia Civil, diciéndole que el gobernador civil (10) no podía recibirle. Entonces, Luis hizo una declaración formal, oficial, firmada (11). Y mien-

(7) COUFFON, p. 125.
(8) Ésa es la acusación que le hizo Ramón Ruiz Alonso. Ver página 138.
(9) COUFFON, p. 128.
(10) José Valdés Guzmán, comandante de Intervenciones Militares.
(11) Por ser, *precisamente*, oficial, Luis insiste en que esa declaración debe de existir en algún archivo. La ha buscado sin éxito. ¿No desaparecería cuando, *precisamente*, se hizo una investigación oficial —como veremos más adelante— también sin —al menos público— éxito? Yo también he buscado esa declaración oficial en donde debería estar y no la encontré. Claro que también me ha ocurrido igual con otros muchos documentos referentes a la detención, muerte e investigación realizada sobre la muerte de Federico García Lorca.

tras estaba leyendo: «Esta tarde, en mi propia casa, calle de Angulo, 1, el poeta Federico García Lorca, que se hallaba domiciliado allí mismo, ha sido detenido por un tal Ruiz Alonso...», a la tercera vez de repetir «un tal Ruiz Alonso» se le acercó éste (todo lo contrario de «eclipsarse»), que estaba allí («entre más de cien personas», según Rosales), y le dijo:

—Ese «tal» Ruiz Alonso soy yo.

Porque, efectivamente, no se conocían.

—Y lo he detenido bajo mi propia responsabilidad —subrayó el ex diputado cedista.

Ruiz Alonso se *eclipsaría* algo más tarde: en 1938, en Salamanca, cuando, siendo funcionario de la Dirección General de Propaganda, entró en el despacho de su jefe superior, Dionisio Ridruejo, y se encontró cara a cara con Luis Rosales. Dionisio, según me dijo, «había heredado» en su departamento a Ruiz Alonso. Cuando Luis fue a verle y le enteró de los hechos, hizo prometer a éste que no hablaría *ni actuaría*, y llamó al otro. Al entrar y ver a Luis, sólo dijo balbuceantes vaciedades. Al poco tiempo, Ridruejo le expulsó de su departamento (12).

Pese a todo, no podemos desechar absolutamente las investigaciones y el trabajo de Couffon. Aun con sus errores y su fantasía, era un avance en el intento de esclarecer los hechos.

5. La teoría de Schonberg

No, en cambio, tiene disculpa alguna Jean-Louis Schonberg, que publica, en *Le Figaro Littéraire* (París, 29 de septiembre de 1956), el artículo *Enfin la verité sur la mort de Lorca* y como subtítulo expresa: «Un asesinato, cierto, pero en el que la política no fue el móvil.» Lo achaca a una lucha de homosexuales, acusando de dicha desviación no sólo a Federico García Lorca, sino a varios personajes más, uno de los cuales ciertamente tuvo que ver con la defunción del poeta; sin embargo, es absurdo calificarle de pederasta y, en cambio, otro es muy posible que lo fuese pero no tuvo nada que ver con la muerte de Federico.

(12) Conversación del autor con Dionisio Ridruejo, en su domicilio de Madrid, el día 21 de octubre de 1971.

LA ESTAFETA LITERARIA

«El artículo de "La Estafeta" es de los que deshonran a quienes lo escriben y lo publican, y a quienes lo leen sin rebelarse.» (De la carta de Dionisio Ridruejo al ministro de Información y Turismo Arias Salgado.)

Juan Aparicio, director general de Prensa y anónimo autor del artículo-collage-traducción-mutilación basado en Schonberg, publicado en «La Estafeta Literaria».

Enfin la verité... es una sarta de disparates que no aporta prueba alguna. Y, sin embargo, curiosamente, después de la teoría —también falsa— atribuyendo la muerte a la Guardia Civil en venganza por los versos de Lorca contra la Benemérita, esta de Schonberg es la más popular hoy en España.

A ello contribuyó, indudablemente, un *trabajo* aparecido, sin firma, en *La Estafeta Literaria* (Madrid, 13 de octubre de 1956) en el que se reproducían, mal traducidos, los párrafos más significativos de *Enfin la verité...* respecto al «amor oscuro», añadiendo el anónimo autor, por su cuenta, la argamasa y las mutilaciones necesarias para, con el mayor descaro, despolitizar el crimen. Hay párrafos que son de antología. Ejemplo: «En fin, hemos de decir nosotros —o sea el autor de la traducción, mutilación, refundición y añadidos— se ha roto la piedra de escándalo. ¡Veinte años utilizando la muerte de García Lorca como instrumento político! (...) Mientras tanto aquí, en España, en la España de la verdad, siempre estuvo todo dispuesto para mostrar y comprobar esa verdad que sobraba, que molestaba, que podía disipar la conjuración (...) —y repite—: Y aquí, en España, siempre todo estuvo dispuesto para mostrar y demostrar esa verdad (...)»

A cualquier persona que, en algún momento, haya tenido cierta curiosidad por este tema, las frases que reproduzco de *La Estafeta Literaria* pueden producirle risa o náuseas, según su particular fisiología.

Dionisio Ridruejo, uno de los hombres de trayectoria más limpia con su propia conciencia política (equivocada o no) (13) escribió, indignado, al ministro de Información y Turismo, Gabriel Arias Salgado:

Querido amigo:

No quiero y no puedo dejar de pasar en silencio y sin protesta la publicación de un artículo aparecido en *La Estafeta Literaria,* donde se transcriben y glosan, con intención demasiado miserable, algunos párrafos del trabajo publicado por

(13) Rector de la Propaganda Nacional cuando la propaganda política totalitaria tenía como dios a Goebbels, es el único que, en agosto de 1937, cuando el Caudillo se proclama Jefe Nacional de FET, pide que en los estatutos del nuevo partido unificado se haga figurar (sin éxito, naturalmente) un artículo fijando que, en caso de traición, el Jefe puede ser destituido. Abandona la vida oficial en 1942. Conoce confinamiento, cárcel y exilio, viviendo de su pluma sin momios por servicios prestados. En la actualidad reconoce —e incluso lo publica— sus trabajos e ilusiones profalangistas, declarando honradamente —muy pocos, poquísimos, lo han hecho a posteriori— que él era partidario decidido de la intervención de España en la II Guerra Mundial a favor de Alemania.

M. Schonberg en *Le Figaro Littéraire* sobre la muerte de Federico García Lorca. El artículo de *La Estafeta* es de los que deshonran a quienes lo escriben y lo publican, y a quienes lo leen sin rebelarse. Te invito a juzgarlo por ti mismo: se trata allí de exculpar al Movimiento Nacional de la mancha arrojada sobre él por la muerte del poeta; la exculpación no se logra, y el autor del artículo, aun siendo un necio, no podía menos de saberlo. De lo que el mundo ha hablado siempre es precisamente de lo que allí queda en pie: una máquina política de terror ha matado a un hombre que, aun desde el punto de vista más fanático, debía ser considerado como inocente. El artículo viene a confirmar esta inocencia, a desvanecer cualquier justificación subjetiva fundada en una necesidad revolucionaria, y no desvirtúa, por otra parte, el hecho de que el poeta haya muerto a manos de los agentes de la represión política de Granada, sin que a nadie se le pidiera cuentas.

¿Para qué, por lo tanto, se ha escrito este artículo? A mi juicio, por una sola razón: porque la publicación de los párrafos de Schonberg permitía arrojar alguna sombra, algunas salpicaduras de infamia sobre la memoria de la víctima. No se trataba tanto de establecer que los móviles reales de esa muerte, conjeturados por el escritor francés, no fueran políticos, sino de proclamar que fueron «oscuros». Sin duda, el director de *La Estafeta*, Juan Aparicio, ha pensado «cristianamente» que, empequeñeciendo el valor de la víctima, el crimen, o el error, son más disculpables.

A mí me parece que esto pasa de la raya, que es una porquería, y que se han atropellado todas las leyes del honor, de la piedad y de la decencia. Me pregunto y te pregunto si la opinión de los españoles puede estar dictada por gentes capaces de cometer semejante villanía. A poca cosa, si es así, hemos venido a parar cuando tan poco respeto se nos debe. No obstante, y para compensar esto, sin duda, y proteger nuestra seguridad espiritual, tu censura nos ha impedido leer en la prensa española un solo recuerdo a don José Ortega y Gasset, en el día del aniversario de su muerte, y hasta la esquela familiar anunciando un sufragio por su alma ha sido eliminada.

Está claro que los españoles debemos menospreciar a uno de nuestros más grandes poetas, debemos ignorar a nuestro mayor filósofo y después debemos callarnos.

Perdóname que no me resigne a cumplir la consigna y que proteste con indignación. Esto es todo.

Te saluda

DIONISIO RIDRUEJO (14)

Copias de esa carta, que he reproducido con permiso de su autor, fueron remitidas al extranjero por algunos corresponsales y me dice el propio Ridruejo (15) que el primer periódico que la publicó fue *Bohemia* de la Habana. Después, varios diarios sudamericanos. En España ha tardado dieciocho años: ésta es la primera vez que se imprime.

Gibson dice que «según Fernando Vázquez Ocaña» (16) fue «reproducida o discutida en todo el mundo». Y añade: «En todo el mundo quizá, pero no en España, pues números siguientes de *La Estafeta Literaria* no hicieron la menor alusión a la controversia suscitada por el artículo.»

Gibson podía haberse ahorrado la búsqueda en esos números posteriores de *La Estafeta Literaria* si hubiese sabido que el anónimo autor del *artículo-collage-traducción-mutilación* basado en Schonberg era (me afirma Dionisio Ridruejo) el propio Juan Aparicio —granadino, natural de Guadix—, entonces director general de Prensa.

El citado artículo de Schonberg también es recogido en el extranjero. El poeta británico (sudafricano) Roy Campbell, que había escrito en 1939 un largo poema sobre la guerra de España, *Flowering Rifle (Fusil florido)* (17), justificaba la muerte de Lorca en estos

(14) La exactitud del texto me ha sido confirmada —y corregidos los errores de máquina en el que yo le envié— por Dionisio Ridruejo.

(15) Carta de Dionisio Ridruejo al autor, 26 de noviembre de 1973.

(16) F. VÁZQUEZ OCAÑA, *García Lorca. Vida, cántico y muerte*, Ed. Grijalbo, México, 1957, 2.ª ed., 1962, p. 381.

(17) Poema poco conocido en España, aunque ESTEBAN PUJALS (*España y la guerra de 1936 en la poesía de Roy Campbell*, Ed. Ateneo, Madrid, 1959), VICENTE MARRERO (*La guerra española y el trust de cerebros*, Ed. Punta Europa, Madrid, 1961) y RAFAEL CALVO SERER (*La literatura universal sobre la guerra de España*, Ed. Ateneo, Madrid, 1962) lo citen alabándolo. H. R. SOUTHWORTH (*El mito de la Cruzada de Franco*, Ruedo Ibérico, París, 1963, pp. 84-85) analiza cómo los dos últimos citados (de quienes duda hayan leído el poema) resultan *influidos* por el primero: «Pujals (...) escribió en 1959: "Cuando la mayoría de los intelectuales británicos y casi todos los poetas de su generación apoyaban con las armas, la palabra y la pluma a la España roja él se decidió por la España nacional. Tengo que añadir aquí que Campbell es el poeta británico que mejor sentía y conocía a España... *Fusil florido*... es el poema más importante sobre la guerra de España." Por una curiosa coincidencia, Marrero expuso esta elaborada opinión en 1961: "Sin duda es Roy Campbell el poeta extranjero que mejor sentía y conocía a España y el autor del poema más importante que se ha hecho sobre nuestra guerra... Cuando la mayoría de los intelectuales británicos y casi todos los poetas de su generación apoyaban con las armas, la palabra y la pluma a la España roja, él se decidía por la España Nacional." Y Calvo Serer escribió en 1962: "Cuando la mayoría de los intelectuales

términos: «¿Es que España iba a dejar escapar un enemigo / que había jurado ser fiel a su adversario a pesar de tener forma de ángel?» (18). O sea que atribuía, sin duda alguna («enemigo», «adversario»), la muerte a razones políticas. Sin embargo, en 1957 (un año después del artículo de Schonberg) revisa su poema y, enlazando la tesis de éste con la suya propia, afirma que los *justicieros* fueron, sí, los nacionales asqueados por la inmoralidad reinante en Granada, que —siempre según Campbell— era «como mil Sodomas y Gomorras juntas» · (!)... La imaginación y el mal gusto del poeta sudafricano, como puede observarse, extiende la vileza a toda Granada.

En esta segunda edición, suprime los dos versos de «enemigo»-«adversario» y, en nota aparte, en prosa, añade:

> La sorprendente cantidad de papel malgastado en esta casi única tacha de las armas nacionalistas es típica de la prensa anglosajona. Cuando los nacionalistas entraron en Granada, los increíbles excesos perpetrados por los rojos les hicieron dar gusto al dedo fusilando a todos los corruptores de niños, notorios pervertidos y maniacos sexuales. Una reacción natural teniendo en cuenta que la semana anterior los rojos habían torturado y asesinado a toda persona sospechosa de cualquier especie de decencia: Maeztu, Calvo Sotelo, Muñoz Seca, el padre Eusebio (a punto de ser canonizado) y Antonio (sic) Primo de Rivera fueron matados no por sus vicios, sino por sus virtudes. Eran intelectuales de mucha más categoría y murieron mejor que el cobarde Lorca. Si el autor de este poema, superior poeta que Lorca, como Borges, el gran crítico sudamericano, señala, no hubiese sido fértil en recursos, podría haber muerto como Lorca, pero a manos de los rojos (19).

Son ciertas las muertes que cita, pero no sus fechas, muy distintas. No es cierto que los nacionalistas «entrasen en Granada»: Granada-capital fue nacionalista desde el primer momento de la

---

británicos y casi todos los poetas de su generación apoyaban con las armas, la palabra y la pluma a la España roja, Campbell aparece solitario defendiendo su ideal."» Southworth es un autor cuyos análisis en cuanto concierne a la zona nacional de nuestra guerra civil son apasionados en el *anti* y, desde luego, discutibles. Pero, en este caso, parece *dar en el clavo* de que, sencillamente, Roy Campbell gustó a Pujals, y los otros dos se limitaron a fiarse de éste, llenando el hueco que les faltaba de un poeta británico pronacional.

(18) *Flowering Rifle*, p. 93 (traducción de Southworth).

(19) Roy Campbell, *The collected poems*, The Bodley Head, Londres, 1957. La traducción del párrafo que se cita es de H. R. Southworth.

sublevación allí. Es sensacional la autoevaluación de Campbell en un supuesto escalafón poético internacional, aun basándose en Borges. Y, como *disculpa* de quienes *daban gusto al dedo* fusilando a desviados sexuales, sin juicio ni psicoanálisis, me parece que hace poco favor a la causa que apoya.

6. Los dos investigadores correctos: Marcelle Auclair e Ian Gibson

En el espacio de tres años, se publican en Francia dos interesantísimos libros sobre este tema. El de Marcelle Auclair (20) es un completo estudio sobre la vida entera de Lorca, cuya tercera parte (y última, excepto apéndices) se titula «¿Dónde está mi sepultura?»

Marcelle Auclair había sido muy amiga de García Lorca. Periodista, casada con Jean Prévost, hispanista con muy buenos e importantes amigos españoles, autora de interesantes trabajos sobre España, entre ellos la *Vida de Santa Teresa de Ávila*, explica, con claridad y sencillez exenta de personalismos, la vida del poeta que ella conoció y, para las etapas de antes de conocerle o después de la primavera de 1936, se lanza a la búsqueda de la verdad, con cariño, pero lealmente.

Respecto a su muerte, naturalmente, tiene que referirse en varios pasajes a cuestiones políticas, pero ni las toma como suyas ni intenta dogmatizar sobre ellas. Sencillamente, las relata como cree que fueron, a vista de periodista extranjera neutral.

A mi modo de ver, «¿Dónde está mi sepultura?» es el trabajo más ecuánime de cuantos se han realizado hasta ahora en torno al crimen de Granada.

Ian Gibson publica su libro en castellano (Ruedo Ibérico, París, 1971). Es el más tenaz, el que más exhaustivamente detalla, aunque se politiza exageradamente enmarcando el hecho en una denuncia total contra la represión nacionalista de Granada. Su virulencia antifranquista le hace caer en algunos errores que se ven ampliados por su condición de extranjero. (Marcelle Auclair tampoco es española, pero ha vivido mucho más tiempo que Gibson en España, supongo, o por lo menos ha sabido captar mucho mejor espíritus,

(20) *Enfances et mort de Garcia Lorca*, Ed. du Seuil, París, 1968.

Roy Campbell: «¿Es que España iba a dejar escapar un enemigo que había jurado ser fiel a su adversario a pesar de tener forma de ángel?» (En la foto, de izquierda a derecha, Lorenzo Gomis, Eduardo Cote Lamus, Miguel Arteche, Fernando Quiñones y el autor de «Fusil florido», en Segovia, junio de 1952.)

José Luis Cano y José Monleón, dos excepciones en un largo silencio.

GARCIA LORCA

Vida y obra de un poeta

José Monleón

Aymá, S. A. Editora

JOSÉ-LUIS DE VILALLONGA

Furia

ROMAN

AUX ÉDITIONS DU SEUIL

José Luis de Vilallonga: olvido de la autenticidad histórica en la novela.

caracteres y situaciones.) Pese a ello, hay que reconocer el excelente castellano de Ian Gibson (21).

Éste estuvo un año entero en Granada (en 1965) para estudiar *la obra* de García Lorca y, al darse cuenta de que, en conversaciones, sin proponérselo, estaba reuniendo datos y versiones sobre su muerte, decidió cambiar el rumbo de la investigación. Al principio, según me han relatado en Granada, se le veía algo despistado en los bares que frecuentan actualmente (o en 1965) los antiguos amigos del poeta, u otras personas de las que pudiese escuchar algo interesante. Probablemente iba armado de cinta magnetofónica escondida (él reconoce haberla utilizado sin permiso de algún entrevistado). Pero, poco a poco, fue introduciéndose en algunos enclaves importantes. Su mérito es grande, pues es difícil en Granada, más siendo extranjero y, mucho más, buscando lo que él buscaba.

Incluso se empleó como profesor de piano de una hija del capitán Nestares (como veremos, muy importante en el caso), aunque sin éxito, dada la poca locuacidad de éste al respecto. Su gran suerte fue poder enlazar, y trabar amistad, con el doctor José Rodríguez Contreras, quien, prácticamente, le dictó casi la mitad del libro.

Conste que el hecho de que Gibson no cite al doctor Rodríguez Contreras no es atribuible a mala fe, sino a que éste, entonces (1965), aún tenía cierta aprensión a que su nombre figurase. No miedo —pues es un hombre entero y valiente—, pero sí cierta prudencia. En noviembre de 1973, Rodríguez Contreras me autorizó a citarle.

No insisto, aquí, en el análisis del libro de Gibson, pues las principales discrepancias o concordancias con él las expongo en «notas a pie de página» del capítulo «Crónica del asesinato».

7. Los dos más recientes y recuerdos de otros dos

A José Monleón, aun sin poder ser considerado como un verdadero investigador, debo incluirle, ya que muy recientemente ha publicado un libro infantil sobre García Lorca (22).

(21) Su libro no indica si está escrito directamente, o no, en castellano, pero por algunos párrafos parece que sí. Aparte de ello, he leído cartas personales suyas, con perfecto estilo, a un amigo común.

(22) José Monleón, *García Lorca. Vida y obra de un poeta*, Ed. Aymá, Barcelona, 1974.

En cuanto a la muerte del poeta —que despacha en dos páginas— comete algunos errores de detalle, aunque en el fondo general, muy por encima, acierta. Digo expresamente *acierta*, por haber acertado al escoger la fuente que, no me cabe duda es Ian Gibson, Marcelle Auclair, yo mismo, o un conjunto de los tres. Por segunda vez en un libro editado en España —la primera fue en mi *¿Así fue? Enigmas de la guerra civil española*— se acusa a dos nombres concretos: Ruiz Alonso y Valdés. Aunque a este último («un tal Valdés») lo nombra gobernador militar, en vez de gobernador civil como, efectivamente, era.

Al alcalde Fernández Montesinos *le hace* resistir, refugiado en el Albaicín: esta situación, muy bella legendariamente, es absolutamente falsa. Fernández Montesinos fue detenido en su despacho del Ayuntamiento, en las primeras horas del Alzamiento. En cambio, otro error («Luis Rosales formaba, con sus hermanos, el núcleo de mando de la Falange granadina») ya es más disculpable puesto que, a pesar de que Luis Rosales no era ni siquiera falangista el 20 de julio de 1936, su protesta en el Gobierno Civil cuando, indignado, va a reclamar a Federico, puede orientar en el sentido erróneo que capta Monleón.

Hay varios más; quizá tengan poca importancia. Al fin y al cabo, repito, ese capítulo sólo tiene dos páginas. Pero lo que tampoco entiendo es por qué, si el autor se ha lanzado a escribirlo honestamente, con los datos de esas fuentes, e incluso hablando de «depuración» en otro párrafo, al llegar a las líneas finales recaba el pudor de soslayar la palabra «asesinato» o «le mataron» y escribe: «Aquella noche le llevaron a Víznar, pueblecito cercano a Granada, en cuyos alrededores *encontró la muerte*» (23).

Como es lógico, este análisis he querido limitarlo a la descripción del crimen. El resto del libro, correcto, no me compete aquí.

José Luis de Vilallonga también ha publicado recientemente, en Francia, una novela —*Furia* (24)— que intenta hacer creer está basada en la veracidad sobre la muerte de Federico, advirtiéndolo así al comienzo: «La mayoría de los detalles históricos de este relato me fueron descritos, en su día, por testigos de los acontecimientos expuestos. Más tarde he tenido ocasión de verificar la exactitud en numerosas obras, entre ellas *Enfances et mort de García Lorca*, de Marcelle Auclair, a quien rindo particular homenaje.» Estas líneas anulan por completo el indiscutible valor literario que tiene *Furia* sólo como novela, ya que ni son ciertas la mayoría de situaciones o

---

(23) Op. cit., p. 102. (El subrayado es mío.)
(24) J. L. DE VILALLONGA, *Furia*, Ed. du Seuil, París, 1974.

actuaciones que describe con nombres y apellidos que realmente existieron, ni el libro de Marcelle Auclair *verifica* —¡ni mucho menos!— su relato.

Anteriormente, Vilallonga publicó otra novela —*L'homme de sang*— que decía estar basada en la vida de Valentín González, *el Campesino*. Para mí ésta, como novela, es muy superior a *Furia* (es decir: sensacional, ya que *Furia* —repito que *como novela*— también me gusta), pero me parece absurdo que se trate la novela histórica con el más elemental olvido de cierta autenticidad. Ni los productores hollywoodenses han llegado a destrozar así la Historia. Es una pena, dada la fácil y elegante pluma de su autor. Novelas con base histórica auténtica sobre nuestra guerra civil se han escrito muchas: desde Hemingway hasta Gironella, Agustí y Luis Romero. Éstos sí han respetado la situación o actuación real cuando citan nombres concretos aunque, lógicamente, *novelen* el hilo de su relato en torno a personajes de imaginación.

Vilallonga es un personaje inquieto y curiosísimo: marqués, Grande de España, exiliado forzoso en su tiempo y creo que hoy voluntario, excelente escritor, pasable actor de cine y maduro *play-boy*. Su imaginación es extraordinaria: en la página 32 de *Gold-Gotha* (Ed. du Seuil, París, 1972, en la edición española se ha suprimido) dice que Franco, una vez que su hija Carmen —hoy marquesa de Villaverde— tuvo la edad propia para el matrimonio, envió un «discreto» mensaje al conde de Barcelona —jefe de la Casa Real española— proponiendo el enlace de Carmen con el «infante» (sic) Juan Carlos. Según Vilallonga, Don Juan no se dignó responder y de ahí viene el hecho de que Franco se haya opuesto siempre a la subida al trono de Don Juan de Borbón.

Antes de salir *Gold-Gotha* a la luz editorial, este despropósito ya lo había publicado en la revista *Lui*. Debe tenerse en cuenta que cuando Carmen Franco Polo se casó, en 1950, con el marqués de Villaverde, Juan Carlos de Borbón tenía doce años de edad.

Quiero, asimismo, destacar a otros dos autores españoles que, aun no siendo, tampoco, investigadores sobre la muerte de García Lorca, realizaron, ambos, un importantísimo trabajo:

José Luis Cano nos ofrece, en 1962, su biografía ilustrada de Federico, una de las principales bases para entender la humanidad del poeta. Manuel Vicent es el primero en España que se atreve a publicar, en la página 187 de su *García Lorca* (Ed. Epesa, Madrid, 1969), la palabra «asesinado», lo que demuestra tal valentía que, aunque Vicent reconozca, noblemente, no haber investigado a fondo, le concede un puesto principal en la historiografía de este tema.

«La casa de Bernarda Alba», obra póstuma de García Lorca, concebida para ser estrenada en octubre de 1936 por la compañía del teatro Español de Madrid, y que no lo será hasta el 8 de marzo de 1945, en el teatro Avenida, de Buenos Aires. (En la foto, Margarita Xirgu en un momento de la representación.)

Luis Apostúa («Ya») y Antonio Gibello («El Alcázar»): polémica acerca de las responsabilidades por el asesinato de Federico García Lorca (1972).

8. Los silencios en la España de la posguerra

Es perfectamente claro e indudable que, durante nuestra guerra civil —como en todas las guerras—, los silencios y las mentiras descaradas se impusieron tanto en una zona como en otra.

A partir del 1 de abril de 1939 —*Día de la Victoria*— la llamada *Zona Nacional* —que no lo era hasta entonces, puesto que «nacional» sólo podía serlo desde el momento en que ocupara toda la nación; los *rojos*, republicanos o gubernamentales, también pertenecían a la misma *nación*— continuó, durante bastante tiempo, la misma táctica. En el extranjero, los vencidos mantuvieron su Gobierno en el exilio. Puede decirse que, aunque ya sin frentes, para la propaganda la guerra seguía.

Ésta se prolongaría varios —demasiados— años.

Y, aquí, entre los graves (culpables o cobardes) silencios, en cuanto respecta a García Lorca, logrará hacerse fuerte un doble reto a la irreversibilidad de hechos evidentes :

1) *Intento de asignar insignificancia a su valor literario.*
2) *Olvido casi absoluto del tremendo episodio de su muerte.*

1) No se representan sus obras. No se publican sus escritos, aunque a ello no fuera ajena la actitud de su familia, cuyo veto, en los primeros años de la posguerra, es de sobra comprensible. Únicamente, algún poema suelto en revistas minoritarias o en alguna antología de poesía en general puede deslizarse, en 1944 (ocho años después de su muerte). En las escuelas y en los institutos Lorca es ignorado por los textos de literatura. *Hasta 1954 no se publica, en España, su obra completa.*

Mientras en el extranjero se fija su real valor literario, en España se recitan, sólo en privado, casi por tradición oral, los poemas más populares de su «Romancero», *La casada infiel*, parte del *Romance sonámbulo* («Verde, que te quiero verde...») y algo del «de la Guardia Civil española». Los jóvenes han oído hablar a los mayores de unos dramas que se titulan *Yerma* y *Bodas de sangre*... (¿como fuerza trágica? ¿como poética? ¿moderna? ¿carpetovetónica?). Algunos, cada vez más, los consiguen en libros de editoriales sudamericanas. Pero *La casa de Bernarda Alba,* la última que leyera García Lorca, concebida para ser estrenada en octubre de 1936 por la compañía del teatro Español, de Madrid, se estrenará en el teatro Avenida, de Buenos Aires, el 8 de marzo de 1945.

¿Qué se pretendió minimizando el interés por su obra?... Inexplicable: ningún matiz político podía achacarse a ella, ni siquiera —y ya es hilar fino— en *Mariana Pineda,* cuyo monumento erigido en el centro de Granada fue respetado en todo momento por los gobernantes del nuevo Estado.

2) He escrito «olvido *casi* absoluto» porque, como detallaré más adelante, se inició una encuesta oficial. ¿Oficial?... Sí, se hizo —aunque, también, bastante silenciosamente— por policía gubernativa llegada a Granada desde Madrid. Pero no constan los atestados correspondientes o, por lo menos, yo no he podido encontrarlos, y desde luego no pasó a juzgado alguno. Toda la constancia jurídica que existe hoy sobre su muerte se reduce a la deficientísima acta de defunción anteriormente consignada.

Respecto a la constancia escrita (publicada en España) se fue pasando paulatinamente desde no mencionar la circunstancia (como si aún viviese) al «murió en 1936» y, últimamente, a frases como «su vida truncada trágicamente» o parecidas.

Descartado el mencionado artículo de *La Estafeta Literaria,* 1956, en el que se reproducían los venenosos y falsos párrafos de Schonberg, hasta 1972 no saltó a la prensa cierta preocupación por el tema. Y fue de la forma más absurda posible: Luis Apostúa, en *Ya,* comenta (¿irónicamente?, ¿curiosamente?, pero, desde luego, desafortunadamente) que *Yerma* se está representando en el teatro de la Comedia, de Madrid, en el mismo escenario en que José Antonio fundó Falange Española. *El Alcázar* (diario de la Hermandad de Defensores del Alcázar de Toledo; aproximación falangista desde su reciente cambio de dirección) contesta explosivamente, tomando el comentario como una acusación a Falange del asesinato del poeta, y advirtiendo a *Ya,* a quien considera heredero de la política de la CEDA, que más le vale buscar al o a los culpables entre sus propias y más próximas relaciones.

Mi libro *¿Así fue?* (25) se hallaba, en aquellos momentos, impreso y encuadernado, en el Ministerio de Información y Turismo, esperando luz verde. Cuando al final la obtuvo, de la crítica que hizo el eminente historiador Ricardo de la Cierva, entresaco el párrafo que corresponde: «Unas semanas —pocas— antes de que

(25) J. L. V., *¿Así fue? Enigmas de la guerra civil española,* Ed. Nauta, Barcelona, 1972.

MARIA

II Congreso Inter
HOMENAJ
GARCI
REPRESENTACION
TEATRO
DIRECTOR: MA
DECORADO y VESTUAR

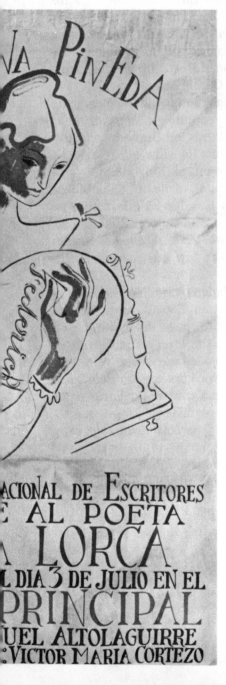

A la izquierda: **Monumento a Mariana Pineda,
en la plaza de su mismo nombre, en Granada,
respetado por los vencedores de la guerra civil.**

En el centro: **Cartel de la representación
de «Mariana Pineda» en julio de 1937,
en la España republicana.**

A la derecha: **«Ejecución de Mariana Pineda»,
según un dibujo de Federico García Lorca.**

Vila-San-Juan presentase su libro —sobre los tejados y los horizontes de Barcelona (26)—, estalló en Madrid una durísima polémica entre dos insignes periódicos, representados por su director y su redactor-jefe, respectivamente; una polémica con amplias resonancias en el resto de la prensa española, *que empezó y terminó entre la extrañeza de buena parte del público, privado durante décadas de los elementos de juicio imprescindibles para analizar los hechos que, con duras y medias palabras, allí se esgrimían.* Se trataba nada menos que de una discusión sobre la muerte de García Lorca. Pues bien, esa polémica no se hubiera podido producir veinticuatro horas después de la publicación de este libro, que titula su capítulo 6: "¿Quién mató a Federico García Lorca?"» (27).

La revista *Índice*, no precisamente muy unida ideológicamente a Ricardo de la Cierva, comentó: «Otro capítulo interesante es el dedicado a la muerte de Federico García Lorca, en Granada, en agosto de 1936. José Luis Vila-San-Juan cuenta la vida en Madrid de Federico durante los días que precedieron al Movimiento y su arribo a Granada en las primeras horas del 18 de julio; habla de su refugio en casa de su amigo el poeta Rosales y de la forma en que es sacado de ella por el ex diputado cedista Ramón Ruiz Alonso. *Realmente no hay nada en este relato que sea enteramente nuevo; pero sí lo es que se cuente por primera vez (así nos parece) en España»* (28).

Y, efectivamente, a mi juicio el verdadero valor de dicho capítulo consistía en relatar, por primera vez en España, unos hechos que ya se habían publicado en el extranjero, pues mi investigación de entonces sobre la muerte de Lorca no fue lo exhaustiva que ha sido para esta obra monográfica. El libro citado trata veintitrés temas enigmáticos de la guerra civil en 526 páginas, y las dedicadas al fin del poeta son sólo catorce. Me limité a confrontar entre sí los relatos más importantes y consultar con algunas personas que vivieron aquellos sucesos, *exponiendo* cuanto parecía razonable, muy escuetamente.

Por cierto, que, cuando lo escribí, no conocía aún la obra de Gibson más que por referencias de Marcelle Auclair, a la que el profesor irlandés había consultado. No es de extrañar, sin embargo, que *La represión nacionalista de Granada* se pudiese encontrar —aunque clandestinamente— en España antes que *¿Así fue?*, ya que de éste,

(26) En Terraza Martini, 8 de junio de 1972.
(27) RICARDO DE LA CIERVA, *Un libro de nuestro tiempo*, en *La Vanguardia Española*, Barcelona, 29 de junio de 1972. El subrayado es mío.
(28) *Índice*, Madrid, 1 de agosto de 1972. El subrayado es mío.

impreso meses antes, no fue autorizada su distribución hasta junio de 1972.

De resultas del mismo, don Ramón Ruiz Alonso me citó judicialmente para avenencia previa a querella criminal por calumnia e injurias graves. Pero cuando, en el Juzgado, me reiteré en todo cuanto había escrito, pasó el plazo legal y Ruiz Alonso no llevó adelante el caso. Es decir, claramente, *se retiró* (29).

El mismo capítulo publicado suelto en *Sábado Gráfico* agotó la edición de esta revista en Granada.

9. Una investigación no publicada: la oficial

No sé la fecha exacta. Me ha sido imposible encontrarla. Posiblemente, entre 1945 y 1950, pero no puedo asegurarlo.

No ha quedado —o por lo menos no he hallado en los centros oficiales en que debían estar— ningún escrito sobre ella. Ni denuncia, ni informe, ni proceso... absolutamente nada. Ni en Granada, ni en Madrid.

Una comisión de la Dirección General de Seguridad fue desde Madrid a Granada, especialmente. Tengo el testimonio de dos policías granadinos que entonces colaboraron con los del Centro, cumpliendo órdenes. No puedo dar sus nombres. Fue condición indispensable.

Uno de ellos, incluso recuerda que se perdió una máquina de fotografiar, y les ordenaron que comprasen una nueva. No recuerda la marca, pero sí «que era carísima».

Miguel Rosales me confirmó:

—Vino una comisión de la Dirección General de Seguridad y me asaetearon a preguntas. Eran pesadísimos. Al final, muy cansado de tanta repetición absurda, me dirigí al que parecía el jefe y le dije, señalando al tipo que tanto preguntaba y parecía no entender, o no escuchar: «Mire usted, o este tío es idiota o lo soy yo. Creo que lo es él. Así, que váyanse a...»

José Rosales me aseguró que, por esa época, le llamó Franco y él le explicó todo lo que sabía.

Naturalmente, esta última aseveración, que no he comprobado

(29) Véase cap. «Ramón Ruiz Alonso».

en el Pardo —pero que, lógicamente, caso necesario y permitido, sería sencillísima hacer, pues debe de existir una inscripción de visitas—, no creo que pueda unirse a la investigación oficial.

¿Fue ésta antes o a raíz de la visita de Pepe Rosales al Caudillo? Él no lo recuerda.

Al decir «investigación oficial» quizá caiga en error. ¿Fue «privada» de *alguien* con suficiente prepotencia en la Dirección General de Seguridad?

Indiscutiblemente, en cualquier caso, provenía de allí. En cualquier caso, no se publicó. Y, en todo caso, los antecedentes han desaparecido o, repito, por lo menos eso me han dicho cuantos han buscado conmigo, en los centros oficiales en que podrían hallarse, tanto en Madrid como en Granada.

II. Lorca, ayer y hoy, porción de España

1. ¿Quién era Federico García Lorca?

En el apéndice III resumo escueta y cronológicamente su vida y su obra. No creo oportuno aquí —ni aun resumiéndola— aportar ni una nueva biografía suya ni un estudio sobre su obra cuando tantos trabajos —y muchos excelentes— existen ya sobre ambos temas.

En las *Obras completas* de Editorial Aguilar, la bibliografía ocupa ochenta páginas de apretada y casi diminuta letra. Después de esta edición (1954) se han publicado aún muchos más trabajos allí no incluidos, entre los que cabe destacar como más importante el de Marcelle Auclair (*Enfances et mort...*) sobre su vida, y la reedición del de Guillermo Díaz-Plaja (publicado inicialmente en 1947) sobre su obra.

Este último, entre otras interesantes aportaciones al análisis de la poesía lorquiana como, por ejemplo, su teoría del «redescubrimiento de lo popular», nos ofrece un tema que marca, a mi modo de ver, el trasfondo españolísimo del Lorca universal: la religiosidad que lucha en el interior del poeta pasando de profunda devoción a satanismo y panteísmo.

Dice Díaz-Plaja:

> García Lorca ¿es un poeta religioso? En muy pocos momentos alude a un más allá teológico con ese efusivo impulso, ese movimiento de amor que caracteriza la poesía religiosa desde el humilde plano devoto hasta el soberbio plano místico. Pero es un poeta transido de la más honda tradición católica. Su obra lírica está llena de toda la imaginería tradicional,

porque su sentido meridional de la vida la hace rodearla de
esta escenografía sacra y brillante. Así, pues, el sentido religioso de la obra lorquiana hay que buscarlo en esta exaltación
de la imaginería barroca tan bien representada en su tierra
andaluza. Religión, pues, que se entra por los ojos por medio
de una plástica popular.

El primer volumen lírico de García Lorca —*Libro de poemas*—, acaso el más complejo de contenido espiritual, contiene todavía —entre otras muchas cosas que su personalidad
auténtica elimina posteriormente— restos del satanismo que
el fin de siglo español hereda de Baudelaire y de Barbey d'Aure-
villy. Su *Prólogo* es especialmente significativo a este respecto,
porque, en él, el poeta se dirige a Dios para renunciar solem-
nemente a su cielo «tan aburrido», mientras Satanás, el amigo,
le procura el placer exacto de la tierra. Coinciden aquí el satanismo que ya se ha indicado y el frenético sentido dionisiaco
del *carpe diem*, de tradición ilustre en nuestra poesía desde
Garcilaso a Rubén. Si alguna filosofía rezuma en el poema
puede relacionarse con la del *Cant Espiritual* de Maragall:

> *Si el món ja és tan formós, Senyor, si es mira*
> *dins la pau nostra dintre de l'ull vostre,*
> *¿què més ens podeu dâ en una altra vida?*

. . . .

En su *Poema del cante jondo* se da plenamente la exaltación de los temas de la liturgia y la devoción católicas.

. . . .

En el *Romancero gitano* la Virgen y San José; San Gabriel,
San Miguel y San Rafael (...) Hay también el Cristo sangrante,
cuyo patetismo dramático acentúa como ninguna otra la es-
cultura española.

. . . .

Sin embargo, el poema que nos da con mayor claridad el
sentido, más que cristiano, católico, de la poesía lorquiana, es
la *Oda al Santísimo Sacramento del Altar*.

. . . .

Federico García Lorca, en 1933, en una de sus frecuentes estancias en Barcelona.
Le rodean, de izquierda a derecha, Sebastià Sánchez Juan, Marià Manent,
Ángel Valbuena Prat, Luis Góngora, Ignacio Agustí, Robert Gerhard,
Guillem Díaz-Plaja, Lluís Muntanyà, Josep Carbonell, Emili Grau Sala
y Carles Sindreu. Díaz-Plaja dedicará al estudio de la obra de Lorca (1947)
un documentado trabajo; Agustí, en sus memorias (1974),
evocará su figura en relación con Cataluña.

García Lorca es todo lo contrario de un deísta. Lo que ama de Dios es su milagrosa capacidad de hacerse tangible, plástico, concreto.

. . . .

La efusividad de su corazón es bien explícita. Hay en él, por una parte, un evidente gesto adoratorio, y por otra, un sentido apostólico para exaltar la posibilidad redentora del Sacramento.

. . . .

En su obra posterior, la religión garcialorquiana deriva a una suerte de panteísmo en el que se exaltan las fuerzas de la naturaleza, a las que da un culto simbólico y mayestático.

La Tierra, concebida como una fuente de vida —frente a la Luna, espejo de la muerte—, es un hontanar de energía y de belleza. El cauce del agua, la fuerza de la semilla, la energía del sexo, la grandeza de todo lo que es natural y espontáneo, y fecundo, se ofrecen al fervor religioso del poeta como la única religión de su madurez (1).

Es curiosa, a este respecto, la noticia publicada en *ABC* de Madrid, el 18 de mayo de 1973, firmada por Rafael Gómez Montero:

CUANDO GARCÍA LORCA SE HIZO COFRADE EN GRANADA

Granada, 17. (De nuestro corresponsal por télex.) El diario granadino *Ideal* publica hoy la fotocopia de un boletín cumplimentado de puño y letra por Federico García Lorca, fechado en Granada el día 20 de mayo de 1929, en el que solicitaba ser cofrade activo de Santa María de la Alhambra.

Para conocer los más íntimos detalles hemos acudido a don José Martín Campos, que por aquellos tiempos pertenecía a la Cofradía, de la que era hermano mayor don Felipe Campos de los Reyes.

—Ocurrió antes un caso del que fui partícipe. Era Sema-

(1) G. DÍAZ-PLAJA, *Federico García Lorca*, Ed. Espasa-Calpe, Buenos Aires, 1954, pp. 64-67.

na Santa de 1929, el 27 de marzo exactamente. Hacia las once de la noche, yo estaba en la iglesia, con la Junta de Gobierno, ultimando los preparativos para el desfile procesional, cuando me llamó el consiliario de la Hermandad, don Emilio Villatoro Bocanegra, para ver de solucionar un problema. Teníamos que conseguir que un hombre cumpliera su promesa de acompañar a la Virgen vestido de penitente, ya que acababa de llegar a Granada con este fin.

—¿Era difícil conseguirlo?

—Le dije que me parecía imposible, porque se requerían dos circunstancias: estar inscrito como cofrade en la Hermandad y disponer de hábito de penitente. En cuanto a la primera, podíamos «hacer la vista gorda», porque no estábamos obligados a ver la cara de la persona.

—¿Cuál fue la solución?

—Propuse que saliese vestido de paisano detrás del trono, pero no se aceptó. Entonces pensamos que como los portainsignias, aunque van con túnica y cara cubierta como los penitentes, son personas pagadas por la Cofradía, podíamos sustituir a uno de estos hombres por el que solicitaba salir en la procesión.

—¿Sabía usted que se trataba de García Lorca?

—En absoluto. Pero como debíamos conocer quién era, fuimos a una habitación contigua donde esperaba y nos encontramos con Federico. Le colocamos allí mismo el hábito, que recibió con recogimiento. Le acompañamos, con la cara tapada, a la iglesia y al llegar frente a la imagen de Santa María de la Alhambra se arrodilló ante ella y oró.

—¿Cómo desfiló?

—Desfiló en cabeza de la procesión, portando una de las tres insignias. Cuando sonó la campana de La Vela y comenzaron a escucharse saetas, me acerqué a la Puerta de la Justicia para comprobar si todo iba en orden. Cuál sería mi sorpresa al ver que Federico iba portando la pesada insignia con los pies descalzos.

—¿Habló usted después con él?

—Al terminar la procesión quise darle un abrazo, pero había desaparecido, dejando la insignia debidamente colocada en su sitio, con el cíngulo anudado en forma de cruz, sujetando un papel que decía: «Que Dios os lo pague.»

—Entonces, ¿por qué ese boletín de cofrade activo?

—Eso fue el 20 de mayo de aquel mismo año. Federico

«Su obra lírica —escribe Díaz-Plaja
a propósito de García Lorca—
está llena de toda la imaginería
tradicional porque su sentido
meridional de la vida la hace
rodearla de esta escenografía
sacra y brillante.» («La Virgen
de los Siete Dolores», dibujo
de Federico, 1924.
Colección Gregorio Prieto.)

Cristo de los Favores,
en el Campo del Príncipe.

Dos imágenes de la cruz de la cofradía de Santa María de la Alhambra, que portó
García Lorca en la procesión del Viernes Santo el 27 de marzo de 1929.

Cofradía de Santa María de la Alhambra

Boletín de Inscripción

D. Federico García Lorca con domicilio en la calle de Acera del Casino núm. 31 piso deseа pertenecer a la Cofradía de Santa María de la Alhambra como Cofrade activo, comprometiéndose a abonar desde esta fecha la cuota mensual de una peseta.

Granada 20 de Mayo de 1929.

(Firma del Cofrade que lo presenta)

(Firma del solicitante)

Federico García Lorca

Sr. Hermano Mayor de la Cofradía de Santa María de la Alhambra.

Boletín de inscripción que rellenó el poeta solicitando su ingreso
en la cofradía de Santa María de la Alhambra, el 20 de mayo de 1929.

entregó al consiliario el boletín de solicitud, que se presentó al siguiente día a la aprobación de la Junta.

—¿Fue admitido?

—Hubo sus controversias en relación con la solicitud de ingreso. Unos lo consideraron muy grato y leal y otros como un *snobismo* más de Federico. Pero triunfó la sensatez y quedó admitido, inscrito en el libro de registro de hermanos con el número 498 y la cuota mensual de una peseta.

RAFAEL GÓMEZ MONTERO

La «insignia» de que habla el señor Martín Campos es una barroca cruz plateada cuya fotografía, que reproduzco, logré hacer en la sacristía de la iglesia de Santa María de la Alhambra. La he sostenido y puedo asegurar que pesa lo suyo. El trayecto de la procesión, desde la Alhambra hasta el Cristo de los Favores y por toda la ciudad es largo. Si, además, Federico iba descalzo, no cabe duda de que era un gran sacrificio.

Controvertidamente, sin embargo, en 1936, al hacer el pregón de la Semana Santa granadina, por Radio Madrid, Lorca les dice a sus paisanos que eliminen la absurda procesión y que no intenten cristianizar la Alhambra, que siempre será árabe.

Es perfectamente aplicable esta realidad de su vida a lo destacado por Díaz-Plaja en su poesía.

A mi juicio es la dualidad de «niño-bueno» y «hombre-humano» que se une (y lucha) en Federico.

En junio de 1973 conocí, en Fuente Vaqueros, su pueblo natal, a Carmen Ramos González, que fue niñera de Federico. Carmen tenía cinco años más que él. Aún estaba en pleno dominio de sus facultades mentales, y me explicó que, efectivamente, de niño García Lorca era profundamente religioso y, hasta en sus juegos, le gustaba imitar las homilías del párroco, así como improvisar un seudoaltar en el que efectuaba *sus* ceremonias religiosas.

También me hablaron en el mismo sentido sus primas (las dos hermanas de Aurelia, la que el poeta inmortalizó en *Los sueños de mi prima Aurelia*). Son dos viejecitas encantadoras. Me mostraron en su casa dos lienzos bordados y enmarcados. Los descolgamos para fotografiar en el patio, ya que dejar entrar luz de sol en un salón de pueblo granadino es una herejía. Supongo que estos lienzos deben de ser los *cojines* que Gregorio Prieto cita en su artículo de *ABC* del 6 de noviembre de 1966 («...me dejaron copiar dos cojines, bordados, que les dibujó Federico. Dibujos preciosos, que así pude eternizar con gran agrado de sus dos primas, creo que solteras»). Yo, como no me atreví a desmontarlos del marco, protegido por un cristal, los fotografié por delante y por detrás, ya que, al reflejar el sol en el cristal, temía que mi impericia fotográfica pudiese estropear el resultado (2).

Las primas de Federico no me dijeron nada nuevo que poder añadir a su biografía, tan extensamente desmenuzada. Una de ellas, la más joven, que es la que manda en la casa, se opuso a que las fotografiara y a que publicase sus nombres y apellidos, eso sí, muy amablemente.

—Reportaje, no —me dijo—; nosotras queremos vivir aquí tranquilas. No queremos salir en los periódicos.

—No es para un reportaje —le contesté—, pero, si usted lo desea así, respeto y comprendo su actitud.

—Pregúntenos lo que quiera sobre Federico. Fotografíe aquí cuanto quiera, menos a nosotras.

La mayor, pequeñita, cabello blanco muy peinado, oliendo a limpio (como toda la casa), me estaba diciendo con sus ojitos sin mando que ella sí hubiera querido salir en un reportaje o en un libro.

¿Quién era Federico García Lorca?... Un niño, un poeta, religioso, panteísta, sencillo, complicado... Veamos.

2. Su atractivo

En esto es unánime la opinión de cuantos le conocieron. No cabe duda de que era como un imán hacia todo aquel que tuviese un mínimo de sensibilidad. Ello puede hacer comprender, en parte, la desviación que, más adelante, comentaré.

Iglesias Ramírez escribe:

> ¡La simpatía de Federico García Lorca! Era su poder central, su medio de comunicación con el prójimo y de complicidad con las cosas, su genio; el genio de un imán que todo lo atrajese. ¿Y cómo no ha de seducir tal grado de vitalidad, si nada hay tan seductor como la evidente vida misma? Alguna vez, muy rara, sucedía que alguien, torpe, insinuaba algún

(2) Ver reproducción en p. 61.

Fuente Vaqueros. Calle de la Trinidad,
número 4. Casa natal de Federico García Lorca.

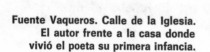

Fuente Vaqueros. Calle de la Iglesia.
El autor frente a la casa donde
vivió el poeta su primera infancia.

Dos momentos de la entrevista del autor con Carmen Ramos González, que fue niñera de García Lorca. Nacida en 1893, contaba, por tanto, sólo cinco años más que el poeta. (Fuente Vaqueros, junio de 1973.)

recelo al entrever a Federico sin conocerle. Entonces advertía yo al receloso:

—Mire, es inútil resistirse. Federico «se lo comerá a usted»; quiero decir, le dejará embobado. No hay quien pueda con él (3).

Podrían citarse centenares de otros testimonios parecidos. A este respecto, insisto en remitirme a la biografía de Marcelle Auclair. También, naturalmente, a las memorias de su gran amigo el diplomático chileno Carlos Morla (4), en cuyas páginas hay un desbordamiento de admiración y cariño. Veamos el primer encuentro entre ambos:

(...) Pero no quiero seguir leyendo... y cierro el *Romancero*. Lo que quiero ahora es conocer a Federico, y nos han asegurado que él también comparte, recíprocamente, este anhelo. Mas, en su espíritu, es un deseo que pasa, que vuelve y que de nuevo se aleja. Quiere y no quiere venir a casa; un día sí y un día no. Y a nuestros amigos que se esfuerzan por vencer su resistencia caprichosa —seguros de antemano de la afinidad que reinará entre nosotros— les anuncia que «vendrá mañana a tal hora», y luego no viene o llega hasta la puerta y, después de tocar el timbre, arrepentido, huye corriendo. Me cuentan que un día alcanzó a subir la escalera y que, después de llegar al primer descansillo, dio media vuelta y, atropelladamente, volvió a bajarla.

Yo lo comprendo. Hay, en primer lugar, una pereza, difícil de vencer, de conocer a gente nueva: la pesadumbre que infunde todo comienzo. Es algo así como la obligación de echar abajo una puerta, o de escalar un muro, para luego penetrar en un recinto en que todo nos es extraño. En seguida es una nueva imposición que nos creamos voluntariamente..., y si la iniciativa no da el resultado esperado, esa imposición se transforma en tiranía. Nada inspira más recelo que la amenaza de vernos perseguidos por seres que nos estiman, pero que, en el fondo, no nos entienden y que a nosotros nos exasperan. Por último, hay la incógnita de la terrible posibilidad del desencanto de uno y otro lado. Está bien... Pero no era lo que creíamos.

(3) M. IGLESIAS RAMÍREZ, *Federico García Lorca, el poeta universal*, Ed. Dux, Barcelona, 1963, p. 60.

(4) C. MORLA LYNCH, *En España con Federico García Lorca*, Ed. Aguilar, Madrid, 1958.

Y, si se logran vencer todos estos obstáculos, queda todavía por afrontar la terrible prueba del primer contacto: esa hora tremenda en que —también de ambos lados— se procura, por todos los medios viables, ser «muy inteligente», muy simpático, original sin ser vulgar y «dueño de una personalidad muy fuerte», cosa de deslumbrarse mutuamente; duelo éste a menudo desigual, pero en que los dos paladines corren el peligro de quedar malparados.

Mas un hecho predomina sobre todos los demás. Y es el de que QUEREMOS CONOCER A FEDERICO sea como sea, y si es necesario para que se decida a venir traerle encadenado como oso de feria o en brazos como a un niño pequeño..., así se hará.

Ahora telefonean:

—... que en Marqués de Riscal, cuatro, estará sin falta a las cinco y media.

Y yo pregunto:

—¿Qué es lo que le gusta? ¿Té? ¿Jerez? ¿Chufa? ¿Manzanilla o Anís del Mono?

(Pausa.)

—Ninguna cosa. Que quiere conoceros, nada más.

Y esta vez, el tan esperado evento se realiza.

Lo oigo subir la escalera —pasos lentos, bien aplomados— y detenerse frente a la puerta; pero antes que toque al timbre, ya la he abierto.

En el umbral, un muchacho joven, de regular estatura, exento de esbeltez sin ser espeso, de cabeza grande, potente, de rostro amplio constelado de estrellas brunas... que son lunares. Ojos sombríos, pero risueños: esa paradoja de alegrías y tristezas reunidas que realiza en sus poemas. Cabellera abundante que no empaña una frente ligeramente abombada como un liso broquel ebúrneo. Ninguna severidad en la mirada ni ceño austero. Por el contrario: un alborozo de chiquillo con una veta de travesura y algo de «muy sano» y de campestre. Pero tiene que ser «esa campiña suya», campo de Andalucía: granadino, cordobés o sevillano.

No se puede afirmar que es guapo, pero tampoco que no lo es, por cuanto posee una vivacidad que todo lo suple y «un no sé qué» de muy abierto en su fisonomía que reconforta y tranquiliza de buenas a primeras, que luego seduce y que, por último, conquista definitivamente. Y ninguna de esas actitudes absurdas con que los pedantes pretenden acreditar su cultura.

Tras de esta primera impresión que de él recibo —y que

registro con la rapidez de una instantánea—, le tiendo las dos manos:

—Federico —le digo—: ¡amigos! Tú como eres y yo como soy, sin esforzarnos por aparentar más de lo que somos. Tú vienes ya muy cargado de laureles y, si yo tengo algunas virtudes y «defectos buenos», ya te enterarás de ellos a su tiempo.

Y Federico, con mis dos manos cogidas en las suyas, se ríe con esa risa mágica de niño permanente y me infunde la sensación de que patea como un poney sujeto. Luego habla. Su voz es baja, ronca; pero no evoca cavernas: más bien grutas a orillas del mar.

—¿Y por qué te ha costado tanto trabajo venir? —le pregunto.

—Tenía miedo —responde sencillamente— porque «no sabía»...; vamos, que no sabía cómo erais; pero ahora que lo sé y que estoy aquí..., aquí me quedo (5).

3. Sencillo y complicado

Ignacio Agustí me dijo:

—*Él, normalmente, parecía un mecánico*. Nadie le hubiera tomado, en la calle, por un poeta. Sin embargo, cuando recitaba, era algo impresionante. Irradiaba una fuerza especial. Otra noche fuimos a cenar con Xavier Regàs al restaurante de la estación de Francia. Allí había un piano. Se sentó frente a él y, tecleando, nos cantó, o mejor *dijo*, varias de sus canciones (*Los cuatro muleros*, etc.).

Su sencillez también ha sido ampliamente comentada por sus biógrafos y antiguos amigos. Pero también encontramos que, junto a ella, se produce el fenómeno de contradicción —ya lo hemos visto, por ejemplo, con la religiosidad— y un complejo volcán de ideas y actitudes en las que, o lo sencillo parece enmarañado, o lo difícil parece sencillo.

En un terreno paralelo, parece como si asimilase las proposiciones hegelianas: «Cada cosa lleva en sí el germen de su propia contradicción. Con el tiempo, se desarrolla y crea el conflicto que acaba con la unión de ambos» (o sea: «tesis, antítesis y síntesis»).

(5) Op. cit., pp. 24-26.

Fotografías de los dos lienzos
pintados por García Lorca en 1928
y regalados a sus primas
Elena e Isabel García Palacios
para que los bordaran.

El poeta con Carlos Morla Lynch, autor
de «En España con Federico García Lorca».

Guillermo de Torre nos ilustra a este respecto, en cuanto a su vida:

Para mí la imagen más perdurable de Federico García Lorca, de su alma y su persona, de su adolescentismo imborrable, está en sus días veinteañeros, en su risa sin envés, en su euforia contagiosa, reflejo del casi permanente estado de trance lírico en que dionisiacamente vivía. Pero cierto es que también había en él, quizá subyacente en su espíritu, como contrapunto del júbilo deslumbrante, el eco de un sonido grave, el aire sofocado de un sino patético, que junto con sus cancioncillas alacres le dictaba sus versos de sombra, sus raigales tragedias y que al cabo prevaleció aciagamente. Este imperio del fatum inapelable en la última y tremenda hora de su vida es el precio de la gloria que ya vive su obra. No era el único poeta de su generación —al contrario, colmada de ellos—, pero sí el más auténtico y penetrante (6).

Y, en cuanto a su obra:

NEOPOPULARISMO, ESTILIZACIÓN

En efecto, tratando de captarlo por aproximaciones y rodeos, se ha hablado a su propósito, con sagacidad —por Guillermo Díaz-Plaja—, de redescubrimiento de lo popular, de superación de lo regional y desrealización de lo anecdótico, concretando estas direcciones en el vértice de un nombre: neopopularismo. «Retorno a lo popular —explicaba dicho crítico— pero sin abandonar ninguna de las conquistas de la nueva lírica.» El matiz es importante, porque precisamente el triunfo plural, la irradiación popular de la poesía y del teatro lorquianos finca en el modo feliz como en ellos se armonizan y ensamblan el nuevo arte metafórico con el sentido de lo tradicional. La poesía de Lorca triunfa a base de sumas e integraciones, no —en contraste con otras— merced a mutilaciones y arrepentimientos. Y el factor que él incorpora al fondo tradicional es una manera de ver, representada por la imagen. Triunfo de la imagen, apoteosis de la metáfora. Hay poemas suyos que en rigor no son otra cosa que rosarios de imágenes y metáforas. El punto de partida temático queda siempre muy lejano —in-

(6) G. DE TORRE, *Tríptico del sacrificio*, Ed. Losada, Buenos Aires, 2.ª ed., 1960, p. 71.

«Para mí la imagen más perdurable
de Federico García Lorca, de su alma y su persona,
de su adolescentismo imborrable, está en sus días
veinteañeros, en su risa sin envés, en su euforia
contagiosa, reflejo del casi permanente estado
de trance lírico en que dionisiacamente
vivía» (Guillermo de Torre). En la foto,
Lorca con Luis Buñuel en una verbena madrileña.

«Él, normalmente,
parecía un mecánico»
(Ignacio Agustí).

Colegio Mayor San Bartolomé y Santiago de Granada,
antiguo Instituto Nacional y Técnico
en el que García Lorca cursó los estudios
de «grado» (hoy bachillerato) con
Manuel Fernández Montesinos
y con el, después, capitán Nestares.

Ana María Dalí.

téntese contar, por ejemplo, la acción de *Romance sonámbulo* y se verá que no existe—, la referencia a la realidad casi desvanecida, y, sin embargo, acontece que estos poemas son comprendidos por todos y gustados multitudinariamente (7).

En otro lugar del mismo estudio, este autor nos refleja la universalidad artística de García Lorca, ésta indiscutible, aunque, personalmente, no estoy de acuerdo con el principio del párrafo:

El despertar de su sensibilidad artística se manifiesta por vía musical. Estudia el piano, se acompaña cantando viejas y populares canciones. Huella manifiesta de esta su primera vocación musical es la dedicatoria que estampó al frente de su libro primigenio —*Impresiones y paisajes*, 1918—: «A mi viejo màestro de música.» Hasta poco antes había pensado únicamente en consagrarse a la música. Pero cuando cursaba el preparatorio de Filosofía y Letras, hizo, con un grupo de condiscípulos, bajo la dirección del catedrático de Teoría del Arte, Martín D. Berrueta, un viaje de estudio por las viejas ciudades castellanas. Entonces despertó en su espíritu el gusto artístico de la expresión escrita. Poco después comenzaba también a escribir poesías. Pero nunca abandonó enteramente su primera inclinación musical —como lo demostró luego, no sólo en sus transcripciones de viejas canciones, sino en la veta musical que atraviesa toda su obra—, fomentada entonces por su amistad con Falla y por sus visitas de estudiante al carmen donde vivía el maestro. También datan de entonces su gusto por la pintura y su amor persistente a los lápices de colores. (Las cartas que recibíamos hacia 1922 sus amigos venían frecuentemente acompañadas con deliciosos dibujos coloreados.) (8)

El hecho de que Federico estudiase piano en su infancia no indica que la vía musical fuese el despertar de su sensibilidad artística. Sé, positivamente, por amigos que convivieron esa época que ya de estudiante de «grado» (bachillerato) componía versos. Y los juegos infantiles relatados por su niñera Carmen Ramos también muestran un inicio artístico hacia la oratoria y el teatro; es decir, vocación plenamente literaria.

Sí, ése fue su inicio, aunque su personalidad, su genio, le hiciesen adentrarse en la música y el dibujo.

(7) Op. cit., pp. 73-74.
(8) Op. cit., p. 57.

NFORMACIONES

TRENO DE «LA CASA DE BER-
NARDA ALBA», EN LONDRES

eparto de primeras figuras para la famosa obra de García Lorca

Londres 20. El rubio cabel...
...rrow aparecerá cu...
...gra cuando represe...
...la obra de Garcia ...
...rnarda Alba», que ...
...próximo jueves en e...
...Londres.

Esta es la primera vez q...
...Lorca es presentada...
...ercial londinense en in...
...rto de primeras figu...
...mpañía de Nuria Es...
...evamente en el teatro A...
...Lorca, «Yerma», en esp...

Mia Farrow, esposa d...
...questa Sinfónica de Lon...
...n. pertenece a la comp...
...atro Greenwich desde el ...
...otagonizado allí con gra...

Checov «Tres hermanas...
...El montaje de «The hou...
...ba», como es presentada...
...gleses, se debe al director...
...la traducción ha sido espe...
...a por Tostoppard.

La obra será representada...
...ríodo limitado de un mes ...
...las localidades han sido a...
...r adelantado. Muchos de lo...
...la Sociedad de Amigos del Te...
...ch están abonados a toda...
...e se representan en ese tea...
...n puestas a la venta en ta...
...queña cantidad de localidades...
...El programa de «The house o...
...ba», que será facilitado a l...
...dores en el teatro, ha sido dis...
...rma de periódico tabloide y co...
...portada una amplia biografía...
...rico García Lorca.

Las sillas utilizadas en el moderno es...
...nario del teatro han sido traidas es...
...cialmente desde España y los espec...
...res serán invitados a comprar una o...
...rias al final de la producción. Todas se...
...n vendidas al precio de tres libras (unas...
...0 pesetas) unidad, pero la que sirve de...
...ento durante la obra a Mia Farrov ha...
...o reservada ya.—Efe.

(BODAS DE SANGRE), CONVERTIDA EN (MUSICAL), EN SAO PAULO

TODOS los temores imaginables invaden a un espectador avisado y conocedor de los méritos y grandes deficiencias de la obra dramática de Federico García Lorca. Sobre todo porque, a pesar del tiempo transcurrido, aún resulta difícil enfocar sin pasiones y preconceptos al poeta granadino. En España se han hecho algunos ensayos sobre el particular con plausible acierto bajo comentarios y biografías de García Lorca, pero las representaciones de su teatro, con excepción de la "Yerma" de Víctor García, han permanecido siempre tremendamente presas a la palabra, a la letra... a la tragedia, a la letra...

En reiteradas ocasiones Brasil, el teatro brasileño, se ha aventurado a representar a este autor nuestro con un espíritu, por parte de sus directores, mucho más abierto a la creación y a las posibilidades estéticas de hacerlo que en la propia patria del autor. Para entender bien esto quizá sea imprescindible resaltar que el teatro español es, en general y en particular, la puesta en escena del dramaturgo lorquiano, mucho más académico y tradicional

UN MONTAJE ESPECTACULAR, COMPARABLE AL "SUPER-STAR" Y A "EL HOMBRE DE LA MANCHA"

María della Costa (la Novia), al centro, ... castro (mujer de Leonardo), Mar...

Juana Biarnés

EXITO DE «YERMA» EN ESTADOS UNIDOS

Después de sus actuaciones en el Zellenbach Auditorium de la Universidad de Berkeley, Nuria Espert ha dado por finalizada la gira triunfal que su compañía ha realizado por varios Estados americanos representando "Yerma".

Más de treinta y cinco años después de su asesinato, en la década de los setenta, las obras de Federico García Lorca siguen triunfando en los escenarios de todo el mundo.

Probablemente, le habría gustado poseer o ser poseído por todas las ramas del Arte.

No tuvo tiempo en sólo treinta y ocho años.

4. Su feminidad

Este escabroso tema ha tendido casi siempre a ser soslayado. Aunque no siempre, porque ya hemos visto en el capítulo primero cómo y cuándo se utilizó.

En el presente libro no he juzgado oportuno entrar en el análisis de la cuestión, que constituye una vertiente muy peculiar de la leyenda lorquiana y sobre la que abundan los testimonios. Pero ni éste era el tema de mi trabajo ni, creo, hubiera sido oportuno citar nombres y circunstancias, máxime cuando, en otra parte de esta obra, sostengo que esta acusación no tuvo relación alguna con su muerte.

Sin embargo, también es evidente que García Lorca poseía un gran atractivo para las mujeres y también estoy convencido de que estuvo profundamente enamorado de Ana María Dalí. ¿Quién se interpuso en ese amor?

5. Lorca, hoy. ¿Su «boom» internacional de posguerra fue por su muerte o por su obra?

Ésta ha sido el arma esgrimida por sus detractores. Por motivos políticos, pocas veces literarios:

«Si Lorca no hubiese muerto ejecutado por los nacionales durante la guerra, hoy no le conocería nadie en el extranjero.»

Es absurdo si se tiene en cuenta que, aparte de ser, en vida, una de las figuras más representativas en España, como poeta y como dramaturgo, en medio de una pléyade inmensa (los que quedaban de la generación del 98 más los de la del 27: Jorge Guillén, Pedro Salinas, Dámaso Alonso, Vicente Aleixandre, Rafael Alberti, Luis

Cernuda, Emilio Prados, Manuel Altolaguirre...), Lorca había recorrido Norte, Centro y Sudamérica, dando conferencias y siendo celebrado en todos los lugares a que asistía. Como prueba puede verse en el apéndice IV parte de la bibliografía correspondiente sólo a antes de su muerte.

III. Hacia el desenlace

Desde mayo de 1936, el general Mola mantenía contactos con varios grupos hostiles al Gobierno, y en sus oficios se firmaba «El Director».

En Llano Amarillo, en unas operaciones militares, los oficiales pedían CAFE («camaradas, arriba Falange Española») antes del postre.

El triángulo Sanjurjo-Mola-Fal Conde (bocadillo de carlistas sobre el Director) se puso, por fin, de acuerdo, gracias a Don Javier de Borbón-Parma.

El marqués de Luca de Tena (monárquico alfonsino) manda fletar un avión británico para que sea enviado a Franco, a Canarias, a fin de que éste pueda trasladarse a Marruecos el día «D».

En Granada, el general Campins ha recibido una visita «de incógnito» de Queipo de Llano.

José Rosales, procedente de un viaje a Madrid en el que ha hablado con José Antonio, en la cárcel, envía a su hermano Luis a ver al comandante Valdés con unos documentos. (Luis no es conocido en Granada por la policía, porque vive en Madrid y porque no es activamente político.)

José Luis de Arrese (según él encargado por José Antonio) organiza la Falange de Granada para la sublevación.

Todo está a punto para el *desenlace*: España y Granada.

El 16 de julio de 1936 el teniente coronel Juan Bautista Sánchez González da orden al comandante Ríos Capapé de que avance secretamente con sus tropas, al anochecer, sobre la ciudad de Melilla.

El 17, estalla la sublevación en Marruecos. El 18, desconcierto general y brotes en la Península, el principal en Sevilla, dirigido audazmente por el general Queipo de Llano, que triunfa. El 19 ya se ha declarado formalmente el Alzamiento en toda España, aunque algunas capitales de provincias, como León, Lugo, Orense, Ponte-

¡DOS RESPONSABLES!

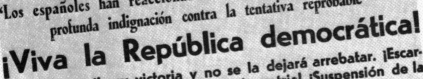

Mundo Obrero
ÓRGANO CENTRAL DEL PARTIDO COMUNISTA (S.E.I.C.)

PALABRAS DEL GOBIERNO:

"Se ha frustrado un nuevo intento criminal contra la República"

"Una parte del Ejército que representa a España se ha levantado en armas contra la República, sublevándose contra la propia patria"

"Los españoles han reaccionado de modo unánime y con la más profunda indignación contra la tentativa reprobable"

¡Viva la República democrática!

El pueblo vigila su victoria y no se la dejará arrebatar. ¡Escarmiento ejemplar a los traidores a la patria! ¡Suspensión de la Prensa incitadora del golpe de fuerza! ¡Incautación de los bienes de los traidores y de sus cómplices!

¡Acusamos a Gil ... principal culpable del criminal atentado ... República!

¡EL MÁXIMO CASTIGO PARA LOS RESPONSABLES POLÍTICOS!

¡ALERTA, MÁS ALERTA QUE NUNCA EL PUEBLO!

DIARIO DE NAVARRA
FRANQUEO CONCERTADO
PERIÓDICO INDEPENDIENTE
Año XXXIX — Número 10.630
Pamplona domingo 19 de julio de 1936
Zapatería, 49. - Apartado N.º 5
No se devuelven los originales

¡Viva España!

El General Mola declara el estado de guerra en toda Navarra

Hoy, a las diez de la mañana, el General Mola dirigirá una alocución a España, desde Radio Navarra

Martínez Barrio ofrece beligerancia y el General Mola se la niega

BANDO

Don EMILIO MOLA VIDAL, General de brigada, jefe de las fuerzas armadas de la provincia de Navarra.

HAGO SABER

Nos comunicaron en Capitanía que el estado de guerra será declarado en Burgos, Logroño, Vitoria, Zaragoza, Estella, San Sebastián, Huesca y Jaca.

También supimos por noticias particulares que nos merecen entero crédito, que el General Franco es dueño de la situación en Sevilla donde se encuentran ya las fuerzas militares de Africa.

Han sido detenidos en Burgos los Generales Batet y Mena, que no quisieron secundar el movimiento y fueron hechos prisioneros por la Guarnición de aquella ciudad.

Dos versiones de unos mismos hechos: «Mundo Obrero», sábado 18, y «Diario de Navarra», domingo 19 de julio de 1936.

El Correo de Andalucía

Año XXXVIII

DIARIO CATÓLICO FUNDADO EN EL AÑO 1899

N. 12.513

SEVILLA - ALBAREDA, 17   DECANO DE LA PRENSA SEVILLANA   MARTES 21 DE JULIO DE 1936

¡VIVA ESPAÑA!

El general Queipo de Llano al mando de la Segunda División

ES DECLARADO EL ESTADO DE GUERRA

Bandos, notas y órdenes dadas a conocer por medio de la radio

DESMINTIENDO INFORMACIONES DE RADIO MADRID

ES MOVILIZADO EL PERSONAL FERROVIARIO

Un telegrama del general Franco | Anoche entraron en Sevilla los Regulares

a premura con que comenzamos este número, nos hace ser concisos y breves.

La relación de los hechos la conocen en síntesis nuestros lectores por las frecuentísimas informaciones de radio que han venido sucediéndose.

Por ello, nos limitamos ahora a recoger varias notas y disposiciones emanadas de la autoridad militar, dejando, para próxima edición, el relato minucioso de los hechos acaecidos en Sevilla con motivo del generoso y heroico esfuerzo que realiza el Ejército en bien de España y de los hombres del marxismo.

¡Sevillanos! El Ejército español, fiel depositario de las virtudes de la raza, ha triunfado rotundamente. Mas la victoria no ha de detener la labor depuradora que el general Queipo de Llano dicta lo siguiente:

BANDO

Primero. Toda persona que las armas ha de entregarlas inmediatamente en la Jefatura de la División, en las Comandancias de la Guardia Civil, puestos de dicho Instituto o Cuartel de la Alameda. Se hace advertencia formal de que el que sea portador de un arma habrá de ser fusilado si la autoridad militar podrá ser fusilado si la autoridad militar tuviera sospecha de utilizarla en agresiones.

Segundo. Para poder distinguir a las personas de orden y amantes de la verdadera justicia, todos los que por tal se tengan deben presentarse al Gobierno civil o Jefatura de la División a ofrecer el concurso que su conciencia le dicte.

Tercero. Para facilitar la labor del Ejército se previene a todo el vecindario levante las persianas de los balcones a fin de no dar sospecha a que de tal forma puedan encubrirse los agresores, advirtiéndose que, de no observarse esta indicación, pueden sufrirse consecuencias desagradables.

Declarado el estado de guerra en el territorio de esta División quedan en suspenso los permisos de verano concedidos a los señores jefes y oficiales, suboficiales y tropa, los que se incorporarán a sus destinos en el plazo más breve y por el medio de locomoción más rápido, exigiéndosele responsabilidad a los que no lo efectúen.

¡Sevillanos! ¡Viva España republicana!

Noticias particulares aseguran que el general Mola ha entrado en Madrid de donde había desaparecido el Gobierno.

¡Sevillanos honrados! A cuantos habéis cooperado en estos días, un abrazo.

¡Españoles! Volvamos a ser con toda dignidad.

¡Viva España!

DILIGENCIAS SUMARIALES

De orden de S. E. y hasta nueva orden, quedan suspendidas las actuaciones judiciales de todas clases, salvo las diligencias sumariales.

APERCIBIMIENTO A LOS DE TRIANA

Dentro de un cuarto de hora, a partir de ésta orden, deberán todos los vecinos de Triana abrir sus puertas, a fin de que pueda hacerse el rápido servicio de captura de los pocos que aún disparan desde las azoteas para producir la alarma.

Los hombres deberán estar en la calle, levantando los brazos en cuanto se presenten las fuerzas de vigilancia para dar la sensación de tranquilidad y coadyuvar al mejor servicio.

RUMORES SIN FUNDAMENTO

Espíritus desaprensivos, que no vacilan en recoger y propalar mayores absurdos, hacen creer opinión que levantamiento Ejército y todas fuerzas orden, han sido para traer Gobierno constituido en día ayer, presidido por Martínez Barrio, al que todo Ejército, Península y Africa considera tan faccioso como el anterior y al que desobedece, como también lo

hizo con el nefasto de Casares Quiroga en el día de ayer, glorioso para España.

Quede bien entendido que Gobierno se desmorona por momento, que recibimos telegramas de todas las guarniciones España que se han sumado al movimiento y que general Miaja, que figura como ministro de la Guerra, será fusilado tan pronto caiga en nuestras manos, por traidor al Ejército y a la Patria.

DESMINTIENDO INFUNDIOS

¡Españoles! El Gobierno agonizante, con un cinismo sólo comparable a su miedo incontenido, anuncia por la "radio" la sumisión de todas las fuerzas que han asumido el honroso empeño de salvar a la Patria.

Pronto se convencerá ese Gobierno indigno, por propia experiencia, de que el movimiento triunfante en toda España, avanza con paso seguro hacia la capital de la República.

Fuerzas de Regulares, tras de dominar Cádiz, avanzan sobre Sevilla.

Dos banderas del Tercio y un Tabor de Regulares, han dominado sangrientamente la Línea y avanzan sobre Málaga y Granada.

Columnas de las Divisiones del Norte, estarán muy pronto a las puertas de Madrid.

Esta es la situación que ese Gobierno disimula escondiendo la cabeza lo mismo que el avestruz.

¡Españoles! España está salvada. ¡Arriba los corazones! ¡Viva España! ¡Viva la República!

El general jefe de la Segunda División.

EL PERSONAL DE FERROCARRILES ES MOVILIZADO

Don Gonzalo Queipo de Llano, general jefe de la Segunda División Orgánica, hago saber:

A partir de esta fecha quedan movilizados todos los ferroviarios sujetos a la responsabilidad militar disuelta Escala de Complemento y Especial de Ferrocarriles, que deberán presentarse, los residentes en Sevilla, en las estaciones de Madrid, Zaragoza y Alicante y Andaluces de esta capital, y los no residentes a sus jefes respectivos, con arreglo a las siguientes instrucciones:

Primera.—Todo el personal movilizable ocupará su puesto en el plazo improrrogable de dos horas, presentándose previamente en las Jefaturas de sus respectivos servicios para que les sea impuesto el distintivo de quedar movilizado.

Segunda.—Será juzgado en Consejo sumarísimo y pasado por las armas cualquiera que haga resistencia a quedar movilizado o a prestar el servicio que le corresponde.

Tercera.—Los jefes de los servicios prestarán la cooperación más diligente a los oficiales dependientes de mi autoridad para el más rápido y fiel cumplimiento del servicio encomendado.

Sevilla, 20 de julio de 1936.—Gonzalo Queipo de Llano."

Primera página de «El Correo de Andalucía», correspondiente al martes 21 de julio de 1936, en la que se da cuenta de que el general Queipo de Llano ha tomado el mando de la Segunda División. De la misma depende, entre otras, Granada y su provincia...

vedra, Soria y Granada, no parecen afectadas por él. En esta última *Ideal*, en su primera página, informa: «El gobierno denuncia la existencia de una sublevación militar. Dice que está circunscrita a Marruecos y Sevilla.»

El lunes, 20, a las 5 de la tarde, José Rosales telefonea a Almacenes La Esperanza y le dice a su padre que cierre la tienda y se vaya a su casa «que va a haber follón». Poco después, las tropas están en la calle con cascos de acero. Algunos falangistas salen con ellas.

Se instalan piezas de artillería en lugares estratégicos.

A las seis, se ocupa la Comisaría de Policía, cuyo personal se une a la sublevación. Inmediatamente, el Gobierno Civil, la Diputación y el Ayuntamiento. La escasa, prácticamente nula, reacción frentepopulista se refugia en el Albaicín.

Muertos nacionales durante esta operación: un guardia de asalto.

Al anochecer se intenta el asalto al Albaicín; pero, allí, los izquierdistas ya han levantado barricadas para atrincherarse y abierto zanjas en los principales accesos para impedir el avance de los asaltantes.

Muertos nacionales durante esta operación: dos soldados.

Se espera a la mañana del martes para atacar con fuegos artilleros y aviación, pues el aeródromo de la Armilla también ha sido ocupado por los sublevados.

Al finalizar el miércoles, 22, casi se ha conseguido dominar el popular barrio, que se rinde, definitivamente, el día 23, después de un intenso fuego artillero.

Reproduzco, a continuación, noticias sobre el final triunfante del Alzamiento en Granada, publicadas en el diario *Ideal* (*El Defensor de Granada* ha sido suprimido) los días 23 y 24 de julio de 1936.

Ideal, 23 de julio de 1936:

FUERON REDUCIDOS LOS PERTURBADORES DEL ALBAYZÍN, OCUPÁNDOSELES ARMAS Y NUMEROSAS BOMBAS

TRES CAMIONES ENEMIGOS CON EXPLOSIVOS FUERON VOLADOS AYER POR LA AVIACIÓN. LOS OBREROS QUE VIAJABAN EN ELLOS SE FUGARON

Varios detenidos por disparos y ocupación de armas

Gran cantidad de armas, municiones, bombas y otros artefactos explosivos fueron intervenidos ayer en la barriada del

Albayzín por las fuerzas del Ejército, Orden Público y patrullas de elementos civiles, que lograron dominar los núcleos de extremistas «rojos» que se hacían fuertes en sus viviendas para atacar a las tropas granadinas del movimiento nacional por la Patria y la República. Resultaron algunas bajas y hubo que apelar a medios violentos.

Desde la mañana de ayer comenzaron a evacuar sus viviendas numerosas familias ante el temor de que el barrio fuera bombardeado. Se veían desfiles hacia calles afluentes al Paseo de los Tristes, cuesta del Chapiz y calle de Elvira.

La mayoría de estas caravanas iban compuestas por mujeres y niños que transportaban colchones y otros enseres indispensables de su ajuar para guisar y dormir.

El campo de concentración fue establecido en las Eras de Cristo, pero también acudieron muchas familias a casas de parientes.

Hubo que ametrallar las casas

Para organizar el servicio de policía para detener a los revoltosos y ocupar las armas, se organizaron tres columnas, compuestas de unos treinta hombres cada una. Las tropas encontraron escasa gente en las empinadas cuestas del barrio, pero de lugares ignorados se hacían frecuentes disparos.

Como se resistieran los moradores que quedaban en el Albayzín a cumplir el decidido propósito que había impuesto la autoridad constituida, las tropas se retiraron al tener algunas bajas. El tiroteo no fue tan intenso como el día anterior.

Poco después los aparatos de aviación comenzaron a disparar con ametralladoras y granadas. Muchas casas sufrieron daños, y no sabemos si, aparte de los heridos que ingresaron en el Hospital, resultaron otras víctimas.

Detenciones y hallazgo de explosivos

Por diversos agentes de la autoridad y militares, fueron recogidas en las calles varias armas de fuego que había abandonadas. Otras fueron ocupadas a individuos que fueron detenidos en los registros practicados.

EL DEFENSOR DE GRANADA

Año LIII · Número ...... Jueves 11 de Agosto de 19.. ...... DIEZ CENTIMOS ......

Un movimiento sedicioso contra la República

SUBLEVACION MILITAR EN MADRID Y SEVILLA

Son detenidos algunos generales. - En los choques de la fuerza pública con los sublevados resultan varios muertos y heridos. - El movimiento se considera fracasado. Las Cortes constituyentes dan un voto de confianza al Gobierno y el pueblo se pone al lado del Poder público para defender a la República.

Rumores sobre un golpe de mano. Distribución de fuerzas en las calles

Madrid 10. Ayer, a últimas horas de la tarde, corrieron rumores de que se preparaba un golpe de mano contra diversos cuarteles.

...

Otra vez los enemigos de la República, que son los enemigos de la Libertad y de la Democracia, se han alzado contra el Poder constituido por la voluntad libérrima del pueblo español. Van contra la República porque la República es Derecho y Justicia. Quieren que el Poder vuelva a sus manos para convertirlo de nuevo ...

...

Cabecera de uno de los diarios suprimidos
tras el triunfo del alzamiento militar.

Un rincón típico del barrio
granadino del Albaicín.

Sobre el dintel de una antigua casa morisca, en el Albaicín, la inscripción proclama, fechada en 1772, la creencia de sus moradores en el dogma de la Santísima Trinidad.

Dos imágenes del Albaicín en la década de los setenta. Las fuerzas de izquierda, refugiadas en el popular barrio, tuvieron que rendirse el 23 de julio de 1936, tras un intenso fuego artillero.

Numerosas bombas y petardos

Ocultas en unas alcantarillas encontraron las tropas cinco bombas y una de gran tamaño, con varios petardos.

Estos artefactos fueron trasladados a la comisaría. También encontraron una espiocha, abandonada en una calle.

Entre los detenidos figuran sujetos de acción de las organizaciones extremistas. Todos han pasado a disposición del Juzgado militar. Contra varios de los detenidos se incoará procedimiento sumarísimo.

Los heridos

En el Hospital de San Juan de Dios recibieron asistencia ayer los siguientes vecinos del Albayzín y sus inmediaciones:

Blas Carmona Gómez, de lesiones menos graves; José Núñez Checa, menos graves; Luis Arenas Candelas, cabo de Infantería, menos graves; Isabel Izquierdo Atienza, leve.

Un guardia recibió asistencia en la Casa de Socorro por lesiones leves.

Ideal, 24 de julio de 1936:

EL ACCESO AL ALBAYZÍN, COMPLETAMENTE ASEGURADO

TODAS LAS CASAS MUESTRAN BANDERAS BLANCAS Y EN MUCHAS SE VEN LAS HUELLAS DE LOS BOMBARDEOS

El Albayzín, nuestro típico y famoso barrio, ha sufrido una terrible prueba con motivo de los acontecimientos a que estamos asistiendo. Dominados por la locura marxista, un reducido grupo de obreros de los que allí habitan han ofrecido resistencia a las autoridades militares, y la fuerza de las armas modernas ha dejado en el Albayzín huellas de su irresistible eficacia. Afortunadamente todo ha terminado y el acceso al barrio cristiano-morisco puede realizarse sin peligro alguno, absolutamente extinguidos los focos rebeldes que durante las pasadas noches han venido provocando la alarma en toda la ciudad.

Millares de banderas blancas

En todas las casas, en la mayor parte de los huecos —balcones, ventanas, terrazas— aparecen banderas blancas confeccionadas con los más diversos lienzos de uso casero, sábanas especialmente, aunque también se pueden ver otras prendas blancas pendiendo de cañas y palos.

Una nota que demuestra el aislamiento en que se ha mantenido el Albayzín durante estos días es la falta de limpieza de sus calles principales, en las que la pavimentación, realizada de acuerdo con la gracia especial del empedrado granadino, hace resaltar más todavía este detalle.

En la plaza Larga han desaparecido los bancos instalados con motivo de la última reforma realizada en este punto central del popular núcleo urbano. Con sus materiales se reforzaron las defensas hechas por los insurgentes en las principales vías de acceso al barrio.

Las casas presentan numerosos impactos

En muchas casas las fachadas presentan numerosos impactos de fusil, pistola, ametralladora y cañón. Hay algunas esquinas con huellas visibles del tiroteo, y también los aleros de los tejados, en varias calles, muestran señal de los disparos del Ejército y de la fuerza pública.

En una casa de la calle del Agua, cercana a la casa de los Mascarones, dos proyectiles de la Artillería han atravesado la puerta con limpieza notable para ir a estallar al interior. Allí había instalado un telar, y por los orificios de las balas puede observarse el destrozo ocasionado por la explosión en máquinas, techos y tabiques. Otro impacto, también de cañón, aparece en el típico balconcillo que se abre en el centro de la fachada. Aquí el proyectil arrancó una barra de la barandilla y después de atravesar el postigo fue a caer en el interior de la casa, que por fortuna estaba deshabitada.

Los restos de las barricadas

En los principales sitios del acceso del barrio aún quedan, esparcidos por la fuerza pública, los restos de las barricadas levantadas por los rebeldes para impedir el avance. En la calle del Agua, precisamente en el lugar mismo en donde hace parada el autobús del Albayzín, había una de las más importantes. A juzgar por sus restos, estas obras de defensa estaban formadas por bloques de piedra arrancados de los escalones de entrada de algunas viviendas, sacos de tierra, ladrillos, cascotes y grandes trozos de madera.

En esta barricada, además, se había colocado a través de la calle un grueso tronco de árbol, de ignorada procedencia.

Por detrás de tan primitiva y débil defensa, para poder competir con los modernos elementos de ataque se había cavado una pequeña zanja para refugio de los insurgentes.

Las fachadas de las casas situadas alrededor de las barricadas son las que muestran más impactos del fuego de Artillería e Infantería sufrido por el Albayzín.

La tranquilidad es absoluta en el barrio

Durante nuestra excursión a Albayzín pudimos comprobar que la tranquilidad es completa en todo el barrio. En la plaza Larga, calle del Agua, Panaderos, Chapiz, San Salvador, San Nicolás y demás puntos principales de aquellas alturas, pequeños grupos de albayzineros, en actitud pacífica, comentan los sucesos y curiosean por los lugares en que la resistencia ha sido más dura.

Se observa, no obstante, la falta de animación en las calles como consecuencia de la evacuación del vecindario pacífico habida en estos días, y que ayer tarde aún no se habían reintegrado a sus domicilios.

De todas formas, y como decimos al principio, el tránsito por el Albayzín no ofrece dificultades de ningún género, y una tranquilidad absoluta reina en todo el famoso barrio, todavía vigilado por las ametralladoras y cañones del Ejército y continuamente recorrido por la fuerza pública.

Y, mientras tanto, la cárcel se ha llenado de detenidos, tanto de los que ofrecieron resistencia como de los que, aun sin efectuarla, son considerados «sospechosos». Se habilitan, también, otras dependencias en el Gobierno Civil, Comisaría de Policía y en una antigua colonia escolar situada en el cercano pueblo de Víznar.

Las primeras ejecuciones oficiales tienen lugar el día 26 ante la tapia del cementerio. Entre este día y el 1 de marzo de 1939 sumarán, oficialmente, 2 137 personas cuyos nombres están reflejados en el

Queipo de Llano hablando por el micrófono de Unión Radio, de Sevilla,
el 25 de julio de 1936. De la decisiva influencia del general en la zona
bajo su mando dan testimonio, años después (1947), las palabras
de Serrano Suñer al referirse al «"hecho" casi virreinal
de Queipo en Andalucía que sólo lentamente fue cediendo
al Gobierno las funciones de su competencia».

registro (repito, *oficial*) del cementerio: «causa de la muerte: orden del tribunal militar».

Reproduzco, a continuación, el editorial de *Ideal* del 29 de julio de 1936:

En Madrid, a juzgar por las angustiosas notas oficiales, reina un estado de verdadera anarquía. Las milicias marxistas, nidos de la más audaz rapiña, campan por sus respetos sin detenerse ante el sagrado recinto del hogar ni dárseles gran cosa la vida y la honra de los pacíficos ciudadanos. ¡Cuántas tragedias sufridas y cuántas lágrimas derramadas durante estos días en el silencio, lleno de espanto, de muchos hogares patriotas! *¡Y cuántos atropellos y crímenes será preciso condenar cuando la justicia pueda intervenir libremente para escarmiento de los malvados!*

Ningún incidente perturba la vida en las ciudades ocupadas por las fuerzas auténticamente nacionales. Su vida tranquila, ordenada y activa viene a compensarnos de los días de angustia padecidos recientemente. *Nadie abriga el menor rencor. Ni vencedores ni vencidos.*

. . . .

Nos duele como nuestra la sangre de esos obreros engañados por el moribundo gobierno de Madrid y nos llenamos de indignación cuando vemos cómo, alentados por noticias cínicamente falsas, se les arrastra a la perdición. Que deje ese gobierno libres a todas las emisoras de «radio»; *que deje hablar a los obreros de las ciudades ocupadas por el Ejército* y éstos dirán a sus hermanos de Madrid: «Miente el gobierno y mienten los cabecillas marxistas. El triunfo del movimiento nacional es definitivo en toda España y vivimos en paz dedicados a nuestro trabajo *sin sufrir las represalias de que nos hablaban nuestros dirigentes ni la menor molestia en nuestras personas.*» Así hablarían los obreros. Por eso el gobierno ha condenado al silencio a todo informador imparcial (1).

(1) Los subrayados son míos.

IV. Crónica del asesinato

1. Granada, sábado 8 de agosto de 1936

Calor, mucho calor. Esta mañana, como tantas otras en los veranos granadinos, parece hecha sólo para el sosiego, para esperar que, cuando el sol se oculte, llegue el frescor de Sierra Nevada y se despierte la alegría. Porque el hombre suele hacer lo contrario de los pájaros: éstos por la mañana cantan, y por la noche piden. Y hoy no se puede pedir. Sin embargo, en la Huerta San Vicente, finca de don Federico García Rodríguez, no reina la tranquilidad veraniega.

La casa, confortable, grande y sencilla, con un jardín abundantemente florido, la suavidad de la sombra de los árboles (entre ellos un cerezo al que el hijo-poeta de don Federico ha bautizado «Júpiter»), invitaría, sí, al descanso, a la tranquilidad, al *dolce far niente*, pero... Pero ni don Federico, ni su esposa doña Vicenta, ni sus hijos, Concha y Federico, que viven allí, pueden disfrutar la placidez, el reposo.

España está en guerra. Mucho peor aún, está en guerra civil. Es decir: unos españoles luchan, hasta matarse, contra otros del mismo pueblo, de la misma provincia o de una región hermana. Unos españoles luchan contra otros porque no han descubierto que las razones que los unen son más importantes que las que los diferencian (1).

La Huerta San Vicente se ubica en las afueras de Granada, pero en Granada-capital. Y esta capital ha sido ganada por los sublevados

---

(1) Esta idea, intuida por José Antonio Primo de Rivera, la proclamó, más tarde, Indalecio Prieto.

contra el Gobierno («nacionales» según ellos mismos; «rebeldes» según los contrarios). Pero está prácticamente rodeada, a escasos kilómetros, por los que a sí se denominan «leales» («rojos» según los sitiados).

Ayer, poco después del amanecer, aparecieron en el cielo *azul* unos aviones *rojos*, y soltaron varias bombas muy cerca. Las explosiones hicieron palidecer a los habitantes de la Huerta.

Su nerviosismo aumentó. Los artefactos no eran de gran potencia, pero aquella gente no había oído hablar de los borbardeos sobre Guernica, sobre Coventry, sobre Berlín, sobre Hiroshima o sobre Vietnam, porque aún no se habían producido.

El pasado sábado, día 1, el diario *Ideal* publicó este aviso:

> Por Radio Granada se leyeron ayer las siguientes notas:
> Comandancia militar: En la mañana de hoy han aparecido sobre el hermoso cielo de Granada varios aviones tripulados por asesinos y al servicio de los asesinos que hasta hace poco formaban el Gobierno de España.

. . . .

> Art. 1.º Si volviese a aparecer sobre Granada algún avión de los llamados rojos, bombardee o no la ciudad o pueblos limítrofes, produciendo o no víctimas de cualquier naturaleza, se procederá de la manera que a continuación se indica:
> *a*) Por cada avión que aparezca sobre Granada de los titulados rojos, aunque no bombardeen lugar alguno, serán tomadas represalias sobre individuos pertenecientes a lo que se llamó Frente Popular.
> *b*) Si arrojasen bombas o tiroteasen desde los aparatos cualquier lugar de la provincia, a los individuos comprendidos en el apartado anterior se les aplicará el máximo rigor.
> Art. 2.º Por todos los jefes de la fuerza de servicio en los diversos lugares de la provincia, tanto de organizaciones militares como militarizadas o milicias armadas, se dará cuenta por el procedimiento más rápido de cualquier avión enemigo que sea divisado, expresando dirección de llegada, hora de la misma y si ha efectuado bombardeos o tiroteado los lugares inmediatos, quedando autorizados para la requisa de automóviles cualquiera que sea el servicio que hayan de prestar, a fin de que las referidas informaciones lleguen con toda rapidez a esta Comandancia militar y dar cumplimiento a lo que se dispone en la presente orden.

Tres imágenes de Granada:
vista parcial de la ciudad;

casas modestas en la falda de la Alhambra,
junto a la calle Sucia

y un «carmen» en la calle Plegadero.

Art. 3.º   La presente orden será radiada en todas las emisiones de Radio Granada por las veces que se consideren precisas a fin de que no quede persona alguna sin conocimiento de ella (2).

En la zona opuesta, los *rojos* son, quizá, menos legalistas, pero los procedimientos serán los mismos: ¿caen bombas? Rehenes, presos o sospechosos fusilados... Así, poco tiempo después, el 23 de agosto, tras un bombardeo nacional sobre Madrid, las milicias populares asaltarán la Cárcel Modelo y, con la excusa de un incendio intencionado, asesinarán a 32 detenidos, entre ellos los ex ministros republicanos José Martínez de Velasco, Manuel Rico Avello, Ramón Álvarez Valdés y Javier Jiménez de la Puente; los destacados políticos José M.ª Albiñana, Melquíades Álvarez y Rafael Esparza; los generales Oswaldo Fernando Capaz y Rafael Villegas; los falangistas Fernando Primo de Rivera, Julio Ruiz de Alda y Enrique Matorras Páez (este último *converso* del comunismo) (3)...

Así, también, morirá Luis Moscardó Guzmán; joven de 24 años, hijo del coronel que ha decidido resistir en el Alcázar de Toledo, heroicamente, contra fuerzas, cañones, minas y toda clase de presiones materiales y morales del Gobierno de la República. Una de estas últimas —hecho histórico hoy conocido mundialmente— ha sido, precisamente, el *chantaje* que telefónicamente le hace al coronel Moscardó el jefe de milicias de Toledo, Cándido Cabello:

—Le doy un plazo de diez minutos para que rinda el Alcázar. De no hacerlo, fusilaré a su hijo Luis que lo tengo aquí, a mi lado.

Contestación de Moscardó:

—Puede usted ahorrarse los diez minutos. El Alcázar no se rendirá jamás.

Pero esta conversación telefónica se efectuaba el 23 de julio. Luis no fue fusilado inmediatamente: fue encarcelado.

Exactamente, un mes después, el 23 de agosto, *como represalia* por un bombardeo nacional sobre Toledo, las milicias fusilarán, matarán, asesinarán (4) a más de cuarenta detenidos, «los más significados». Entre ellos, estará Luis Moscardó Guzmán (5).

«La Historia se repite» puede ser un tópico. Puede ser una ver-

(2) *Ideal*, 1 de agosto de 1936.
(3) Datos del Ministerio de Justicia: «Causa General», Madrid, 1943.
(4) Sí, desgraciadamente ¡cuántas veces he de repetir este verbo!
(5) Véase B. GÓMEZ OLIVEROS, *General Moscardó*, Ed. A. H. R., Barcelona, 1956, p. 221. Gómez Oliveros, además de haber sido uno de los sitiados del Alcázar, era ayudante del teniente general Moscardó en el momento de redactar su biografía, la que hizo con la ayuda o asesoramiento del propio biografiado.

dad. (Por lo general, los tópicos son verdades, hasta el límite de saber qué es la verdad.) Científicamente, se ha estudiado a fondo este aspecto: lo triste es que, llegando a la conclusión de que sí, «la Historia se repite», las teorías, análisis o hipótesis sobre tal repetición varían totalmente: desde la *espiral*, los *ciclos* y las *mutaciones* hasta un *anarquismo histórico*. ¿No existe un ácido desoxirribonucleico de la Historia?...

Así, vemos que el *chantaje* a Moscardó (no ejecutado inmediatamente pero sí al cabo de un mes) ya se había producido en el siglo XIII cuando Alonso Pérez de Guzmán («el Bueno») se negaba a rendir la plaza de Tarifa a la morisma capitaneada por el infante Don Juan, a cuyo servicio estaba, como paje, el hijo de Guzmán.

Y, así también, las «notas» de la Comandancia Militar de Granada, del 1 de agosto de 1936, volverán a producirse, escritas en francés y en alemán (pero con redacción muy similar) en la mayoría de las poblaciones ocupadas por las fuerzas del III Reich en territorios extranjeros. Un ejemplo, entre mil: *un* elemento aislado de la resistencia francesa disparó, *cerca* de Tulle, contra *un* oficial de la «2.ª SS. Panzerdivision *Das Reich*», al que mató, originando el siguiente bando:

> ¡Ciudadanos de Tulle!
>
> Cuarenta soldados alemanes han sido asesinados de la forma más abominable por las bandas comunistas. La población tranquila ha sufrido el terror. Las autoridades militares no desean más que el orden y la tranquilidad. La población leal de la ciudad lo desea igualmente. La forma afrentosa y cobarde en que los soldados alemanes han sido muertos prueba que es obra de los elementos del comunismo destructor. Es muy deplorable que haya también agentes de policía o gendarmes franceses que, abandonando su puesto, no han seguido la consigna dada y han hecho causa común con los comunistas.
>
> Para los maquis y aquellos que los ayudan, sólo hay una pena: el suplicio de la horca. Ellos no conocen el combate abierto ni tienen sentido del honor. 40 soldados alemanes han sido asesinados por el maquis, 120 maquis o sus cómplices serán ahorcados. Sus cuerpos, echados al río.
>
> En adelante, por cada soldado alemán que sea herido, tres maquis serán ahorcados; por cada soldado alemán que sea asesinado, diez maquis o un número igual de sus cómplices serán, igualmente, ahorcados.
>
> Exijo la colaboración leal de la población civil para com-

batir eficazmente al enemigo común, las bandas comunistas.
Tulle, 9 de junio de 1944.

El General
Comandante de las Tropas alemanas

Pero eso será más tarde, cuando el poeta no pueda leerlo, ni comentarlo. Tampoco podrá horrorizarse porque unas tropas de ocupación en país extranjero, por ira o por miedo, olviden las más elementales nociones de humanidad y del honor militar.

Porque, para el poeta, cuando ese y otros bandos se publiquen, ya no existirá el horror.

2. En familia

Federico García Lorca pregunta a la niñera de sus sobrinos:

—Angelina, si a mí me mataran, ¿lloraríais mucho?

—¡Qué cosas tiene, señorito! ¡Siempre con esa manía!

Porque, ciertamente, Federico García Lorca desde pequeño ha tenido una obsesión fatalista: la muerte. La muerte en general, la muerte de sus amigos, la muerte de sus héroes de creación y, sobre todo, su propia muerte:

> *Si muero,*
> *dejad el balcón abierto.*
>
> *El niño come naranjas.*
> *(Desde mi balcón lo veo.)*
>
> *El segador siega el trigo.*
> *(Desde mi balcón lo siento.)*
>
> *¡Si muero*
> *dejad el balcón abierto!* (6)

había escrito serenamente más de diez años antes. Pero ahora no está sereno. Su obsesión ya no es meramente psicológica: es una

_____

(6) Federico García Lorca, *Despedida*, de *Canciones*, 1921-1924.

De izquierda a derecha, sentados, Federico García Lorca, Margarita Xirgu,
Manuel de Falla, Julia Pacheco y el padre del poeta; de pie, tras
el maestro Falla, Fernando de los Ríos y Alfonso García Valdecasas.

Emplazamiento exacto donde se hallaba la casa
de los García al trasladarse a Granada
(Carrera del Darro), y antes de mudarse
a la de la Acera del Casino.

Federico García Lorca con su madre
y sus hermanos Concha, Francisco e Isabel.

realidad cotidiana que puede abrazarle a él. Lo sabe, lo intuye, lo sueña. Y tiene miedo.

Federico García Lorca ha cumplido 38 años hace un mes. Y, sin embargo, aún es un niño. Así lo ha comprendido siempre su madre, que le mima como a un niño.

Federico ha tenido, hasta hoy, una vida fácil, agradable, *mimada*. Demasiado mimada. Y, *a pesar de ello*, ha triunfado. Su poesía y sus obras dramáticas se publican y se aplauden en toda España, y también en Santiago de Chile, la Habana, Nueva York, Buenos Aires, Méjico, Bogotá... Los mejores críticos reseñan sus obras y los más famosos periodistas le entrevistan constantemente (7). Su viaje por América había sido realmente triunfal.

En el pequeño ámbito de su familia, igualmente es estrella. Doña Vicenta es madre y fue maestra de escuela: dos títulos para amar y admirar al eterno niño. Don Federico, el padre, ya es otro cantar. Es un hombre rudo que se ha hecho una fortuna palmo a palmo, gota a gota de sudor; labriego de tierra avariciosa, pero también vivo, sutil: sabe dónde colocar su dinero y a quién prestárselo o no.

Desde la modestísima casa de la calle de la Trinidad, 4, de Fuente Vaqueros, hogar donde nació su hijo Federico, puede pasar —cuando éste tiene 4 ó 5 años— a la ya más confortable de la calle de la Iglesia, en el mismo pueblo. De allí, a Granada, Carrera del Darro —donde Federico vivirá sus años de estudiante de *grado* (bachillerato)— y, más tarde, casa propia en la Acera del Casino, la zona distinguida de Granada, junto a Puerta Real. Es consejero municipal, consejero de la Azucarera y principal accionista de la Plaza de Toros de Granada. Tiene buenas tierras en la vega —600 marjales (8)— y se ha comprado una espléndida huerta para veranear.

Al principio no le agradaba mucho la idea de un hijo poeta. Eso no era trabajo. Pero, condescendiente con la mujer, dejó alargar el plazo antes de ponerse serio y hacerle sentar cabeza. Más tarde ha descubierto que —¡quién lo imaginara!— aquello de escribir también era un trabajo e incluso producía algún dinero. Y fama. A don Federico le gusta fotografiarse junto a su hijo, al lado del maestro Falla, de Fernando de los Ríos, de Valle-Inclán, de Margarita Xirgu...

Y los hermanos, dos chicas y un chico, también han sido hipnotizados por el extraño magnetismo que emana del poeta.

(7) Ver capítulo II («Lorca, hoy. ¿Su *boom* internacional de posguerra fue por su muerte o por su obra?»).

(8) Un marjal son 582,42 m². Esta extraña cantidad, tiene su origen: es la medida del Patio de los Leones, de la Alhambra. En el verano de 1973 se pagaba 25 000 pesetas cada marjal de la vega (25 000 × 600 = 15 000 000).

Este 8 de agosto, en Granada no están ni Isabel ni Paco. Federico hace sólo dos semanas que ha llegado aquí, desde Madrid. Concha, la hermana casada, tampoco puede estar tranquila: su marido, Manuel Fernández Montesinos, alcalde de Granada durante los diez últimos días anteriores al Alzamiento, está detenido, en la cárcel. Concha también tiene miedo: por su marido y por sus hijos. Se habla de fusilamientos, de «paseos» (secuestros sin posible rescate, y muerte asegurada). Pero quizá en la cárcel esté más seguro, pues allí se supone no puede haber «paseos» sin juicio, ya que es una situación oficial.

Hoy, *Ideal* publica:

> Por Radio Granada se leyeron ayer, entre otras, las siguientes notas:
>
> Excelentísimo señor Comandante militar de Granada:
>
> Los abajo firmantes por sí y en nombre de todos los presos políticos detenidos en esta Prisión provincial, a V. E. respetuosamente exponen:
>
> Que protestan enérgicamente contra los repetidos bombardeos aéreos de que está siendo objeto Granada.
>
> Esta protesta la hemos hecho patente desde el primer día que los aviadores causaron víctimas inocentes en la población civil, ajena en absoluto a esta contienda que por desgracia padecemos, y testigo de ello es el señor director de este establecimiento, a quien repetidamente hemos manifestado nuestra indignación.
>
> Nuestro dolor ha llegado a su colmo cuando por la Prensa de esta mañana nos hemos enterado del imperdonable atentado artístico que supone el bombardear la Alhambra, el más inapreciable tesoro de Granada, y de las víctimas producidas.
>
> Contra tales actos de destrucción y exterminio estamos los que suscribimos la presente, enemigos de toda violencia y crueldad y así queremos hacerlo público desde esta cárcel donde vivimos días de angustia, serenamente confiados en la caballerosidad de los militares españoles. Por todo lo expuesto, Excmo. señor, nos dirigimos a V. E. autorizando con nuestra firma el presente escrito, del que puede V. E. hacer el uso que estime oportuno, incluso radiarlo para que conste a todo el mundo que en modo alguno nos solidarizamos con tales actos.
>
> ¡Ojalá que todos los españoles se hagan eco de nuestros sentimientos y cese ya de derramarse tanta sangre inocente por bien de España! Viva V. E. muchos años.

Granada, 7 de agosto de 1936. Firmado: Francisco Torres Monereo, Pablo Casiriai Nieva, José Villoslada, Fernández Montesinos, Joaquín García Labella, José Mejías, Luis Fajardo, Melchor Rubio, Arturo Marín Forero, Miguel Lozano, José Valenzuela, Rafael Vaquero, Maximiano Fernández, Plácido E. Vargas Corpas y otras varias ilegibles (9).

Concha ha leído el comunicado. Ha leído el nombre de su marido como firmante. *Sabe* —intuye— los terribles momentos que está pasando («desde esta cárcel donde vivimos días de angustia») y recuerda cómo empezó la carrera política de Manuel Fernández Montesinos.

Fue su hermano Gregorio quien le inició. Ambos eran liberales moderados, activamente apolíticos y, en realidad, mucho más afines a una derecha burguesa que al socialismo. Sin embargo, Gregorio, que era médico del Albaicín —típico barrio granadino eminentemente socialista—, hizo muchas amistades con la gente de allí. En las elecciones del 12 de abril de 1931 —que trajeron la República a España— Gregorio fue nombrado presidente de una mesa electoral. En ella, sus amigos republicanos hicieron las más descaradas falsedades con los votos. Y más tarde Gregorio exigió que su hermano Manuel fuese nombrado concejal.

Así se hizo, pero Manuel, ya edil, en esa primera etapa, ni ponía los pies en el Ayuntamiento. Y, públicamente, sostenía que él «no tenía nada que ver con los hombres de alpargatas». Fue nombrado alcalde de Granada mucho más tarde, el 10 de julio de 1936, por verdadera casualidad. O, precisamente, por su apoliticidad.

Efectivamente, el 16 de febrero de 1936 se celebraron en toda España las elecciones que dieron el triunfo al Frente Popular. Las derechas habían sido derrotadas ampliamente.

Pero en Granada ocurrió lo contrario. Las derechas ganaron por muy amplio margen. Esta vez, las falsedades en los votos las hicieron ellas.

(9) De entre los firmantes sé, con seguridad, pudo salvarse de la represalia Miguel Lozano Gómez (concejal del Ayuntamiento) gracias a la ayuda que le proporcionaron los jesuitas. Fueron fusilados: Torres Monereo (hijo de un teniente coronel del Ejército, él era abogado del sindicato socialista —UGT—; le denunció su propio padre); Manuel Fernández Montesinos (ejecutado el 16 de agosto, exactamente el mismo día que detuvieron a su cuñado Federico); el abogado José Villoslada; Joaquín García Labella (catedrático de Derecho Administrativo); José Mejías Manzano (ayudante de cátedra de la Facultad de Medicina); Luis Fajardo y Maximiano Fernández (concejales). También me consta un Enrique Marín Forero, ¿podría ser hermano de Arturo o estaba equivocado el nombre en la «instancia»? Creo más en la primera hipótesis, pues este Enrique Marín debió de ser ejecutado en los primeros días, algo antes del 8 de agosto. De los demás firmantes no he encontrado pruebas en uno u otro sentido.

Huerta San Vicente en 1974.

Noticia de la detención y posterior puesta
en libertad de Gabriel Perea Ruiz,
publicada en «Ideal», de Granada,
el 10 de agosto de 1936.

... región llevaron a los
... momento todos los
de los pueblos su obo-
... icrementar la su-
... fuerza.
... de los pueblos de
... en el corazón rebo-
... al ver que siquiera
... de bellezas natura-
... domingo jamás el se-
... a y que ahora, como
... ncia, las hordas en-
... el crimen no han po-
... por las encrespadas
... las casas y mar-
... adores.
... por el camino, entre
... del sol poniente, una
... legra nuestros oídos,
... que nos anuncia una
... z de prosperidad y
... nuestra Patria. Es la
... s femeninas que nos
... por el camino, con
... España, pronunciados
... temor y con la con-
... pronunciarlos no se
... delito.—MORALES.

Guardias de Asalto capturaron ayer
en la Acera del Casino a Francisco
Civantos Cintas, de veinticuatro años
... por estar considerado
extremista de acción y elemento de
enlace de las organizaciones revolu-
cionarias.

Detenido por supuesta ocultación

Por sospecharse pudiera ocultar el
paradero de sus hermanos José, Andrés y Antonio, acusados de haber
dado muerte a José y Daniel Linares, hecho ocurrido en un pueblo de
la provincia el día 20 del pasado, un
sargento de la Benemérita, retirado,
detuvo ayer a Gabriel Perea Ruiz, en
su domicilio, callejones de Gracia,
huerta de don Federico García. Después de interrogado fué puesto en libertad.

Suscripción para las fuerzas armadas

Don José Carrascosa, maestro nacional, domiciliado actualmente en
Pitres, además de anteriores donati...

... lexo; Casa Guevara, u...
... idad de material de es...
... pisapapeles de mosaico ...
... la Patrona de Gra...
... Martínez Herre...
... joyería La ...
... gran cuad o de plata re...
Patrona de Granada; ...
Domingo Lisa, una resm...
ba, cuartillas, plumas,
... es; el «balilla» Antoni...
rifle, un equipo falangi...
«balilla» sin recursos;
Conde, devuelve un vale
na del capitán señor Nes...
gruesa de fósforo y c...
«Bambú»: Casa ...bre...
cleta equipada «Royo».
Ayuntamiento e Gój...
nas, 2 cartuch garbanz...
y 350 kilos patatas; ...
680,45 pesetas para la ...
d.; Sdad K... queros y ...
periódicos 50 pesetas p...
don Manuel Gómez Bri...
... 223; 25 pesetas; fa...
mero 292, 25 pesetas; ...
Castro Márquez, 100 p...
César Sebastián Dacosta ...
para el Sindicato Espa...

Sin embargo, dichas elecciones eran para elegir diputados a Cortes, no municipales. Y, como en el conjunto nacional había triunfado el Frente Popular, los ediles granadinos tuvieron que dimitir colectivamente a raíz de la formación del nuevo Gobierno, incluso antes de que los demostradamente amañados resultados electorales de Granada fuesen anulados.

Así volvieron al Ayuntamiento los hombres del 12 de abril de 1931 que fueran sustituidos el 34. Entre ellos, Manuel Fernández Montesinos.

Pero el Frente Popular, unido en la batalla electoral contra las derechas, una vez en el poder, y pasadas las primeras efusiones triunfales, ya no respondía a un concepto unitario, mucho menos en el ámbito de un concejo local.

Por ello, desde febrero hasta el 10 de julio de 1936, Granada se halló con un Ayuntamiento completo en sus autoridades, excepto en la de la Presidencia, que ostentó interinamente Constantino Ruiz Carnero (10).

Mientras los concejales dilucidaban quién de ellos era el alcalde idóneo, la ciudad tampoco estaba tranquila. El 8 de marzo se organizó un gran mitin frentepopulista en el que se pedía la anulación de las votaciones de febrero. El 10 se produjo la huelga general, acompañada de graves disturbios : fueron incendiados los locales de Falange, de Acción Popular y de Acción Obrerista, el edificio del diario *Ideal*, el teatro Isabel la Católica, los cafés Royal y Colón, el Tenis Club, una fábrica de chocolates y dos iglesias del Albaicín (El Salvador y San Gregorio el Bajo). Las turbas deshacían «ídolos burgueses».

Concha está pensando que todo esto Manuel lo repudió; le daba asco. Cierto que los derechistas y los pocos falangistas granadinos (11) tirotearon a las multitudes, pero ni la policía ni el Ejército intervinieron de inmediato para atajar los desmanes. El gobernador militar, Eliseo Álvarez Arenas, se presentó en el Gobierno Civil amenazando con intervenir, pero no intervino. La policía lo hizo al día siguiente, cuando la agitación estaba, si no calmada, al menos pausada. Se limitó a registros domiciliarios (y por lo general de personas derechistas) donde, según *El Defensor de Granada* del 12 de marzo de 1936, hizo 300 detenciones y requisó numerosas armas de fuego.

(10) Véase, más adelante, «Intermedio carcelario».
(11) Como indico anteriormente al analizar las investigaciones de Claude Couffon sobre este tema, los *seiscientos* falangistas que él sitúa en Granada en aquella época, no pasaban de 60.

Concha piensa que, además de la barbaridad que estos sucesos expresaban, es muy posible que hayan sido un timbre de alarma para *la clase burguesa de orden* (a la que su propia familia pertenece) considerándolos como «una muestra» de lo que *podría* ser... Sí, por eso *ahora*, en este caluroso agosto de 1936, los sublevados (clasificación a la que su familia no pertenece) extreman el rigor e imponen un miedo absoluto. Y lo consiguen.

3. Intermedio carcelario

La firma de Montesinos en el *acta de condena a los bombardeos rojos*, publicada en el diario de hoy, ha sido una leve brisa de esperanza en el ánimo de Concha y, también, naturalmente, en el de la familia García.

—*¡Vive!...*

Sí, aún vive (12). La exclamación es un profundo respiro porque, allí, en la cárcel, el paso de la vida a la muerte sucede con harta frecuencia y *el que va* a morir no tiene tiempo de saludar, ni al César ni a su propia familia, porque sólo se entera por la noche, unas pocas horas antes.

Las *listas* que se leen casi cada atardecer recuerdan las conocidas escenas francesas de los primeros meses de 1794, en pleno Terror. Es posible que ocurran también ironías del azar como el que sucedía con el temible acusador público Fouquier-Tinville, en cuya mesa de despacho se acumulaban desordenadamente los *dossiers* de los condenados. Uno de los más feroces milicianos —Labussière—, al que le gustaba la pesca con caña, había descubierto que aquellos papeles, hervidos y convertidos en una masa, resultaban un excelente cebo para su distracción en el Sena. Así, sencillamente, conocida su lealtad a la revolución, Labussière podía entrar en el despacho de Fouquier cuando éste se hallaba ausente y, robándole algún que otro sumario, sin proponérselo, salvaba vidas de la guillotina.

En Granada, en 1936, normalmente, los fusilamientos se efectúan ante la tapia del cementerio (13), al amanecer. El condena-

(12) Será fusilado el 16 de agosto. Exactamente el mismo día de la detención de su cuñado Federico.

(13) Ésta, hoy, es nueva, pues se hundió por las perforaciones de las balas. Por lo tanto, son falsas las *sensacionales* declaraciones de investigadores que dicen haberla visto, en la actualidad, horriblemente erosionada por los impactos e incluso

do ha pasado la noche *en capilla*, textualmente: en la capilla de la cárcel. La mayoría se confiesan; unos porque realmente son católicos practicantes; otros porque aunque hayan dejado hace tiempo de practicar, fueron educados o, por lo menos, imbuidos en su infancia en un catolicismo estrecho, casi supersticioso —la Virgen de las Angustias, el Cristo de los Favores, las procesiones, el infierno para el pecador, el escapulario, la estampita, la novena... ¡estamos en Granada!—, y, sabiendo que es la *última oportunidad*, ¿por qué no retornar a aquello?, ¿qué pueden perder y qué les cuesta?...; y otros, sencillamente, porque aún creen que esa confesión puede salvarles, no el alma, sino el cuerpo (14)...

Efectivamente, muchos de estos que ahora están *en capilla* han podido observar cómo nombres lógicamente más destacados que otros no aparecen en las listas fatales. Y ello puede ser debido a cierta actuación que, entre los presos, ya se ironiza descaradamente. Así, a las notas de trompeta del *toque de misa* se ha puesto letra:

> *Don César va a comulgar*
> *y Pérez Funes también,*
> *asómate y lo verás.*

Don César Torres era el gobernador civil de Granada cuando estalló el Alzamiento. Sobrino de José Giral, fundador de Izquierda Republicana, pertenece también a ese partido. Es, además, íntimo amigo del presidente del Consejo de Ministros, Casares Quiroga. Fue detenido el primer día (20 de julio) en su propio despacho del Gobierno Civil, al ser tomado éste por el comandante Valdés y los capitanes Nestares y García Moreno, el primero con voluntarios falangistas y García Moreno con sus soldados de Artillería. No hubo

---

manchada de sangre. Hasta Gibson, uno de los más exactos escritores sobre este tema, publica una fotografía de *un trozo de tapia* en el que pueden verse unas 10 ó 15 incrustaciones. Esto es ridículo, si se tiene en cuenta que el *registro oficial del cementerio* cita 2 137 nombres, allí enterrados, del 36 al 39 y expresando *oficialmente* «causa de la muerte: orden del tribunal militar» (en los primeros nombres de esa lista figura «disparo de arma de fuego», probablemente porque para esos primeros nombres aún no había «orden del tribunal militar»). La primera fecha en la que hallamos «disparos de arma de fuego» es el 26 de julio de 1936, o sea cuatro días después de que se eliminase totalmente la débil resistencia proletaria del Albaicín.

(14) Gibson dice que eran *forzados* a confesarse. ¿Cómo lo sabe? Los muertos no hablan, y los guardianes no es lógico que lo admitan, lo he comprobado. La explicación que yo apunto (deducida de conversaciones que he sostenido con guardianes y otros presos, aunque éstos no hubiesen estado *en capilla*, afortunadamente para ellos) me parece mucho más adecuada en las tres tesis. Por otra parte, ¿cómo se va a *forzar* a confesarse a un hombre que se sabe ya casi muerto?...

«¿Falla? ¿Un maestro?...
¡Todos son rojos! Que lo encierren.»
Atribuido al gobernador civil
de Granada, comandante Valdés.
(Retrato del compositor por Picasso.)

Busto en piedra de Manuel de Falla, obra del escultor
granadino Bernardo Olmedo, emplazado, en 1973,
en el «carmen» del maestro.

resistencia alguna, pues la propia guardia del Gobierno Civil se unió a los sublevados. Con César Torres, en tal momento y en el mismo despacho, se hallaba Antonio Rus (uno de los principales directivos de la Casa del Pueblo, obrero de la fábrica de pólvora), al que se le conduce detenido junto con Virgilio Castilla, presidente de la Diputación de Granada.

Antonio Rus y Virgilio Castilla fueron los dos primeros fusilados *oficialmente* en Granada.

Don César, en la cárcel, ha adornado su celda con estampas de santos.

Pérez Funes, abogado de la UGT, además de ir a comulgar cada día, le da 25 pesetas diarias al sacerdote «para que le diga una misa a mi padre, mientras yo esté vivo, que es la costumbre de mi casa» (15).

Manuel Fernández Montesinos no está en una celda, sino en la enfermería. Usa pijama de seda.

Teniendo en cuenta que en muchas celdas, normalmente destinadas a un solo preso, ahora se arraciman catorce y veinte personas, él puede, dentro de lo que cabe, encontrarse bien. Desde luego está convencido de que, al fin y al cabo, acabarán por dejarle en libertad, sin más, pues no se considera culpable de ninguna acción delictiva. Vive de ilusiones. Cuando el doctor Rodríguez Contreras es detenido, Montesinos le dice:

—Procura venir a la enfermería. Tú eres médico y podrás conseguirlo. Aquí se está bastante bien.

—No —le responde Contreras—, ni hablar, ahí *se te ve* demasiado.

Sí, es mejor pasar inadvertido. Lo máximo posible, pues los primeros días —los últimos de julio—, mientras la dirección de la cárcel recaía en José Cantero, abogado que al ser movilizado fue nombrado jefe de los servicios de Justicia en la Comandancia Militar, el sistema correctivo aún podía considerarse casi benévolo, dentro del caos producido por la anormalidad de la situación. Pero, quizá por ello, Cantero es sustituido por Francisco Angulo Montes (16) quien organiza un duro régimen interior en el cual las palizas con rotura de huesos alternan con fuertes y prolongados palmetazos en las plantas de los pies.

Algunos consiguen abrirse las arterias o ahorcarse por cualquier procedimiento, con lo que evitan la tortura.

(15) Testimonios directos al autor de presos supervivientes. Y supervivientes también lo fueron tanto *don César* como *Pérez Funes*.
(16) Fallecido en 1973, siendo presidente de la Audiencia valenciana.

Y, sin embargo, la cárcel aún es casi «un juego» en comparación con lo que ocurre en el interior del Gobierno Civil. Allí se ha inventado —entre otros— un «deporte» al que llaman «el avión». Consiste en suspender del techo a la víctima, atada por los omóplatos, haciéndola girar en el espacio... En el Gobierno Civil, además, las listas son totalmente apócrifas. No existen «órdenes de tribunales militares» (ni civiles, naturalmente). Sólo la palabra o la voluntad de unos pocos. Desde luego, la más importante es la del comandante don José Valdés Guzmán, gobernador civil desde el 20 de julio.

Un día se oye un estrépito de cristales rotos. No es nada. Uno de los detenidos ha podido lanzarse por la ventana, cayendo sobre el invernadero del Jardín Botánico, que está junto al edificio. Pero se salva. Menos mal. Se le cura. Luego se le fusila.

Pero no ante la tapia del cementerio, pues los detenidos del Gobierno Civil no han sido juzgados oficialmente. Son enviados al pueblo de Víznar, uno de los más avanzados cara a las líneas enemigas. Allí *reina* el capitán Nestares (también delegado de Orden Público de Granada) que ha instalado su cuartel general en el antiguo y monumental palacio del Arzobispo Moscoso. En la fachada se han inscrito dos *slogans* que, ni el tiempo, ni la lluvia, ni los repintados, harán desaparecer hasta 1974: «Todo por la patria» y «¡Viva Gil Robles!»...

Cerca, a la salida del pueblo por el camino que lleva a Fuente Grande, existe una villa semiescondida, no muy grande, bonita, con río y piedra de molino, a la que llaman «la Colonia» pues, realmente, antes de la guerra, era una colonia escolar. Ésta es *la capilla* —sin capilla— de los condenados sin juicio. Menos formalidades, están uno, dos o hasta seis días. Cuando a Nestares o a la patrulla de turno «le viene bien», sacan a algunos y les hacen seguir el camino hacia Fuente Grande («Ainadamar», en árabe, equivale a «Fuente de las lágrimas»). Antes de llegar a ese brote de una de las aguas más puras y refrescantes que puedan probarse en toda España, mientras empieza a clarear sobre la Sierra de la Yedra y de Huétor de Santillán, o aún no ha desaparecido el vestigio de plata de la luna, se oye una voz de *¡Alto!* Luego unos disparos. Nada más. ¿Así de sencillo? No del todo, falta *la seguridad*. Y entonces, uno por uno, reciben el tiro de gracia. Los cuerpos quedan en el camino, junto al barranco. No son los ejecutores los encargados de enterrarlos. Éstos, todo lo más —sobre todo si entre ellos están *el Chato de Plaza Nueva* o *el Pajarero*—, con una navaja horadan los cráneos, y cada uno saca *su* tiro de gracia. Como *souvenir*. A la

Casa de los Rosales,
en la calle de Angulo, número 1.

José Antonio Primo de Rivera, quien, según
testimonio de José Rosales, se negó
a la demanda de Ramón Ruiz Alonso de cobrar
mil pesetas mensuales por abandonar las filas
de la CEDA e ingresar en las de Falange Española.

Ruiz Alonso, el proletario "honoris causa", huésped de gran hotel y plañidero en un taxi

¡A por los tresclentos... a por los tresclentos kilómetros por hora hacla Madrid!

Don Ramón era un ferviente trescientista. Era y lo es. Y ahora veremos esta adoración por la cifra a través del tiempo. Don Ramón, además de este fervor, tenía otros entusiasmos. Sentía la caricia del pijama de seda en los soliloquios del hogar y amaba el traje de mahón para lucir el de obrero cuando entraba en funciones oratorias. Y lo mismo que se dejaba abrazar por estos cariños, se abandonaba al temor de los descalabros. Ejemplo al canto: don Ramón tuvo necesidad un día de acomodarse entre el terciopelo de un taxi de magnífica carrocería para marchar a Algeciras con unos discursos preconcebidos. Don Ramón realizó el viaje de ida y vuelta sin novedad. La novedad la tuvo el chófer. No le pagó. Y bastó que un día se lo recordásemos, a los tres meses del viaje, para que el temor a los cuchicheos le convenciera de que debía dar lo suyo al proletario que le trasladó a Algeciras. Pagó tarde, pero en fin, pagó. Somos justos y lo declaramos así.

Hoy hemos sabido otra cosa. Don Ramón, el mismo domingo electoral—él sabrá por qué—se trasladó a un elegante hotel de la Alhambra. El «maitre» le recibió en el «hall» con galantería estudiada para turistas:

—Caballero, el cuarto número... Hay baño, calefacción. Todo. ¿Quiere que le preparemos el baño?..

Un botones se le cuadró con amabilidad de gran hotel:

—Señorito, por aquí...

En fin, el obrero, el proletario o el jornalero de la Ceda, como ustedes quieran llamarle, era aquel día todo un caballero, todo un señorito. Cena espléndida, lecho tierno y acogedor. El hotel elegante de la Alhambra no era exactamente una posada como esas donde van a dormir los «pardillos» que le han votado—porque algunos le han votado—cuando vienen a la ciudad a que les pegue guantadas en las espaldas don Ramón.

El día del lunes amaneció esplendoroso para el Frente popular. Don Ramón paseaba con su pijama azul por los pasillos del gran hotel. Entraba a su habitación, todo confort, marcaba un número del teléfono, recibía una noticia alarmante y sus chinelas zapateaban de indignación por el brillo de los baldosines.

Llegó un taxi a la puerta del hotel de lujo.

Quince minutos después don Ramón salía acompañado de unos señores. Y ya con el pie en el estribo del coche, un diálogo breve y tierno. Puños cerrados, miradas feroces. Y al fin lo conmovedor. Los señores desconocidos abrazan a don Ramón y todos lloran. Un pañuelo de despedida. Don Ramón ordena al chófer:

—¡Vamos a por los trescientos...; a por los trescientos kilómetros por hora hacia Madrid!

Y el taxi se perdió en unos minutos.

**Artículo publicado en «El Defensor de Granada» el 19 de febrero de 1936,
tras las elecciones que dieron el triunfo al Frente Popular.
Gibson atribuye este texto a Constantino Ruiz Carnero.**

hora del aperitivo, ya de regreso en Granada, van al bar *Sevilla* —uno de los más elegantes—. Piden, como siempre, su vaso de vino. En él echan la bala y se beben el vino, mientras tintinea el plomo en el cristal. Tiene gracia. Tiene *tiro de gracia*.

Naturalmente, en este 1936 aún no se conoce el terrible futuro en que la tortura física y moral será aplicada en casi todos los países del mundo a los prisioneros políticos, entremezclándose siglas como NKVD, GESTAPO, FLN, OAS, PIDE, FRELIMO, CIA, etc., pero sí el auge de las películas hollywoodenses sobre *gangsters* que revelan el éxito con que la policía norteamericana desarrolla el famoso «tercer grado». Pero éste tiene una *explicación* (17): se trata de que el detenido «cante», dé datos concretos de jefes, cómplices, conexiones, lugares, actuaciones delictivas pasadas (para el enjuiciamiento) o próximas (para su evitación). También los temibles tormentos de la Inquisición tenían su explicación (18): además de los mismos objetivos ya reseñados, en la absurda mentalidad de la época; *el Poder* estaba convencido de hallarse en posesión de *la Verdad Única y Absoluta,* con la cual dicho tormento conseguía la doble función de *salvar* al desgraciado desviado —espiritualmente, claro— y ejemplarizar al resto de borreguiles papanatas que, en algún momento, se les pudiese ocurrir pensar de otra forma que la oficial. Pero en esta Granada de agosto de 1936 no son válidas tales *explicaciones.* Ni se buscan datos de cómplices ni conexiones, pues en la ciudad totalmente dominada ya se conocen todos los datos; ni se intenta ejemplarizar, ya que precisamente no se publican tales actos.

Sí. De acuerdo. En la *otra zona* sucede, más o menos, lo mismo. ¿Es suficiente explicación?

4. Dos hombres merodean alrededor de la Huerta San Vicente

—¿Has visto? —pregunta Federico a Concha—. ¿No te da mala espina?

—Están mirando hacia aquí, escóndete.

—Ya se van.

(17) Respecto a su *disculpa* o no, debiera ser objeto de mayor y exclusivo estudio, que aquí no me compete.
(18) Ídem nota anterior.

Los dos desconocidos, después de haber estado observando, como espiando, durante un largo rato, han tomado el camino de retorno hacia el centro de Granada.

Esto no tendría importancia si no fuese porque la Huerta está algo aislada y no acostumbran a venir visitantes a admirarla como monumento. Y los nervios —guerra, bombardeos, cárcel de Manolo, anuncios de represalias, habladurías de «paseos», miedo de Federico a la muerte— están sudando en la piel.

El poeta recuerda que, días antes, le avisó su amigo Rodríguez Orgaz: «Huye, escápate, pasa a la otra zona... ¡quieren matarnos!» No le hizo mucho caso. Creyó que era todavía más asustadizo que él (19).

Pero ahora recuerda sus palabras.

Efectivamente, por la tarde han vuelto. Ya no son sólo dos. Vienen varios más. Armados.

La familia los ve llegar, y los esperan. Ninguno se ha escondido, aunque todos tienen miedo. Nunca se sabe lo que puede ocurrir.

Entran en la casa como un pequeño ejército de invasión, aunque no llevan uniforme. Sólo correajes, brazales y, eso sí, armas.

Saben que son dueños de la situación. Algunos se consideran poseedores de la verdad y justicieros, otros no lo creen en su intimidad, pero obran como si lo creyesen (20).

El jefe del grupo (21) dice que registren la casa. Buscan a un «rojo» que se llama Antonio Perea Ruiz, y es hermano de Gabriel, el casero de Huerta San Vicente.

(19) Rodríguez Orgaz era arquitecto muy bien considerado profesionalmente. Políticamente, de afiliación radical-socialista. Antes de julio del 36, había concedido la contrata de unas obras al padre del *Pajarero*. Éste —Francisco Jiménez Callejas de verdadero nombre— fue uno de los elementos más activos en las represalias y asesinatos efectuados a partir del Alzamiento en Granada. Sin embargo, agradecido a Rodríguez Orgaz, consiguió llevarle hasta las líneas enemigas (por Motril a Málaga) pasando así a zona republicana. De allí, Orgaz se fue a Colombia, donde hizo gran fortuna. En el verano de 1973 vivía cómodamente, repartiendo sus estancias entre Almuñécar y Madrid. *El Pajarero*, aunque no tan rico como *su* —¿quizá único?— *perseguido al que salvó*, también vivía, hace poco, en Sevilla (mayo, 1974).

(20) *Biocenosis*, parte fundamental de la ecología: los seres vivos dependen unos de otros, más o menos directamente; la fase más sencilla, explicativamente, es que el vegetal constituye la base alimenticia del animal herbívoro, el cual, a su vez, es presa del carnívoro, cuyos excrementos sirven de abono a los vegetales. Evidentemente, el mejor situado es el carnívoro. Pero se dan casos muy particulares de «vida en asociación» (*comensalismo*): unos pajaritos se introducen en las fauces del cocodrilo, comen lo que al saurio le queda entre los dientes, y éste se siente satisfecho pues le sirven de odontólogo. Asimismo, el pájaro boyero (*Buphagus*) vive sobre el lomo del rinoceronte comiendo sus garrapatas; como el rinoceronte es casi ciego, el *Buphagus* le avisa cuando se acerca un intruso: tiene que defender su vivienda y su comida.

(21) Varias fuentes indican que era Ramón Ruiz Alonso. No he podido confirmarlo; y, personalmente, tampoco creo fuese él, al menos en esa primera irrupción.

—Quemó la iglesia del pueblo —explican.

—No sé dónde está —dice Gabriel.

—Tú lo sabes.

—No... lo juro... no lo sé.

El registro no da resultado. Se deciden por el *tercer grado* y atan a Gabriel al cerezo para apalearle.

Federico, el poeta, no es muy valiente, pero, en aquellos instantes, tiene un destello insuperable, y se adelanta en un inútil esfuerzo de defensa. Es golpeado en la cara, mientras oye:

—Tú a callar; te conocemos muy bien, Federico García Lorca.

Todos tienen que presenciar impotentes el castigo a Gabriel Perea Ruiz, que chorrea sangre (22).

Los invasores son de Asquerosa, un pueblo cerca del natal (Fuente Vaqueros) de Federico. Mucho más tarde de este agosto de 1936 se le cambiará el nombre por el de Valderrubio, que es bastante más bonito y, sobre todo, convierte a los *asquerosos* en *valderrubienses* o *valderrubieños*. De todas formas, el poeta, hace ya tiempo, casi veinte años, que le ha cambiado el toponímico por su cuenta: lo llama *Vega de Zujaira*, y allí ha datado muchas poesías. Entre ellas, *Prólogo* (23), algunos de cuyos versos debe de estar pensando en este momento de miedo y angustia ante el atropello:

> Dime, Señor,
> *¡Dios mío!*
> *¿Nos hundes en la sombra*
> *del abismo?*
> ¿Somos pájaros ciegos
> sin nidos?
> La luz se va apagando.
> ¿Y el aceite divino?
> Las olas agonizan.
> ¿Has querido
> jugar como si fuéramos
> soldaditos?
> Dime, Señor,
> *¡Dios mío!*

(22) Según Gibson, Angelina logró escapar con tres niños de los Fernández Montesinos. Angelina se lo relató a él. Yo creo muy poco en los relatos de la octogenaria (en 1965) Angelina, y mucho menos en éste. Es francamente iluso pensar evadirse, en aquel clima de miedo, a campo traviesa, pelado, sin que la viesen (pero sabiendo que se exponía a que disparasen sobre ella), una mujer de 55 años, con tres niños.

(23) Escrita en 1920. (Los subrayados son míos.)

¿No llega el dolor nuestro
a tus oídos?
¿No han hecho las blasfemias
Babeles sin ladrillos
para herirte, o te gustan
los gritos?
¿Estás sordo? ¿Estás ciego?
¿O eres bizco
de espíritu
y ves el alma humana
con tonos invertidos?

Es posible que su Dios, esta tarde, no esté tan sordo, ciego ni bizco, pues, al rato, llega una patrulla uniformada que pone coto a la orgía sádica (24). Probablemente, pasaba de ronda por allí (25).

—¿Qué estáis haciendo, animales?

—No quiere decirnos dónde está su hermano.

—¡Soltadle!

—Su hermano es un asesino.

—Pero esto es una salvajada.

—Su hermano ha matado a José y a Daniel Linares, en nuestro pueblo —y el que habla enseña su carné de identidad: es sargento, retirado, de la Guardia Civil.

—Pues si es así, lleváoslo a Comisaría para interrogarle. Os acompañamos.

—¿Qué hacemos con éste? —señala uno a Federico—. Ha intentado agredirnos.

—¿Quién es?

—Un poeta marica. Se llama Federico García Lorca. Amigo de los rojos. Probablemente, él también lo es.

—Yo soy católico —protesta Federico. Sabe que la proclamación de catolicidad es una garantía.

(24) Según Angelina, telefonearía el dueño de la finca donde se refugió. Y añade que era gallego. También es ilusa tal suposición: sin siquiera haber transcurrido un mes desde el Alzamiento, muy difícilmente podía alguien —y menos un foráneo— llamar a Comisaría o a un cuartel diciendo que había dado cobijo a una mujer huida de otra patrulla.

(25) Las reiteradas alusiones que se me hicieron respecto a Ruiz Alonso como jefe de la patrulla que fue a la Huerta, pueden hacer pensar que fuese el de esta segunda. Pero tampoco creo en esta versión, pues Federico conocía, al menos de vista, a Ruiz Alonso, hecho demostrado. Y además hubo una tercera incursión, entre el 9 y el 14 de agosto, cuando Federico ya no estaba en Huerta San Vicente y, contestando a las preguntas, violentas y amenazadoras, su familia indicó que Federico estaba en casa de los Rosales. ¿Fue Ruiz Alonso el jefe de la patrulla de la tercera «visita» a Huerta San Vicente?

—Tú...

El jefe de la patrulla uniformada vacila; debe de haber oído hablar del poeta. Puede haber leído algo sobre sus éxitos en Madrid o haberle visto charlando con el maestro Falla, que es muy importante y muy de derechas. ¿No será una «metedura de pata» llevárselo detenido?

Por otra parte le extraña lo de «marica». El poeta está en mangas de camisa y tiene una complexión muy hombruna. Moreno, ojos que no se sabe si son de odio o de decisión. Voz enormemente masculina. Y, además, por lo visto, se ha enfrentado a hombres armados. No sabe qué decisión tomar. Al fin, adopta una fórmula que no le comprometa:

—Tú te quedarás aquí, pero no te muevas de la casa hasta nueva orden —tampoco asegura que sea una detención domiciliaria, pero si la «metedura de pata» es, precisamente, no llevárselo, puede decir que la ha efectuado. Para redondear su cobertura, pregunta—: ¿Habéis registrado sus papeles?

—No. Sólo hemos buscado al Antonio Perea. Y no está aquí.

—Vamos —empuja con violencia a Federico—. Enséñanos tus papeles.

Suben a su habitación y revuelven folios y cuartillas. No encuentran nada político. Únicamente poesías y *Actos I* o *Cuadro III*...

Se retiran todos, sin pronunciar frases de excusa. Tampoco las piden los García. Si antes estaban nerviosos, ahora están aterrados.

Gabriel, camino de Comisaría, con sus guardianes, se cree ya cadáver. Y, sin embargo, quizá por los extraños vericuetos del destino, o por la pugna entre las dos patrullas, será puesto en libertad a las pocas horas (26).

5. Hay que salvar a Federico

Sí. Están de acuerdo todos los miembros de·la familia; hay que salvar a Federico. Le han reconocido y le han golpeado. Peor puede ser cuando lo expliquen en Comisaría. Todos conocen su amistad

(26) La noticia de la detención de Gabriel Perea Ruiz «en su domicilio de *Callejones de Gracia; huerta de don Federico García*» fue publicada en el periódico *Ideal* el 10 de agosto de 1936, añadiendo: «Después de interrogado, fue puesto en libertad.»

Sevilla, 15 de agosto de 1936. Franco y Queipo de Llano con el cardenal Ilundain, tras izar la bandera monárquica en el balcón del Ayuntamiento. «Una de las mayores torpezas que cometió el Gobierno de la República fue modificar los sagrados colores de la bandera nacional», afirma Queipo en su arenga.

Falange Española celebró ayer en Víznar una solemne misa de campaña

MUCHOS FALANGISTAS Y GRAN NUMERO DE FIELES RECIBIERON LA SAGRADA COMUNION

TERMINADA LA MISA, FUE TREMOLADA LA BANDERA NACIONAL Y ANTE ELLA DESFILARON TODAS LAS FUERZAS

(De nuestro enviado especial)

En la plaza de Víznar, al pie de la sierra de la Alfaguara, para conmemorar la festividad de la Asunción de Nuestra Señora y el restablecimiento de la bandera roja y gualda, se celebró ayer una solemnísima Misa de campaña a la que asistieron mil quinientos falangistas armados de los pueblos de los alrededores, al mando del capitán Nestares. La inmensa mayoría de los asistentes recibieron la Sagrada Comunión y una banda de música interpretó escogidas composiciones y el himno de Falange en el momento de alzar.

Terminado el Santo Sacrificio de la Misa fué tremolada la bandera española desde un balcón de la plaza e inmediatamente desfilaron las fuer-

zas de Falange a los acordes de la banda.

El pueblo en masa asistió al brillante acto y aplaudió y vitoreó a las fuerzas defensoras del orden. El día de ayer fué de gran fiesta para Víznar.

• • •

A las tres de la madrugada se organizó una nutrida orquesta que recorrió las calles del pueblo para anunciar la inmediata salida del Rosario de la Aurora.

Este apareció en las puertas del templo al clarear el día, y con extraordinario acompañamiento de vecinos y falangistas recorrió las calles de Víznar en fantástica peregrinación piadosa.

Por las calles del recorrido los fieles entonaron las estrofas del Santo Rosario, acogidas con vítores y aplausos por la muchedumbre que presenciaba el cortejo.

LA MISA DE CAMPAÑA

Por la mañana la plaza principal del pueblo presentaba un aspecto admirable por los artísticos adornos de guirnaldas de papel de colores que se habían colocado, así como por la infinidad de flores situadas en distintos sitios.

Frente a la iglesia, en la acera de en frente de la plaza, se había levantado un artístico altar adornado bellamente con plantas y flores. Sobre él se elevaba un dosel rojo, en cuyo fondo se había puesto una M. inicial de María Inmaculada, formada con un lazo de los colores nacionales.

Delante del altar formaron las escuadras uniformadas de Falange Española de la capital que operan en la región de Víznar al mando del capitán Nestares.

A ambos lados de estas escuadras formaron en dos largas filas las es-

cuadras de Falange de Alfacar, Nívar, Güevéjar y Cogollos Vega, juntamente con las de Víznar. En total las fuerzas de Falange que asistieron al Santo Sacrificio de la Misa se elevaban a mil quinientos hombres. Otros tantos, según nos informaron, completan el número de las fuerzas de aquella zona, pero no pudieron asistir estos últimos por estar prestando servicio.

Finalmente, en otro lugar de la plaza formaron los «antiaullos» y en el lado del Evangelio se colocaron bancos para las señoras y señoritas, que en gran cantidad asistieron al acto. Al lado opuesto se situó la banda de música.

Junto al altar dieron guardia de honor cinco falangistas armados de fusil y el banderín de las fuerzas.

Da comienzo el Santo Sacrificio y en la multitud que llena la plaza se hace el silencio más profundo. Con extraordinario recogimiento, falangistas y público asisten a la Misa. Rostros curtidos por el sol y el viento radiantes de alegría y entusiasmo, pero recogidos por la solemnidad del espectáculo, cuerpos erguidos con el fusil al lado. Ambiente de profunda religiosidad. Este era el aspecto que presentaba ayer la plaza del pintoresco pueblo de Víznar.

Ambiente religioso y sublime, que se acentúa en el momento en que el sacerdote oficiante, después de convertir el pan y el vino en el Cuerpo y Sangre de Jesucristo, eleva a Dios y todas las fuerzas rinden sus armas, el pueblo se arrodilla y la orquesta interpreta el himno de Falange. Mientras tanto, el viento lejano nos trae el estampido del cañón, que con sus mortíferas balas destroza a los enemigos de la causa, hermanos de los allí reunidos, de cuyos labios se escapan en aquellos momentos pie-

Información publicada en «Ideal», de Granada, el 16 de agosto de 1936 dando cuenta de los actos celebrados en Víznar con motivo del restablecimiento de la enseña rojigualda.

con el ex ministro republicano Fernando de los Ríos; Federico ha escrito romances contra la Guardia Civil y, también, otros no muy respetuosos con las cosas de la Iglesia; asimismo, muchas veces ha dicho frases, en público, que no deben de gustar a los dominantes de la nueva situación. *Tiene que salir de la Huerta*, a pesar de que le hayan dicho que no se mueva de allí. O, con mayor motivo, por lo que le han dicho.

Al principio, la familia piensa que se refugie en la casa de unas primas suyas que viven en la Carrera del Darro, donde también había vivido Federico de estudiante de *grado* (27). La Carrera del Darro es una calle, en el centro de Granada, por donde pasaba el río. Precisamente, fue su cuñado Manolo Fernández Montesinos quien ordenó el inicio de las obras para cubrirlo (28).

En aquella casa, Federico, de niño, leía poesías a sus amigos. A su compañero José Rodríguez Contreras le leyó la primera que escribió: *Crisantemos blancos* (29).

Se ponen en contacto con las primas, pero éstas contestan que no, que ellas tampoco están muy seguras, que en Granada se están produciendo muchas desapariciones, que tienen miedo. Todo muy rápido y con medias palabras, como si temiesen que alguien esté escuchando la conversación. Cortan en seguida.

El padre propone que le cobije don Manuel de Falla en su *carmen* (30). Falla es una persona respetable. El compositor gaditano, conocido internacionalmente, hace años que vive en Granada, a la que ama profundamente (31) y donde es una figura de prestigio... ¡y católico a ultranza! Nadie se atreverá a molestarle.

(27) Bachillerato, en su época.
(28) Pero éstas no comenzaron —debido al Alzamiento y a los consecuentes trastornos y cambios en el Ayuntamiento— hasta el 3 de agosto de 1936, cuando Fernández Montesinos ya estaba en la cárcel.
(29) Aunque la mayoría de sus cronologías datan sus primeras poesías en 1916, cuando ya era universitario, creo en la afirmación de compañeros suyos del Instituto que, ya de estudiante de grado, les leía poesías pergeñadas por él.
(30) Se denomina *carmen*, en Granada —sólo en Granada—, a un hotel o quinta con amplio jardín y, por lo general, surtidores o fuentes. El conjunto se rodea de un muro para evitar las miradas indiscretas de los de fuera. El carmen está, siempre, situado en un lugar alto, con lo que aún se consigue más la intimidad, dominando en cambio el paisaje. En las horas de calor, se aprecia mucho el frescor del carmen; por la noche, el perfume de las flores. Etimológicamente, la palabra *carmen* procede, probablemente, de dos palabras árabes (*Karm*) de igual pronunciación: «viñedo» y «terraza». El de Falla, «carmen del Ave María», estaba (*está*, hoy convertido en museo) al pie de la Alhambra, en la calle de Antequeruela Alta.
(31) Falla se instaló definitivamente en Granada en 1920, poco después de la muerte de su madre. Le acompañó su hermana M.ª del Carmen. Sin embargo, seis meses después de terminada la guerra civil (el 2 de octubre de 1939) se embarcó rumbo a Argentina, en exilio voluntario, pese a lo delicado de salud que se hallaba. También le acompañó su hermana. Durante el viaje, en la escala que el paquebote *Neptunia* hizo en Tánger, se negó a ser entrevistado por un corresponsal de Radio

Don Federico no sabe que el día anterior, precisamente, Falla había pasado también su momento angustioso.

Fue al Gobierno Civil a visitar al nuevo gobernador, comandante Valdés. Éste es un hombre extraño, enérgico, frío; no granadino, sino castellano, de Logroño, pero está aquí desde 1931. El compositor ha ido a interesarse por la suerte de la modista de su hermana. Se apellida Fregenal, pero la llaman *la Fregenala*. Dicen que es simpatizante de los izquierdistas. Aparte de la relación laboral que tiene con su hermana, Falla la conoce bastante, incluso por motivos de casi vecindad, pues tiene el taller en la calle de Molinos, poco más abajo del carmen del «Ave María». Pero *la Fregenala* se halla en la prisión de mujeres. Valdés le recibe con actitud poco amable (32).

—¿Qué desea?

—Mire usted, comandante, la modista de mi hermana... Se apellida Fregenal...

—¿Qué le pasa?

—La han detenido. Está en la cárcel de mujeres.

—Sí, *la Fregenala*... Ha sido detenida por roja. Y usted, por muy Falla que sea, ¡ya puede marcharse ahora mismo si no quiere ir también con *la Fregenala*!

El maestro optó por marcharse.

Pero aunque todo esto don Federico aún no lo sabe, y Federico hijo no lo sabrá nunca, éste tiene cierto reparo a refugiarse en casa de Falla. Eran, sí, muy buenos amigos, pero últimamente parece que el maestro estaba algo molesto con Lorca por haberle dedicado, a él, su *Oda al Santísimo Sacramento del Altar*. Falla considera irrespetuosos, entre otros, los versos:

Nacional, de Madrid. El 4 de noviembre de 1946 murió en Alta Gracia (provincia de Córdoba, Argentina). Quería que su cuerpo reposase en Cádiz, no en Granada. Y se cumplió su voluntad. Argentina le erigió un monumento, en el Parque Sarmiento, en 1956; Cádiz, en 1960. Y Barcelona estrenó en el teatro del Liceo su obra póstuma (terminada por Ernesto Halffter) en 1961. Ésta, *La Atlántida*, sobre el texto de Jacinto Verdaguer —algunas veces con variantes en catalán del propio Falla—, la había empezado en Granada, en 1926, y la dedicó: «A Cádiz, mi ciudad natal; a Barcelona, Sevilla y Granada, por las que tengo también la deuda de una profunda gratitud.» Granada le ha dedicado una calle, en los suburbios, a unos dos kilómetros de donde él vivió.

(32) Me han asegurado, distintas personas, que cuando a Valdés le dijeron que *el maestro Falla* deseaba verle, contestó: «¿Un maestro?... ¡Todos son rojos! Que lo encierren.» Y hubo que explicarle de quién se trataba. Me parece excesiva la anécdota. Valdés estaba allí desde 1931. Es imposible que, en Granada, no supiese quién era Falla, aun prescindiendo de su mayor o menor cultura, sino, sencillamente, como personalidad local. También se ha alegado que «no tenía ni idea de quién era García Lorca». Aunque no probable, esto quizá fuera posible. Federico, en Granada, no se prodigaba mucho públicamente en los últimos cinco años.

Vivo estabas, Dios mío, dentro del ostensorio.
Punzado por tu Padre con agujas de lumbre.
Latiendo como el pobre corazón de la rana
que los médicos ponen en el frasco de vidrio.

Piedra de soledad donde la hierba gime
y donde el agua oscura pierde sus tres acentos,
elevan tu columna de nardo bajo nieve
sobre el mundo de ruedas y falos que circula.

Y otros —de la misma *Oda*— en los que Federico llama a Dios «Panderito de harina», y otras metáforas sobre la Sagrada Forma, que al compositor no le han gustado. ¡Y, sobre todo, que se la dedicase como homenaje, a él!

Federico propone otro nombre:

—Luis Rosales.

Recuerda el día que se conocieron. Fue allí mismo, en la Huerta, en 1930: Luis sólo tenía veinte años. Le ha traído, para presentárselo, otro amigo común que se llama precisamente Joaquín Amigo. Pasean por el jardín, y Luis Rosales lee sus versos, pues también es poeta. Desde entonces, han coincidido muchas veces, en Madrid y en Granada. Los dos poetas granadinos han forjado una buena amistad.

Don Federico conoce también a Luis y a los padres de éste. Y le parece bien la idea.

Don Federico, doña Vicenta, Conchita y Federico están reunidos como en un Consejo de Familia. Y están reuniendo sus pensamientos en dirección a un solo objetivo: enviar al poeta a un sitio seguro donde pueda estar a salvo de insultos y agresiones. No piensan en la muerte, sino en alejarle de intemperancias o salvajadas como las que hace poco han presenciado (33).

Conocen la sensibilidad y el miedo de Federico. Ahora cobra una importancia enorme. Hasta Concha, cuyo marido está en la cárcel —¡y ése sí que está en peligro: era el alcalde socialista!—, lo comprende así.

Se repite el nombre:

—¡Luis Rosales!

(33) La certeza de que, en aquellos momentos, ¡ni siquiera más tarde, cuando fue detenido!, ninguno de quienes le querían sospechaba que estaba en juego *la vida* de Federico, ha sido confirmada por Luis Rosales a cuantos le hemos interrogado al respecto. También me ha sido confirmada por sus hermanos José y Miguel (que convivieron unos días con Federico), pese a que en otros recuerdos no coincidan los tres.

Una foto retrospectiva del entonces coronel Campins, jefe de estudios de la Academia General de Zaragoza, que aparece, a la derecha de la imagen, con Franco y una misión militar francesa en los primeros días de 1931. El general Campins, comandante militar de Granada al producirse el Alzamiento, será fusilado en Sevilla el 16 de agosto de 1936, el mismo día de la detención de García Lorca, acusado por Queipo de Llano «de haber jugado con dos barajas, engañándonos al Gobierno y a mí».

Lisardo Doval —en la foto, con el general Franco—, comandante de la Guardia Civil nombrado director general de Seguridad por la Junta Nacional de Burgos. La represión policiaca que en 1934 llevó a cabo en Asturias será calificada años después por Ricardo de la Cierva como «durísima».

Sólo hay un pequeño recelo: Luis nunca se ha preocupado de *la política*, pero sus hermanos son muy falangistas, sobre todo José —*Pepiniqui*—; ¿qué actitud adoptará?, ¿no le cegará la pasión política por encima de la amistad? (34).

Federico se decide y llama por teléfono a Luis. Le dice que está preocupado, que han venido unos hombres armados a registrar, que le han golpeado...

—Voy para ahí —contesta Luis.

Rosales va, en un coche, a la Huerta. Pero antes ha tenido una consulta con *Pepiniqui*:

—¿Nos traemos a Federico a casa?

—Ahora mismo. Tráetelo inmediatamente (35).

Cuando llega a la Huerta San Vicente, aún están reunidos los padres con los dos hijos. Exponen la situación. Federico le explica que le es violento llamar a Falla, por lo de la *Oda al Santísimo Sacramento...*

—Pero ¡si estoy a tu disposición para lo que quieras! —responde Luis.

—También habíamos pensado que pasase a la zona republicana —dice Concha.

—Pero es peligroso —interviene la madre.

—Yo lo puedo conseguir perfectamente. Ya lo he hecho con otros (36).

—No... —Federico también tiene miedo—. Allí me encontraría demasiado solo. Yo preferiría ir a tu casa, Luis.

—Bien, pues vamos.

Al atardecer, Federico García Lorca ya está en casa de los Rosales, en pleno centro de Granada, calle de Angulo, 1.

(34) Rafael Abella visitó a Falla, en su carmen, en el otoño de 1937. Éste le dijo: «¡Hasta qué punto hemos llegado!, ¡qué tiempo éste, que hasta la amistad se ha roto!» (Declaración que me hizo Rafael Abella, en Barcelona, el 20 de junio de 1973.)
(35) Declaración de José Rosales al autor, en Granada, junio de 1973.
(36) Testimonio de Luis Rosales a cuantos le hemos interrogado. Publicado incluso recientemente en diarios nacionales (*Informaciones*, 17 de agosto de 1972, entrevista de Manolo Alcalá; *ABC*, suplemento dominical, 13 de agosto de 1972, entrevista de Tico Medina; ambas recogidas en *Diario de Barcelona*, 19 de agosto de 1972). Efectivamente, Luis Rosales había sido nombrado jefe del sector de Motril (primera línea), en el que el frente era muy amplio y con pocas fuerzas por ambas partes. Por lo tanto, siempre había zonas poco o no batidas, con extensa «tierra de nadie». Ya hemos visto, anteriormente, cómo así, y por ahí, consiguió *el Pajarero* pasar a Rodríguez Orgaz.

6. En casa de los Rosales

Don Miguel Rosales Vallecillos y su esposa, doña Esperanza Camacho Corona, forman un matrimonio ejemplar. Él ha conseguido una buena posición en Granada. Es dueño de los Almacenes La Esperanza, *paquetería y quincalla* (37) —es decir: artículos de regalo, cintas, botones, abanicos, fruslerías femeninas, etc.—. Están en la calle del Arco de las Cucharas, 2, esquina Bib-Rambla, la plaza más frecuentada de la ciudad, y donde se hallan los más importantes comercios. Pero ellos viven en la calle de Angulo, 1, buena casa, de su propiedad, no lejos de su negocio.

Tienen siete hijos: cinco varones y dos chicas, aunque una de ellas no está en Granada: María es novicia religiosa en Aviliana, Turín.

Precisamente hacía poco, sus padres, para despedirse, la acompañaron hasta Barcelona, donde embarcó. A la vuelta, recogieron a Luis, en Madrid, donde vivía habitualmente. Por eso Luis estaba en Granada (38).

Miguel, el mayor, tampoco habita en la calle de Angulo, pues está ya casado. Su domicilio es Lucenas, 12. Allí tenía guardado, hasta hacía poco, el trono sobre el que reposa la imagen de la Virgen durante la procesión de Semana Santa. Es de plata repujada, representando el Patio de los Leones. Como ya no hay peligro de que los anticlericalistas lo roben o lo destruyan, lo ha devuelto a donde debe estar: la iglesia de Santa María de la Alhambra.

Toda la familia respira una ferviente catolicidad. De ahí que sus ideas políticas sean antirrepublicanas, porque, en Andalucía, republicanismo, anarquismo, socialismo y comunismo, a los buenos católicos les parece, todo, lo mismo: anticlericalismo y antirreligiosidad.

---

(37) La ambigua definición que nuestro Diccionario da a la palabra «quincalla», le hace a Gibson cometer el error de asegurar que Rosales tenía una «ferretería».

(38) Entre las muchas tonterías que se han escrito sobre la muerte de F. G. L., recientemente leí una versión en la que se exponía que cuando Luis Rosales se enteró de que Federico estaba en la cárcel, se puso en camino, desde Madrid, hacia Granada, pero llegó tarde: ya habían fusilado a su amigo. ¿Se puede comprender un absurdo tal? ¿Cómo hubiera podido ir Luis a Granada, si el Alzamiento le hubiese sorprendido en Madrid? ¿Atravesando 450 kilómetros de zona enemiga y pasando a través de tres frentes de batalla?

Desembocadura de la calle de Angulo
a la plaza de los Lobos, por donde
llegó, cubriendo toda la vía hasta
la calle de las Tablas (segunda foto),
el retén que, mandado por Ruiz Alonso,
se llevó detenido a Federico García Lorca.

Ramón Ruiz Alonso, según caricatura de Sirio,
tras ser elegido diputado por Granada en 1933.

Balcones de la casa de los Rosales.
Federico García Lorca vivió en el segundo
piso. Desde la azotea, según Couffon,
el poeta pensó en huir.

«Ha hecho más daño con su pluma
que otros con sus pistolas»,
Ramón Ruiz Alonso a Miguel Rosales.
(Caricatura del poeta por
Manuel del Arco publicada
en «Heraldo de Madrid»
el 18 de julio de 1936.)

Los demás hijos solteros son Antonio, Pepe (*Pepiniqui*), Gerardo y Esperanza. También vive con ellos la hermana de doña Esperanza, la tía Luisa. Y es curioso (descontando, naturalmente, a la novicia y a Esperancita, que es, amable y dulce, el prototipo de la señorita andaluza de familia-clase-media-de-buena-posición): los chicos han salido con unos caracteres, si no opuestos, por lo menos muy distintos. Aunque tienen, eso sí, dos factores comunes: la catolicidad, como ya he dicho, y un gran sentido poético (los padres, sólo el primero).

Naturalmente, ese sentido poético varía bastante, tanto en intensidad como en calidad. Luis ya ha publicado un tomo, *Abril*, el año anterior, además de haber colaborado en diversas revistas, entre ellas en el *Gallo*, que habían fundado con tanta ilusión Federico y varios amigos, y que sólo pudo cacarear dos veces. Para Luis, la Poesía no es un *hobby* o un quehacer superfluo, sino que se ve cogido por ella, inmerso en ella. Puede decirse que *promete* (39). Gerardo es correcto poeta y, además, pinta. Miguel sólo crea una *saeta* al año; son, desde luego, sencillas, sin gran ambición, pero demuestran también cierto sentido poético (y su veneración a la Santísima Virgen).

Dos ejemplos:

1) *Madre mía de la Alhambra,*
   yo te quisiera pedir
   que me lleves de la mano
   cuando me vaya a morir.

2) *Cuando bajas de la Alhambra*
   toda Granada te reza
   por ser la madre de Dios
   y la flor de la pureza.

Pepiniqui es un *poeta oral*. Ha inventado las «pepiniqueras». Pide que le digas una palabra, la que quieras. Y de ella saca una copla, más o menos larga, y con más o menos argumento, según le da. Tiene veintisiete años. Los cumplió, exactamente, el 18 de julio. Hace tiempo que es falangista. Conoce a José Antonio Primo de Rivera y ha mantenido estrecho contacto con él hasta pocos días antes de la sublevación.

Pepiniqui, en Granada, se distingue por una doble actuación que

(39) Y cumplió lo que *prometía*. (Ver capítulo VI, «Luis Rosales».)

parece no debiera ligar entre sí, pero... ¡todo es posible en Granada! Efectivamente, por una parte, es el joven simpaticón metido en eterna chacota, bromista y jaranero por todo lo alto, a todas horas y con todo el mundo. Tanto es así, que, cuando el 20 de julio se han oído tiros, gente que corre, unos que se esconden de los otros, *lío* en Granada, alguien ha comentado:

—Deben de ser cosas de *Pepiniqui* (40)...

Su otra faceta es la seria de promoción falangista.

Él ha estado en todo el teje y maneje de la conspiración. Conspiración que ha sido endeble, poco cuajada, y sin embargo ha triunfado.

Poco antes de estallar el Alzamiento, en una juerga noctámbula *Pepiniqui* y Julián Fernández Amigo consiguen la firma para Falange de ¡Antonio Rus!, secretario del Comité del Frente Popular y directivo de la Casa del Pueblo... A la mañana siguiente, éste, ya sereno, les pide que le devuelvan la ficha con su firma. Y se la devuelven. Es el mismo Antonio Rus que el 20 de julio será apresado en el despacho del gobernador don César y, como ya sabemos, el primer fusilado oficialmente. Aunque en ello no habrán intervenido los dos que le habían inscrito en el partido que ahora manda. *Aquello* había sido, todo, una broma, naturalmente. *Esto* ya no es broma.

En otra ocasión, el ex diputado de la CEDA Ramón Ruiz Alonso (a quien llaman «el obrero amaestrado», pues la CEDA —Confederación Española de Derechas Autónomas—, partido superclasista católico, con él puede presumir de contar con «gente del pueblo» en sus filas) le ofrece a *Pepiniqui* pasarse a Falange. Pero le plantea que precisará un sueldo de mil pesetas mensuales. *Pepiniqui* va a Madrid y le expone el caso a José Antonio Primo de Rivera. Éste sí es partidario de la entrada de Ruiz Alonso en Falange. Pero de sueldo, nada. Las arcas de Falange no están boyantes. Este mero incidente podrá ser una de las causas de la muerte de Lorca. Si en la circunstancia orteguiana el vuelo de una mosca puede cambiar la trayectoria vital del individuo, ¿qué no podrá hacer el resentimiento ante un rechazo?

Cuando Ramón Ruiz Alonso vaya a detener a García Lorca —sea «un mandado» o sea de él la idea— irá, desde luego, gustoso, por un doble motivo: porque demuestra que los de Falange (los Rosales) tienen escondido a un «rojo» y porque devuelve a José Rosales el desprecio que cree él le ha inferido. Aunque José Rosales no haya hecho más que transmitirle la decisión de su jefe, José Antonio.

(40) Es absolutamente cierto. Y, en el fondo, esos «alguien» tenían «algo» de razón, aunque no en el sentido que a la expresión le daban.

Total, Federico será el peón *comido* en un tablero en que se ha preparado otra jugada. Y en un tablero en el que, en realidad, no tenía ni por qué estar.

Naturalmente, es muy aventurado suponer lo que habría sucedido si el poeta no se mueve de Huerta San Vicente.

Desde luego, peor no le podría haber ido (41). Pero ahora está aquí, en casa de los Rosales, Angulo, 1. Todos le han recibido con afecto y cariño. Es un buen amigo de Luis. Y ambos padres también son amigos.

Es instalado en el piso alto, donde vive la tía Luisa (soltera). Su alcoba es agradable, limpia, incluso tiene un piano, al que Federico es tan aficionado.

Le proporcionan también, ¿cómo no?, papel y pluma y tinta.

Pero a Federico le es difícil trabajar allí aquellos días. Lee mucho, eso sí, Luis tiene buenos libros. Baja al patio, donde refresca algo. No sale a la calle. Pero no está «escondido». Casa Rosales es muy abierta a las amistades de todos los jóvenes, que entran y salen bulliciosamente. Un día son doce o veinte a la mesa, y otro sólo comen allí, con Federico, las tres mujeres.

El poeta está nervioso y tiene miedo. Un miedo extraño, un miedo a lo desconocido. Pese a su preocupación de siempre por la muerte, en realidad no piensa en *su* muerte, pero tiene miedo.

Para ocultarlo, charla animadamente con doña Esperanza, Esperancita y doña Luisa, cuando no están los chicos, que van y vienen, porque el frente está relativamente cerca.

A Luis le habla de un poema que piensa escribir —«será el mejor de mi vida»— sobre el paraíso recobrado. Se titulará *Adán*. Después, le propone hacer juntos un «Canto a los muertos de la Falange» (42). Pero no escribe. Su pulso no está para hacerlo. A través de la verja de la ventana abierta, llega la canción de moda:

> *Mi jaca*
> *galopa y corta el viento*
> *cuando pasa por el Puerto,*
> *caminito...*
> *de Jerez.*
> *La quiero*
> *lo mismito que al gitano*
> *que me está dando tormento*

---

(41) José Rosales me dijo textualmente (en marzo de 1974): «¡Si yo llego a pensar en *eso*!... Mi pena es que se refugiase en casa.»

(42) Actualmente Luis Rosales niega que se lo propusiese. Ver apéndice I.

Tres imágenes del antiguo Gobierno Civil de Granada, transformado posteriormente en Universidad. Por la puerta que muestra la segunda fotografía entraban los detenidos. Las ventanas encima de los arcos corresponden a lo que entonces eran lugares de tortura.

por culpita del querer.
Mi jaca...

Federico cierra la ventana y se refugia en Gonzalo de Berceo.

7.   Sábado, 15 de agosto de 1936

Hoy es día de gran fiesta en la zona nacional. Sobre todo en Andalucía. Es el día de la Asunción de Nuestra Señora. Es «el día de la Virgen», pues ésta que, naturalmente, es sólo una, es invocada de muy diversas formas en los distintos pueblos que la veneran; varios, como patrona del lugar. En Sevilla, la capital de la zona Sur, el virreinato del general Queipo de Llano (43), la advocación es la Virgen de los Reyes. En otros sitios es, simplemente, María.

Queipo de Llano está contento. En sus charlas diarias, por la radio, el vallisoletano general ha dejado pasmados a los andaluces dándoles «sopas con honda» en el arte de exagerar con gracejo y apodar a sus enemigos: Azaña es «el Verrugas», Miaja «el del pijama de cebra», a Largo «Canallero» «hay que buscarlo en la clínica de Negrín, donde han tenido que asistirle por tener bajo el corazón y alto el miedo», etc.

Los demás «rojillos» sin «clase» son «la canalla marxista» y la «borreguil manada».

Y a éstos, el 12 de agosto, les espeta: «Los marxistas son bestias feroces, pero nosotros somos caballeros», cuando el 23 de julio les había dicho: «Nuestros valientes legionarios y regulares (44) han enseñado a los rojos lo que es ser hombres. De paso, también a las mujeres de los rojos; que, ahora, por fin, han conocido a hombres de verdad, y no castrados milicianos.»

La voz de don Gonzalo, desde su despacho de la plaza de la Gavidia, pasa a través del micrófono de Radio Sevilla y llega a toda España.

Se le escucha en ambas zonas. En la republicana, familias enteras se tapan con mantas junto al aparato para oírle sin que la voz

---

(43) Y que lo será mucho tiempo, durante la guerra, no sólo ante la Junta de Defensa Nacional que preside Cabanellas, sino incluso ante el poder omnímodo de Franco a partir del 1 de octubre.
(44) Soldados moros.

del general suene en el exterior. La audición de Radio Sevilla es suficiente motivo para un «paseo».

Pero las palabras de Queipo, al igual que la misa radiada los domingos, elevan la moral de los allí oprimidos. En la nacional, a veces la parte Norte prohíbe que se reproduzca en la prensa la charla entera.

La del pasado martes, ha tenido una inesperada nota de sentimiento personal: «¡Sevilla, Sevilla, Sevilla de mi alma!... durante muchos días me has visto reír y reías de mis bromas ante el micrófono. No sabías que mi corazón sangraba, aunque poderosas razones me obligaban a disimularlo. Hoy, como los sevillanos, me siento contento y feliz: mi esposa, mis hijos, mi yerno y mi nieto se hallan a salvo y en seguridad, y muy pronto estarán aquí. Para mí ha sido el de hoy de vivas emociones; primero recibí la visita de un caballero portador de una carta en la que mi esposa y mis hijas me participaban que estaban en lugar seguro y pronto saldrían de entre la canalla que todavía, pero por muy poco tiempo ya, impera en Málaga. No obstante, yo temía que el instante de embarcar estaría rodeado de dificultades terribles; pero figuraos mi alegría cuando dos o tres horas después mi santa mujer me llamó por teléfono desde Tetuán. Ahora soy, repito, feliz como Sevilla entera y lo divulgo porque sé que los numerosísimos amigos con que cuento aquí se alegrarán de esto casi tanto como yo!»

Este 15 de agosto, día de la Virgen, les ha preparado una avisada sorpresa, no radiofónica.

Terminada la procesión, la gente se congrega en la plaza de San Fernando, ante el Ayuntamiento. Va a izarse la bandera rojigualda. En el Norte, los requetés ya luchan con ella. Pero oficialmente (45) es la primera vez que ondeará en España desde que en 1931, la nueva (segunda) República sustituyó la franja inferior, roja, por otra morada. (República, por cierto, en la que uno de sus principales padrinos había sido precisamente don Gonzalo Queipo de Llano.)

Aparecen, en el balcón del Ayuntamiento sevillano, tres generales: Queipo, Franco y Millán Astray. El otro de los principales generales que operan en el Sur, el bilaureado Enrique Varela, está luchando en su intento de unir a Sevilla y Granada por carretera, pues hasta ahora sólo pueden conectarse por el aire. Hoy, Varela, ocupará Archidona, a unos 40 kilómetros de Fuente Vaqueros, que

---

(45) Exactamente *oficial* no sería bandera nacional hasta el decreto que promulgaría la Junta de Defensa, en Burgos, el 29 del mismo mes. Queipo (de acuerdo con Franco y Millán Astray) se adelantó... ¿o forzó el decreto?

es el puesto más avanzado, por Occidente, de los granadinos nacionales.

Al asomarse al balcón los tres generales, la multitud en la plaza vibra de entusiasmo, ovación y vítores.

Don Gonzalo consigue imponer silencio y exclama: «¡Soldados! ¡Ciudadanos de Sevilla! En este ambiente de patriotismo que aquí se respira y que alienta y enfervoriza el alma, estamos reunidos para dar satisfacción a nuestros anhelos de ver ondear oficialmente la bandera roja y gualda, bandera gloriosa que veneraron generaciones de nuestros antepasados y que se cubrió de honor en tantas acciones y en tan memorables gestas. Una de las mayores torpezas que cometió el Gobierno de la República fue modificar los sagrados colores de la bandera nacional.»

Es curioso que, por primera vez, desde el 17 de julio, se *insinúa* que la guerra se hace contra la República, pues, hasta hoy, este hecho no estaba muy claro: todos los *bandos* de declaración de Estado de Guerra, en el Alzamiento, terminaban con un *¡Viva la República!* El del 17 de julio, de Franco, proclamado en Melilla —aun antes de que él llegase allí—, explica claramente que «se trata de restablecer el imperio del orden dentro de la República, y no solamente en sus signos exteriores, sino también en su misma esencia». El que, el mismo Franco, lanza, el 18 de julio, en Santa Cruz de Tenerife, termina: «Fraternidad, Libertad e Igualdad...»

Quizá, por ello, Queipo se ve obligado a «en singular alarde de conocimientos» —como dicen sus biógrafos Olmedo y Cuesta (46)— hacer «un poco de historia sobre los orígenes de la bandera cuya restitución estaba a punto de consumarse».

Así informa:

La vistosa enseña roja y amarilla fue creación de Carlos III. Por aquel tiempo reinaban en Europa varios Borbones que usaban en sus banderas respectivas el color blanco, familiar, lo que inducía a confusiones sobre la nacionalidad de los navíos en alta mar. El Rey pidió modelos de una bandera nueva, y tras no pocas consultas, se decidió por la de una banda amarilla entre dos rojas, colores escogidos, al parecer de algunos eruditos, por ser los que abundan en el escudo grande de España y que sirven de fondo a los signos heráldicos de los antiguos dominios españoles. No falta quien opine, sin embargo, que el Rey se decidió por la viveza y vistosidad de los colores,

(46) A. Olmedo Delgado y general J. Cuesta Monereo, *General Queipo de Llano.* Ed. A. H. R., Barcelona, 1958, p. 156.

que permitían una fácil distinción en el mar. Por Real Decreto de mayo de 1785, se instauró sólo para la Marina la bandera rojigualda. Las tropas de tierra, con pocas excepciones, siguieron por mucho tiempo con su blanca bandera borbónica, que presidió los hechos gloriosos de las armas nacionales frente al invasor. Fue Riego, al pronunciarse en las Cabezas de San Juan (Sevilla) en 1820, el que extendió a los Ejércitos de tierra el uso de la bandera, hasta entonces marinera enseña nacional. Pero considerada, por esta circunstancia, emblema liberal; el absolutismo de Fernando VII, en 1823, la reemplazó en el Ejército por la blanca de Felipe V. Repuesta la roja y gualda el año 1843, fue norte y guía de las heroicas empresas nacionales hasta el advenimiento de la República, que decretó su cambio por otra tricolor, así compuesta mediante la sustitución de la banda inferior roja por otra morada (47).

«Un triple vítor a España, clamorosamente coreado, cerró el discurso de Queipo al tiempo que se izaba el pabellón nacional —dicen Olmedo y Cuesta—, que besaron apasionadamente los generales Franco, Queipo y Millán Astray, como también el alcalde señor Carranza (...) El general Franco resumió la emoción del momento en aquellas tres memorables palabras: "¡Ahí la tenéis!"; el heroico

(47) En Oviedo, el coronel Aranda —otro militar decididamente republicano que lucha a favor del Alzamiento— será más coherente con su ideología al proceder al cambio de bandera el 31 de agosto (recordemos que el decreto de la Junta de Defensa es del 29-VIII-36). Dice Aranda: «Ni la bandera bicolor fue nunca consubstancial con la Monarquía, que tuvo sus colores dinásticos, ni la tricolor tenía arraigo alguno en la República; pues la primera vez que se estableció en España tal Régimen, respetó la bandera bicolor; y el morado añadido ahora fue siempre el emblema de Castilla, cuna de la Patria única y grande. Y de su actual resurgimiento. Son, pues, completamente falsas las relaciones que se pretenden establecer entre los colores de la enseña y el Régimen... Yo espero que todos acogerán con el respeto y cariño debido a esta enseña españolísima, primera verdaderamente nacional; que nadie, por muy culto y liberal que sea (sic), echará mucho de menos (sic) una bandera que establecieron las Cortes de Cádiz, defendió Riego y bordó, a costa de su vida, Mariana Pineda.» (La cita de Aranda, tomada de GUILLERMO CABANELLAS, *La guerra de los mil días*, Ed. Grijalbo, Buenos Aires, 1973, pp. 638-639.)
Ya podían explicar lo que quisiesen Queipo de Llano o Aranda. Empíricamente, los hechos son ciertos (excepto en lo de Mariana Pineda, que sostengo bordaba la bandera masónica). Pero la bandera tricolor arraigó profundamente en la II República y, por tanto, como reacción, la bandera bicolor era el símbolo plenamente monárquico o por lo menos antirrepublicano, cosa que —si exceptuamos a falangistas, anarquistas y CEDA— entonces era, prácticamente, una misma idea.
Y muchas familias, en toda España, guardaban en el cajón de una cómoda la bandera bicolor.
En el Alzamiento, ésta fue *impuesta* por los requetés, del Norte. Queipo, en el Sur, lo sabía. Y, a pesar de no tener *mando nacional*, y a pesar de que con Mola, Franco y Cabanellas habían pactado respetar la bandera tricolor y el Himno de Riego, es el muy republicano Queipo quien paradójicamente *da la campanada* ese 15 de agosto, en Sevilla. ¿Fue una «jugada» a Mola?, ¿a Cabanellas?...

Millán Astray repitió la triple invocación legionaria: "¡Viva la Muerte!"» (48).

Y se produce uno de los múltiples absurdos que jalonarán los años 1936-1939 y subsiguientes. El público canta un himno: no es el *de Riego*, aunque Queipo haya especificado que fue ése quien implantó la enseña en el Ejército. No es el *Oriamendi*, el de los carlistas que se negaban a luchar si no era bajo esa bandera. Tampoco es la *Marcha granadera* o *Marcha real* de los alfonsinos (49). Se canta:

> *Cara al sol,*
> *con la camisa nueva*
> *que tú bordaste en rojo ayer*
>
> . . . .
>
> *¡Arriba, escuadras a vencer*
> *que en España empieza a amanecer!*

Es un himno que vibra fuerte, joven, que habla de valor, de novia, de luceros y de compañerismo. Es un himno que hacía un mes no era conocido por más de nueve o diez mil personas en toda España. Es el himno de Falange Española y de las JONS, el partido que «no es de derechas ni de izquierdas» y que, desde luego, no está de acuerdo con ningún tipo de restauración dinástica, ni alfonsina ni carlista. El *Cara al sol* es el himno que rinde el primer homenaje a la restaurada bandera roja y gualda.

Curiosamente, en Granada, en la Granada nacional consistente en la capital y una zona adherida de unos 40 kilómetros hacia el Sur y 15 hacia el Norte, el lugar donde mayor relieve tiene la celebración del día de la Virgen y la restauración de la enseña roja y gualda, ordenada por Queipo, es un pueblecito, de unos setecientos vecinos, que ya se ha mencionado antes: Víznar. «A las tres de la madrugada se organizó una nutrida orquesta que recorrió las calles del pueblo para anunciar la inmediata salida del Rosario de la aurora» (50).

Más tarde, por la mañana, solemne misa de campaña; oficiada por el párroco de Víznar, don José Croveto Bustamante, en la plaza, frente a la iglesia y al cuartel general del capitán Nestares, el an-

---

(48) A. OLMEDO y general CUESTA, *General Queipo de Llano*, p. 159.
(49) Ésta se implantará como Himno Nacional el 27 de febrero de 1937.
(50) *Ideal*, 16 de agosto de 1936.

Las nuevas autoridades granadinas

DON JOSE VALDES GUZMAN, NUEVO GOBERNADOR CIVIL DE GRANADA

INGRESÓ EN EL EJERCITO COMO SOLDADO VOLUNTARIO

EL COMANDANTE MILITAR DE GRANADA, PERSONALIDAD MILITAR DE GRAN RELIEVE

Ha intervenido en importantes hechos de armas en Africa

D. LORENZO TAMAYO PRESIDIO LOS MAS IMPORTANTES CONSEJOS DE GUERRA

Enviado en comisión de justicia a Asturias y juez militar de Almería

EL ALCALDE, DON MIGUEL DEL CAMPO, NACIO EN PUERTO PRINCIPE, (CUBA)

Tomó parte activa en las guerras de Marruecos y fue herido la noche del 24 de diciembre de 1911

Titulares del diario «Ideal», del 23 de julio de 1936, dando cuenta del nombramiento del comandante Valdés como gobernador civil de Granada.

tiguo palacio del Arzobispo Moscoso (ambos edificios, unidos, forman ángulo recto).

Guardia de honor de las escuadras de Falange. En la elevación, la orquesta interpreta el *Cara al sol*. *Ideal* del día siguiente, relataría: «Mientras tanto, el viento lejano nos trae el estampido del cañón, que con sus mortíferas balas destroza a los enemigos de la causa, hermanos de los allí reunidos, de cuyos labios se escapan en aquellos momentos plegarias a la Divinidad, en súplica ferviente por los que se apartan del camino de la Verdad y la Vida.»

Terminada la ceremonia, el capitán Nestares iza la bandera roja y gualda. Al igual que en Sevilla, voces al unísono cantan:

Cara al sol

. . . . . .

·me hallará
la muerte si me lleva
y no te vuelvo a ver...

Ideal publicaría: «Con motivo de la Misa de Campaña, durante todo el día fue una continua fiesta en el pueblo de Víznar. La banda de música interpretó escogidas composiciones en la plaza y a las familias más humildes de la localidad les fueron entregados suculentos manjares para que todos los vecinos se banqueteasen.»

Cerca, a la salida del pueblo, por el camino que lleva a Fuente Grande, existe una villa no muy grande, bonita, con río y piedra de molino, a la que llaman «la Colonia» pues, realmente, antes de la guerra, era una colonia escolar (51)...

¿Llegarán allí los ecos de la música o los manjares?

¡Qué más da!

Ideal indica: «¿Quiere usted hacer una buena obra? Contribuya a la suscripción abierta en favor de las Colonias escolares. Os lo agradecerán siempre los niños que disfrutan de este beneficio» (52).

Pero en «la Colonia» de Víznar no hay niños. Quizá el último niño que la habite y que en ella pase sus últimas horas sea Federico García Lorca, si consideramos que siempre fue «un niño grande».

(51) Ver páginas anteriores («Intermedio carcelario»).
(52) *Ideal*, 15 de agosto de 1936.

8. Domingo, 16 de agosto de 1936: la detención

Una hermosa mañana de este caluroso agosto andaluz.

Entre los muchos que no podrán verla, aunque ayer respiraban fuertes y sanos, se halla el general don Miguel Campins Aura. Ha sido fusilado a las seis y media, en Sevilla, cumpliéndose la sentencia del Consejo de Guerra sumarísimo, presidido por el general López Pinto. Ya el 21 de julio, Queipo le acusó públicamente de traición y de «haber jugado con dos barajas, engañándonos al Gobierno y a mí».

Campins era el gobernador militar de Granada. Pocos días antes del Alzamiento, Queipo había estado en Granada y había hablado con Campins. ¿De qué?, ¿de qué iba a ser?... Campins era asimismo íntimo amigo del general Franco. Campins era un militar pundonoroso, muy bien considerado entre sus compañeros, católico (ha pedido los Sacramentos antes de su ejecución). ¿Qué había pasado con Campins, en Granada, los días del Alzamiento?...

Campins había vacilado, aunque, al fin, el 20 de julio firma el bando por el que se declara el estado de guerra, del mismo estilo que los de los demás generales sublevados:

BANDO. Don Miguel Campins Aura, General de Brigada y Comandante Militar de esta plaza, HAGO SABER:

Artículo primero. En vista del estado de desorden imperante en todo el territorio de la nación, desde hace tres días, ausencia de acción del Gobierno central y con el fin de salvar a España y la República del caos existente, se declara desde este momento en todo el territorio de la provincia el Estado de Guerra.

Artículo 2.º Todas las autoridades que no aseguren por todos los medios a su alcance el orden público, serán en el acto suspendidas en sus cargos y responsables personalmente.

Artículo 3.º El que con propósito de perturbar el orden público, aterrorizara a los habitantes de una población o realizara alguna venganza de carácter social, utilizara sustancias explosivas o inflamables o empleara cualquier otro medio o artificio proporcionado y suficiente para producir graves daños, originar accidentes ferroviarios o en otros medios de locomoción terrestre o aérea, será castigado con las máximas penalidades que establecen las leyes vigentes.

Artículo 4.º El que sin la debida autorización, fabricare, tuviere o transportare materias explosivas o inflamables, o aunque las poseyera de un modo legítimo las expendiere o facilitare sin suficientes previas garantías a los que luego las emplearan para cometer los delitos que define el artículo anterior, será castigado con las penas de arresto mayor en su grado máximo a presidio mayor.

Artículo 5.º El que sin inducir directamente a otros a ejecutar el delito castigado en el artículo primero, provocase públicamente a cometerlo o hiciese la apología de esta infracción o de su autor, será castigado con las penas de arresto mayor en su grado máximo a prisión menor.

Artículo 6.º El robo con violencia o intimidación en las personas ejecutado por dos o más malhechores, cuando alguno de ellos llevare armas y del hecho resultase homicidio o lesiones de las que se refiere el número 1 del artículo de esta ley, será castigado con la pena máxima.

Artículo 7.º Todo individuo que tuviese en su poder armas de cualquier clase o explosivos, debe entregarlas antes de las veinte horas de hoy en el puesto militar o de Guardia Civil más próximo.

Artículo 8.º Los grupos de más de tres personas serán disueltos por la fuerza con la máxima energía.

GRANADINOS: Por la paz perturbada, por el amor a España y a la República, por el restablecimiento de las leyes del trabajo, espero vuestra colaboración a la causa del orden.

Viva España. Viva la República.

Y, en más declaraciones al *Ideal* de Granada, que éste publica el 21 —el mismo día que Queipo le acusa de traidor—, dice Campins:

He querido en todo momento mantenerme dentro de la legalidad; pero ante el abandono manifiesto en que nos tenía el poder central, la falta de atención por parte del Gobernador Civil, con el que yo en todo momento he querido mantener contacto, ha dado lugar a que yo ordene que en la provincia de Granada sea declarado el estado de guerra.

Por otra parte, los elementos extremistas de nuestra capital se habían dedicado, a pesar de la actitud caballeresca del Ejér-

SANTORAL DEL DIA

LUNES, 17 DE AGOSTO

Santos Jacinto, cf.; Myrón, pb.; Liberato, abad; Bonifacio, de Sierra, Mamés Paulo, Estquiano, Máximo, albs; Pablo y Juliana, hs., mártires; Anastasio, ob.

IDEAL

AÑO V Granada, lunes 17 de agosto de 1936 **NUM. 1.205**

EL TIEMPO QUE HACE

DATOS DE CARTUJA

Temperatura registradas en el día de ayer: Máxima, 32.4 grados a las 13.30. Mínima, 16 grados a las 3.15. Temperatura a las 18 horas, 26.6 grados.

Presiones bajas. Tiempo: probable. Vientos de dirección variable y cielo nuboso.

Redacción: Teléfono 1744   Tendillas de Santa Paula, 6   Administración: Teléfono 1747

Al mes de comenzar el movimiento militar en Africa, domina en más de las dos terceras partes de España

Boletín del día

Hoy hace un mes. El día 17 de julio el Ejército que España sentía en la zona de Africa se levantó en armas en defensa pura y simplemente, de la civilización. A Africa siguió Sevilla el día 18. Y se enredó la madeja. Y hoy, a la altura de los treinta y un días, nos encontramos en plena victoria en más de las dos terceras partes de España y teniendo seriamente amenazada a la tercera parte restante. Quienes creyeran que un movimiento libertador en las circunstancias actuales, cuando la ruindad se encontraba en la sociedad española, en sí misma esencia, podría triunfar con mayor facilidad, es que no tenían idea del mundo en que estaban viviendo. Gracias a Dios, como decía ayer el general Mola desde Burgos, que oportunamente aparecieron los días aciagos los hombres y las armas necesarias para dar comienzo a la santa cruzada por la independencia. Hoy se cumple un mes. ¡Honor en esta primera conmemoración de los ilustres caudillos que la iniciaron y la sostienen victoriosamente!

Pocas noticias de los distintos frentes de operaciones. No es posible poder efectuar todos los días conquistas de ciudadanos. Entre otras razones, porque las columnas tardan algún tiempo en llegar de un lugar a otro y en consolidar las posiciones logradas para que no vuelvan a caer en poder del enemigo. Algunos pueblos de Extremadura han caído también en poder del Ejército. Entre ellos, Olivenza, última población hacia la frontera. En otra línea, Don Benito. Don Benito era quizás el pueblo español donde tenía el marxismo mayor arraigo. Y estamos por asegurar que en él se estableció la primera Casa del Pueblo que hubo en España.

Dos noticias sensacionales. La primera, confirmada y plenamente auténtica. La segunda, la damos sin garantizarla. Madrid dijo que el capitán Bayo había hecho un desembarco en la isla de Mallorca y que dentro de poco la capital sería suya. A los pocos momentos llamaba la estación de Palma de Mallorca a todas las estaciones de España. Y dió la referencia exacta. Había habido un desembarco, pero no del capitán Bayo, porque éste, como buen jefe marxista, no puso tierra. Era peligroso hacerlo. Desembarcaron unos individuos, que en el primer encuentro con las fuerzas que se salieron al paso dejaron en tierra más de 300 muertos, y 600 heridos. Los que pudieron, emprendieron veloz carrera hacia los buques. Pero ¡oh sorpresa! El capitán Bayo ya había huído y se capitaron cradíos en los que pedía socorro. Los infelices derrotados no tuvieron otro remedio que entregarse prisioneros. La noticia es confirmada por Valencia. Valencia dijo que un barco que fué en auxilio de Bayo se había extraviado por la niebla y había ido a parar a Gandía. Luego Bayo necesitaba auxilio y los marineros marxistas los tienen nada que envidiar en pericia a los milicianos que andan por tierra.

La segunda noticia se refiere a Cartagena. Varias estaciones —el lector lo verá en el lugar correspondiente— hablan que la Base naval se había incorporado al movimiento. Como nos lo contaron...

Por el frente Norte ha habido en Bilbao un ataque naval sobre los depósitos de gasolina que hay en la desembocadura del río. Los depósitos fueron volados. Han pasado ya por frente San Sebastián a trón sen las poblaciones que están más seriamente amenazadas. Por el Sur, se ha registrado una derrota marxista en La Línea. Y muy pronto se sabrán los resultados del avance de las columnas Varela que va a irrumpir en la provincia de Granada. Esperemos y abracemos.

Las fuerzas del Ejército que España tiene en el territorio de Ifni se han unido también al movimiento militar. Aprovecen el comandante que las mandaba y se pusieron a disposición de Franco. Por cierto que el ilustre general estará en Burgos. Y pronto estará en Madrid. En El Ferrol se desembarcó una bandera del Tercio que va camino de Asturias. Digamos antes de que se nos olvide que ayer nos dejó Madrid tranquilo a nosotros, pero ya tomó con Oviedo y Cádiz. Con el mismo fundamento que cuando había de Granada.

Y nada más remedio en las últimas veinticuatro horas que el difícil servicio de esta lucha de la civilización contra la barbarie. Asi la ha revelado nada menos que don Miguel de Unamuno. De violencias y crímenes marxistas ¿para qué hablar? Véase en el lugar oportuno. Publicamos algunos datos interesantes.

YA HAY TELEFONO ENTRE LAS PROVINCIAS ANDALUZAS UNIDAS AL MOVIMIENTO

Radio Sevilla ha comunicado que han quedado ya restablecidas las comunicaciones telefónicas entre Cádiz, Córdoba, Granada, Huelva y Sevilla.

El público obliga a repetir el himno de Falange y el de la Legión

La Banda Municipal ejecutó anoche el anunciado concierto en la plaza del Campillo. En el programa figuraban el Himno de Falange Española y el de la Legión. Una importante masa humana ocupaba por completo la plaza del Campillo y los alrededores. El entusiasmo fué tan extraordinario que la Banda se vió obligada a repetir muchas veces los dos himnos, singularmente el primero. La muchedumbre saludaba a uso fascista. La plaza del Campillo parecía anoche un verdadero bosque de brazos extendidos.

DON BENITO Y OLIVENZA, OCUPADOS

Tetuán y otras emisoras dicen que la Base Naval de Cartagena se ha unido al movimiento

Todos los que desembarcaron en Mallorca y no han resultado muertos se tuvieron que entregar porque los barcos se habían marchado. La victoria del Ejército fué rotunda

LAS FUERZAS DE IFNI SE UNEN AL RESTO DEL EJERCITO

TRES AVIONES ROJOS HAN SIDO DERRIBADOS

Una columna procedente de Burgos ha tomado la ciudad de Don Benito, de Badajoz, lugar de concentración de fuerzas marxistas.

El Ejército se apodera también de un aeródromo rojo situado en las afueras de aquella ciudad.

LA BASE NAVAL DE CARTAGENA ESTA CON EL EJERCITO

Varias emisoras han dado información de que las fuerzas de Marina de la Base de Cartagena se habían divididas, pero gran parte de ellas se habían sumado al Ejército libertador.

Al mando de aquel departamento se hay ningún jefe de categoría, pues ha asumido la dirección el teniente de navío D. Antonio Ruiz González, que era antiguo ayudante del vicealmirante de la base.

Estas noticias han sido dadas por Tetuán, que afirmaba haberlas obtenido por conducto fidedigno, que por discreción no podía revelar.

La emisora de Coruña, más tarde, ha dado también la noticia, pero de un modo más amplio, pues la dicho...

la sublevación comprende toda la de las fortificaciones...

SE UNEN AL MOVIMIENTO LAS FUERZAS DE IFNI

LISBOA.—Las fuerzas que España tiene en el territorio de Ifni se han unido al movimiento militar. El día 4 de agosto huyó el gobernador de la región. Se hizo cargo del mando el comandante Montero, que pidió millón de pesetas a Madrid. Las fuerzas se sublevaron, hicieron prisionero a Montero, de cuya suerte no hay noticias, y se unieron al movimiento del general Franco, a cuya disposición se han puesto.

TRES AVIONES ROJOS, ABATIDOS

Ayer fueron abatidos tres aviones rojos. Uno en Badajoz y otro en México. El nombre del pueblo en que cayó el tercero no lo pudimos entender.

HA SIDO TOMADO OLIVENZA

Las fuerzas que entraron en Olivenza han continuado la obra de pa...

cificación y desarme de comunistas en algunos pueblos.

También tomaron Olivenza, último pueblo de la provincia en su frontera, cerca de Elvas.

FRANCO LLEGA A BURGOS

BURGOS.—Ha llegado de Sevilla en avión el general Franco.

DOVAL EN SEVILLA

Comunican de Sevilla que a aquella capital llegan numerosas personas procedentes de Salamanca y León, entre ellas el comandante Doval. Esta noticia demuestra la seguridad de comunicaciones existente entre las capitales del norte y sur de España afectas al movimiento.

APLASTANTE DERROTA DE LOS MARXISTAS EN MALLORCA

Radio Madrid y también la emisora de Barcelona, anunciaron anoche con bombo y platillo una victoria de sus armas. Daban una serie de detalles sobre el desembarco. Aseguraban que el capitán Bayo había efectuado un desembarco victorioso en la isla de Mallorca y se dirigía triunfalmente hacia la capital, que había de caer en su poder. Añadía que en todas partes y recientemente la presentaban paisanos a Bayo pidiéndole las armas. Esto terminaba causado gran alegría en Barcelona y Valencia.

Pero su triunfo radiotelefónico les duró muy poco, pues después la emisora de Palma de Mallorca hizo una llamada a todas las confirmachas y les comunicó que había oído la noticia dada por aquellas estaciones y para que sus compañeros de toda España no recibieran la mala noticia, aunque seguramente ya estarían enterados a su sol pues por otras bandas, iba a decir la verdad.

Y la verdad es ésta. Efectivamente, a las cinco de la madrugada de ayer el capitán Bayo hizo un desembarco con bastantes milicianos en la isla de Mallorca; mejor dicho, desembarcaron los milicias, porque él, que de su sol desde un caso con unos cuantos. Las tropas pisaron tierra en Porto-Cristo (Manacor). Todo fué obstáculo porque la columna que se había organizado en pueblos cercanos, pues no fué necesario emplear las que había de los diferentes puntos estratégicos de los diferentes puntos de la costa. En columna compuesta por fuerzas de la Guardia civil, Carabineros y milicia, no dejaron abatir a los aterrantes, pero a la aviación los protegía denunciando las maniobras con entusiasmo sin límites en la defensa de lo que habían conquistado. El resultado de la avanzada fué aplastante. Los invasores se retiraron hacia la costa dejando en el campo todo de lo muertos y abundante heridos. Los que pudieron correr dejaron a rastra... lo que encontraron con que el extra...

En Illora, Falange Española ha formado un escuadrón de caballería que presta valiosos servicios por la región. Realizan la vigilancia y descubren por los alrededores del pueblo y por los colindantes de Tocón y Alomartes.

Primera página del diario «Ideal» del 17 de agosto de 1936, fecha en que según José Rosales el gobernador militar de Granada, coronel Antonio González Espinosa, le entrega un oficio ordenando la libertad de Federico García Lorca.

cito, a incitar a los soldados arrojando hojas en las que se excitaba a la rebelión contra los jefes y a otras cosas.

Comuniqué al Gobernador lo que ocurría, y éste, por su parte, no hizo nada para evitar estos vergonzosos hechos.

El Ejército, ante semejante actitud, daba muestras de gran nerviosismo. También los elementos extremistas habían pedido al Gobernador Civil que entregara las armas que existen en el cuartel de Artillería. Esto ha sido, sin duda, lo que me ha inducido a tomar la solución adoptada, puesto que yo no podía consentir que esas armas fueran a poder de semejantes elementos, aun cuando el Gobernador me había afirmado que no serían esas armas usadas contra nosotros, sino contra elementos militares de otras capitales. Yo, como comprenderán, no podía entregar esas armas para que fueran usadas contra compañeros nuestros. Otro de los rumores muy alarmantes corridos por la ciudad era que se pensaba asaltar el cuartel de Artillería.

Ideal comenta: «El señor Campins terminó diciendo que era unánime el entusiasmo de todo el Ejército y que él esperaba que todo seguiría desenvolviéndose con normalidad, como hasta el momento.»

Bien, *la normalidad hasta el momento* no fue, precisamente, el eje dominante en las últimas catorce horas.

En tan breve lapso, a las cinco de la tarde del 20, José Rosales ha telefoneado a su padre diciéndole que cierre la tienda y se vaya a su casa; poco más tarde, el Ejército está en la calle —se le han sumado unos cuarenta falangistas, siete requetés, la Guardia Civil, Carabineros y la Guardia de Asalto, esta última no muy convencida—; a las seis y media, Campins ha firmado el citado bando, «obligado» por los demás oficiales, dicen algunos; «obligado» por las circunstancias, dicen otros (53); han sido instaladas piezas de artillería en las calles; se han tomado el Gobierno Civil, la Diputación, el Ayuntamiento y la Comisaría de Policía, así como la cercana fábrica de pólvora del Fargue; treinta hombres del Regimiento de Infantería han ocupado el aeródromo de la Armilla del que el capitán Muñoz del Corral huye, en dirección a Madrid, y luego a Almería, con las fuerzas de la guarnición; pequeños grupos que oponen alguna resistencia, han salido también huyendo, por el paseo de los Tristes, hacia el Albaicín.

(53) Personalmente, después de haber estudiado a fondo los diversos relatos de los hechos concretos y la personalidad de Campins, he llegado a la conclusión de que *Campins no creía en Queipo*, dado el demostrado republicanismo de este general y sus antecedentes de conspirador y revolucionario. Por ello esperaría a ver cómo se desarrollaban los hechos en Sevilla y si el Alzamiento era, realmente, un restablecimiento del orden y no una nueva algarada de tipo incierto.

(Allí formarán barricadas que defenderán hasta el día 23; unas granadas desde aviones hacen de colofón al ametrallamiento y los obuses de artillería: el Albaicín se rinde.)

Normalidad, lo que se dice normalidad, no puede tomarse como eje dominante de aquellas catorce horas que han sucedido desde que a las cinco de la tarde del lunes *Pepiniqui* ha llamado a su padre, advirtiéndole que cierre la tienda, hasta que sale a la calle el *Ideal* del martes con la insólita declaración del general Campins, fusilado este amanecer del 16 de agosto.

Pero hay otra persona, ésta muy allegada a Lorca, que tampoco verá la espléndida mañana del domingo.

Entre los treinta hombres —exactamente treinta— que han fusilado hoy, aquí en Granada, ante la tapia del cementerio, «por orden del tribunal militar», figura su cuñado, Manuel Fernández Montesinos. El marido de su hermana Concha ha tenido que dejar su pijama de seda en la enfermería de la cárcel.

El poeta no podrá consolarla ni llevar el luto familiar. Él no sufrirá por esto, porque no se enterará (54).

Federico lee el periódico. Entre otras noticias, encuentra ésta: «Por la Junta Nacional de Burgos ha sido nombrado Director General de Seguridad el comandante de la Guardia Civil don Lisardo Doval» (55).

No le gusta. Doval fue el realizador de la severísima represión contra los sublevados asturianos, en 1934.

Se le había enviado provisto de «un documento firmado por el ministro de la Guerra, para que con la necesaria autonomía y especial jurisdicción —escribió el propio ministro— pudiera realizar su cometido (...) Dicho en romance paladino, el ministro declaró que Doval tenía autoridad ajena y aun superior a la del general Eduardo López Ochoa y el teniente coronel Juan Yagüe y a la de toda suerte de autoridades judiciales y civiles. Asturias era el ámbito de su poder total» (56). No, no le gusta. Gente como ésa mandando los servicios

---

(54) GIBSON dice: «Aquella misma tarde —¡fatal día 16 de agosto!— Federico fue detenido y llevado al Gobierno Civil. ¿Sabía ya de la ejecución de su cuñado? No lo podemos decir» (*La represión...*, p. 72). Sí, lo podemos decir —contesto—. *No lo sabía*. Noticia de esa importancia no habría pasado por alto a doña Esperanza y a doña Luisa, ni la habrían olvidado. Por otro lado, el ambiente en que se encuentra Federico cuando Ruiz Alonso va a detenerle, no es de duelo y nerviosismo, como veremos. Y colijo que «no se enterará», tampoco, después, pues no creo fueran a comunicárselo, ni los que le querían, ni los otros, una vez ya detenido.

(55) *Ideal*, 16 de agosto de 1936.

(56) M. GARCÍA VENERO, *Falange en la guerra de España, la Unificación y Hedilla*, Ed. Ruedo Ibérico, París, 1967. La alusión a este libro puede ser complicada, pues, ya impreso, sus derechos fueron pleiteados, y ganados, ante los tribunales franceses, por Hedilla. Yo me limito a citar, según la portada del mismo. El libro añade

de Seguridad es peligrosa. Claro que Burgos cae lejos. Muy lejos, más lejos aún que la realidad geográfica, dado, especialmente, que Granada está rodeada y que aun en el momento en que se una con la zona nacional, pertenecerá al feudo de Queipo.

Aquí, en Granada, en cambio, un tipo más o menos de su misma calaña, el capitán Manuel Rojas, que ya se distinguió, en enero de 1933, por el fusilamiento en Casas Viejas de unos prisioneros desarmados y atados (57), tiene mando, pero pasa casi inadvertido...

El poeta lee otro suelto, éste pacífico:

LA TRANQUILIDAD EN GRANADA Y PUEBLOS SOMETIDOS ES ABSOLUTA

Así lo confirma la falta de noticias en el Gobierno Civil

En el Gobierno Civil fueron recibidos los periodistas por el teniente coronel señor Velasco por encontrarse el señor Valdés en sus habitaciones particulares.

No había noticias de importancia en dicho centro y tan sólo se redujo el señor Velasco a comentar con los informadores de la prensa el triunfal desfile de las fuerzas a través de las calles céntricas de Granada. Tuvo frases de admiración para la marcialidad de todos los elementos que habían tomado parte en el desfile y para el frenético entusiasmo del pueblo, que ayer pudo manifestar su fervor hacia la legítima bandera española.

Confirmó que las noticias de los distintos movimientos militares del día se habían desarrollado con pleno éxito y que la tranquilidad en la capital y pueblos sometidos era absoluta (58).

Pasan las horas. La calle de Angulo está tranquila. Es estrecha y produce agradable sombra. Y, de repente

---

que Doval estuvo, siempre, en «servicios especiales» —lo que más tarde serían, en todo el mundo, «policías paralelas»—, aunque su final no fue muy brillante, pues, después de la guerra, un tribunal militar le procesó por delitos comunes.

R. SERRANO SUÑER (*Entre Hendaya y Gibraltar*, Ed. Nauta, 1973, p. 77), refiriéndose al embrollo que precedió a la Unificación de abril de 1937, en el que se mataron entre sí dos falangistas, de las escoltas de Sancho Dávila y Hedilla, respectivamente, escribe: «El comandante Doval, encargado de las cuestiones de Orden Público, hizo tomar medidas más bien espectaculares.»

(57) Ver apéndice II.
(58) *Ideal*, 16 de agosto de 1936.

...a las cinco de la tarde
cuando la plaza se cubrió de yodo
a las cinco de la tarde
la muerte puso huevos en la herida
a las cinco de la tarde.
A las cinco de la tarde.
A las cinco en punto de la tarde... (59)

La plaza que se cubre de yodo está a la izquierda, a unos cincuenta metros del portal de la casa de los Rosales. Se llama «plaza de los Lobos». Por ahí aparece un retén de unos cuarenta hombres armados —guardias de asalto, soldados y «españoles patriotas» (60)—. Se distribuyen acordonando la calle de Angulo hasta la otra salida de la misma que da a la calle de las Tablas. Van a detener a un hombre y éste no debe escapar. Pero ¿por qué tanto aparato y tanta publicidad? *Normalmente*, en todos los desbaratamientos —como una guerra civil, una ocupación extranjera o una situación políticamente endurecida— las detenciones son de otra forma:

La escena era siempre la misma. Siempre el llamado a la puerta de un departamento confortable o de una choza; el mismo andar en el jardín lleno de sombras o en el descansillo de la escalera, el mismo susurrar fúnebre, que el desgraciado escucha del otro lado del muro, con la oreja pegada a la cerradura y el corazón crispado de angustia. «¡Seguidnos!...» Las mismas palabras a la mujer enloquecida, mientras se recogen las prendas comunes esparcidas unas horas antes y abajo se oye el ruido del motor que sigue resoplando. «No despiertes a los chicos, ¿para qué? ¿Me lleva preso, no es verdad, señor?» «Así es», contesta el asesino, que con frecuencia sólo tiene veinte años. Después, subir al camión, donde uno encuentra a dos o tres camaradas, igualmente sombríos, igualmente resignados, la mirada vacía... *¡Hombre!* Rechina la camioneta y se pone en movimiento. Todavía un instante de esperanza, mientras sigue por la carretera. Pero he aquí que disminuye la marcha y se mete dando tumbos por la huella de un camino de tierra. «¡Bajad!» Bajan, se alinean, besan una medalla o solamente la uña del pulgar. ¡Pam! ¡Pam! ¡Pam! Los cadáveres son colocados al borde del talud, donde el enterrador los encontrará a la ma-

(59) F. G. L., de *Llanto por Ignacio Sánchez Mejías*.
(60) Los «españoles patriotas» correspondían a una milicia de tipo policiaco local, que se organizó en los primeros momentos del Alzamiento, en Granada.

ñana siguiente, la cabeza destrozada y la nuca reposando sobre una repugnante almohada de negra sangre coagulada (61).

Esta descripción corresponde a Palma de Mallorca, en la misma época, pero sirve también para Barcelona, Madrid... o Granada.

Otra descripción, que corresponde a la URSS en cualquier época, puede servir, también, para Madrid, Barcelona... o Granada, en este agosto de 1936:

¡¡El arresto!! ¿Será necesario decir que da un vuelco a toda nuestra vida? ¿Que es un rayo que descarga sobre uno? ¿Que es una sacudida moral tan terrible, que no todos la encajan y que, a menudo, lleva a la locura?

El Universo tiene tantos centros como seres vivientes. Cada uno de nosotros es el centro de un mundo, y el Universo se resquebraja cuando le mascullan a uno: «Queda usted detenido.»

Y cuando queda usted detenido, ¿podrá verdaderamente permanecer en pie ante ese terremoto?

Con el cerebro embotado, incapaces de comprender estas deformaciones tectónicas del Universo, en ese momento, tanto los más agudos como los más lerdos, sólo son capaces de extraer, de toda su experiencia, un: ¿¿Yo?? ¿¡¿Por qué?!?

Pregunta que antes de nosotros se ha repetido millones de veces y que jamás obtuvo respuesta.

El arresto es una manera fulminante y sorprendente de arrojar, precipitar, trasplantar de un estado a otro.

Corriendo felices o arrastrándonos desdichados por la larga y tortuosa calle de nuestra vida, pasamos junto a vallas, vallas y más vallas de madera podrida, tapias de arcilla, cercas de ladrillo, de hormigón, de hierro. No nos paramos a pensar qué podía haber detrás de ellas. No intentamos elevar ni la mirada ni el pensamiento por encima de las mismas, pese a que, precisamente allí, empezaba el país de GULAG, tan cerquita, a dos metros de nosotros. Y tampoco nos percatamos del sinfín de puertas y portezuelas, bien ajustadas y disimuladas, que había en aquellas vallas. Todas aquellas puertas estaban preparadas para nosotros. Y he aquí que, de pronto, se abrió rápidamente una, la fatal, y cuatro blancas manos masculinas, que no sabían de trabajo físico, pero llenas de energía, nos agarraron

(61) G. BERNANOS, *Los grandes cementerios bajo la luna*, Ed. Siglo Veinte, Buenos Aires, 1964, pp. 95-96.

—Lo siento, García Lorca ya no está aquí.
—Pero ¡¿qué dices?!
—Se lo han llevado a Víznar, de madrugada.
Ya lo habrán fusilado.
(Diálogo entre Valdés, en la foto, y José Rosales.)

Franco a su llegada a Sevilla en agosto de 1936.

por las piernas, por las manos, por el cuello, por la gorra, por las orejas..., nos arrastraron como un fardo y se cerró para siempre, detrás de nosotros, la puerta de nuestra vida anterior.

Y nada más. Queda usted detenido.

Y, por toda respuesta, só... ó... ó... lo se le ocurrirá balar como un borrego:

—¿¿Yo...o?? ¿¿Por qué...??

Esto es el arresto: un fogozano cegador y un golpe que relegan el presente al pasado, mientras lo imposible se hace totalmente presente.

Y eso es todo. Y no logrará usted entender nada más ni en la primera hora ni en el primer día.

Y en su desesperación, incluso verá resplandecer una luna parecida a un juguete de niño, a un decorado de circo: «¡Es un error! ¡Se aclarará!»

Todo lo demás, lo que constituye la imagen tradicional y hasta literaria del arresto, se acumulará y ordenará no en su memoria turbada, sino en la memoria de su familia y sus vecinos.

Es un estridente timbrazo nocturno o un violento repicar en la puerta. Es la arrogante entrada de los agentes, que penetran en su casa sin limpiarse las botas (62).

Pero, en realidad, el arrestado no piensa en el error.

Sí en la esperanza de *que se aclare*, es decir: que alguien con influencia y con suficiente valentía se interese por el detenido. Porque *el error* es lo de menos: forma parte del *principio* —«Y en el principio existía el Verbo»—... En el principio existía error, luego, ya se daría por válido, como el concepto de *normal y anormal*. El normal entre anormales, es anormal; los normales son los anormales.

> *A las cinco de la tarde.*
> *A las cinco en punto de la tarde.*

Pero, ¿por qué tanto aparato y tanta publicidad? (63).

Nunca ha habido en Granada, desde el Alzamiento, una maniobra tan llamativa y espectacular de fuerzas como la de hoy.

(62) SOLJENITSIN, *Archipiélago Gulag*, Ed. Plaza & Janés.
(63) La respuesta, a mi modo de ver, es clarísima: *interesaba* dejar constancia pública de que *se detenía a un rojo* en casa de los falangistas Rosales. Ésa es la idea de *aquel momento*. Más tarde, se procurará diluir, difuminar, hacer desaparecer la imagen.

¿Tan peligroso es el poeta Federico García Lorca?

No. No puede ser por eso... ¡Ah, pero los hermanos Rosales sí pueden serlo!... No. Tampoco. Se sabe que no están en casa: unos en el frente, otro en el cuartelillo de Falange y el padre en su peña, puesto que es domingo.

Que no hay peligro lo demuestra el hecho de que, a la casa, entra sólo el que manda la fuerza: Ramón Ruiz Alonso. Sus cooperadores Juan Trescastro, Luis García Alix, Sánchez Rubio y Antonio Godoy *el Jorobeta*, se quedan en la calle, junto a la puerta; la tropa, también, vigilante en los puestos asignados.

Doña Esperanza Camacho de Rosales ha visto desde el balcón el movimiento absurdo e inhabitual de tropas alrededor de su casa.

Recibe a Ruiz Alonso con cara hosca.

—Pero ¿qué significa esto?...

—Señora...

—¿Usted sabe en casa de quién está? Mis hijos son «camisas viejas»... Esta casa es prácticamente el cuartel general de Falange.

—Señora, yo traigo órdenes...

—¿Y a qué viene todo ese despliegue de soldados? Mis hijos no están aquí.

—Perdone. No venía a verlos a ellos. Tengo orden de detener a Federico García Lorca, que tienen ustedes escondido aquí.

—Aquí no hay nadie escondido. *Está* Federico García Lorca, porque es un amigo de mi hijo Luis.

—Como prefiera. Pero debo detenerle.

—Usted no detiene aquí a nadie.

—Señora Rosales, soy Ruiz Alonso, diputado de las derechas. Puede confiar en mí.

—¿Ruiz Alonso? ¡Ah, sí!...

Doña Esperanza recuerda débilmente la actuación del ex diputado. Pero es de derechas, no puede ser un asesino. Su bravura se calma algo, pero impone:

—De todas formas el señor García Lorca no saldrá de aquí si no es con algún hombre de mi familia.

—Pero, ¡señora!

—Mi hijo Miguel está en el cuartel de Falange.

(Muy cerca, a menos de trescientos metros, en el convento de San Jerónimo, donde está la tumba del Gran Capitán. «Nos alzamos sobre la tumba del Gran Capitán», decían los falangistas granadinos.)

—Bien —contesta Ruiz Alonso—, tengo el coche aquí. Iremos a buscarle.

—De acuerdo.

El automóvil es de Juan Trescastro, que, con los demás, está esperando en la puerta.

Mientras doña Esperanza explica a Miguel, por teléfono, la situación, ellos ya van en camino.

La señora Rosales, una vez colgado el teléfono, ha subido a explicarles lo que ocurre a Federico y a la tía Luisa, que están en el segundo piso.

—¡Pero debe de ser un error... un abominable error! —dice Federico.

—No te preocupes, todo se aclarará (64)... Buscaremos a Pepe.

—Sí, Pepe tiene mucha influencia sobre Valdés.

Federico no está nervioso (65). Va en pijama y pide que le dejen para vestirse. Las mujeres han preparado merienda. Café con leche y galletas. Pero no tiene hambre.

En el camino hacia su casa, en el coche de Trescastro, con Ruiz Alonso y García Alix, Miguel ha podido ver el despliegue de fuerzas que rodea la calle de Angulo. Comprende que no podrá hacer nada por la vía directa. Tendrá que usar la diplomática, razonar...

En el cuartel le ha preguntado a Ruiz Alonso:

—Pero ¿qué pasa?

—Tengo que detener a Federico García Lorca, por orden del comandante Valdés —y Ruiz Alonso enseña a Rosales un papel con el sello del Gobierno Civil (66).

Miguel lo mira, sin leerlo. Confía en el ex diputado y le hace la pregunta de rigor:

—¿De qué se le acusa?

(64) Parecen las palabras de *Archipiélago Gulag*; pero, por las referencias que he ido reuniendo, son las auténticas. Bernanos tiene razón cuando afirma que siempre es igual.

(65) Según Esperancita: «Todo un hombre.» Incluso Miguel, que no tiene un concepto muy elevado del valor de Federico, me dijo que «en casa se portó bien; luego, en el coche, ya empezó a temblar» (conversación: noviembre de 1973).

(66) El asunto de «la orden de detención firmada por Valdés» era un tema debatido por los tres hermanos Rosales, hoy vivos, y que me parece les solucioné. Luis, por lo que le explicaron su madre y su tía, dudaba de que hubiese tal orden. Lógicamente, Ruiz Alonso la habría mostrado al principio, al entrar, y no lo hizo. Pepe me aseguró que, en aquel momento, en Granada «no había nadie que tuviese cojones para firmar una orden de entrada o registro en mi casa». Miguel afirmaba que Ruiz Alonso *le enseñó la orden*.

Téngase en cuenta que Miguel acababa de enterarse por la llamada telefónica de su madre. Estará muy poco rato allí con Ruiz Alonso, pues inmediatamente saldrá para acompañarle a su casa.

Llegué a la conclusión de que Ruiz Alonso «se marcó un farol» enseñándole de prisa, y sin dejársela leer, cualquier otra orden o circular *con el sello del Gobierno Civil*. Y Miguel *picó*.

Así, una tarde del verano de 1973, estábamos reunidos José y Miguel Rosales, Julián Fernández Amigo y yo, cuando se me ocurrió *repetir el farol de Ruiz Alonso*.

—No tengo más remedio que desenmascararme. Os he engañado. Yo no soy sólo

136

SANTORAL DEL DIA

Domínica décimoprimera después de Pentecostés

Santos Joaquín, Padre de la Virgen María; Roque, Arsacio, cfs.; Tito, dc.

IDEAL

AÑO V — Granada, domingo 16 de agosto de 1936 — NUM. 1.204

EL TIEMPO QUE HACE

DATOS DE CARTUJA

Temperaturas registradas en el día de ayer: Máxima, 32,4 grados a las 13.30. Mínima, 18 grados a las 5.15. Temperatura a las 18 horas, 26,6 grados.

Presiones bajas. Tiempo probable: Vientos de dirección variable y cielo nuboso.

Redacción: Teléfono 1744 — Tendillas de Santa Paula, 6 — Administración: Teléfono 1747

La columna de Varela ha tomado Archidona

Higuera de la Sierra, en Huelva, y Alanís, en Sevilla, también ocupados

Recibimientos triunfales a un barco italiano en Sevilla y a otro alemán en Coruña

La tranquilidad es completa en Badajoz. Puigdengola, el alcalde y el comandante se llevaron todo el dinero que pudieron robar de los Bancos

LOS COMUNISTAS HACEN ANGUSTIOSOS LLAMAMIENTOS EN MADRID

Boletín del día

Día de Pascua florida, llamó anoche el insigne Pemán al de ayer. 'Pascua florida de la redención de España. La bandera que ha vuelto a ondear sobre un mar de cabezas españolas—juntos los cuerpos y fundidas las almas en el fervor de un mismo anhelo—nos trae la emoción suprema de la España nueva. Próximo el instante del triunfo final, el pueblo de Sevilla, el de Córdoba, el de Cádiz... han rivalizado con el de Granada en los esplendores preliminares de la epopeya. Tres generales—Franco, Queipo de Llano y Millán Astray—, tres nombres elevados a la categoría de símbolos enardecieron a la muchedumbre sevillana con el acento vibrante de sus palabras y con el silencio elocuente y expresivo de un beso sobre los pliegues de la bandera. Y por las calles de la ciudad desfiló con esplendor de apoteosis la Virgen de los Reyes. Espectáculo verdaderamente grandioso, decía anoche el general Queipo de Llano. De él podemos hacernos idea nosotros al recordar las explosiones clamorosas de nuestro pueblo cuando la Virgen de las Angustias desfila por nuestras calles en una tarde granadina de septiembre.

Paz a las armas. Parece que esta consigna era la obligada en la festividad del día. Sin embargo, ha habido algunas conquistas. No hay que aclarar quién ha sido el triunfador. Archidona ha caído en poder de la columna del general Varela. Esto nos hace pensar en que la finalidad inmediata de esta columna sea la de seguir la línea con objeto de restablecer las comunicaciones ferroviarias entre Granada y Sevilla. En la provincia de Huelva ha sido tomado el pueblo de Higuera de la Sierra. Higuera de la Sierra tiene una gran importancia estratégica para el cerco de las minas de Riotinto. La columna que tomó hace poco Cazalla de la Sierra se ha hecho dueña del pueblo de Alanís. En Badajoz la tranquilidad es absoluta. Se ha sabido que el teniente coronel Puigdengola, el comandante de la Guardia civil y el alcalde se hicieron acompañar en su fuga a Portugal de todo el dinero que pudieron robar en los Bancos y en los centros oficiales. ¡Buenos discípulos de tan excelsos maestros! El coche en que viajaron era requisado, por añadidura. En las cercanías de Llerena la aviación españolista deshizo unos grupos rojos que se dirigían hacia ella. Y las fuerzas de Mérida hicieron una salida victoriosa sobre los grupos rebeldes que aún no se habían dispersado.

El general Queipo de Llano dió cuenta anoche de una nueva derrota marxista. Las milicias rojas creyeron que era empresa fácil la entrada en Baena. Lo intentaron. Y el castigo fué tal que perdieron en la empresa: ochenta y seis muertos, doscientos heridos, un camión blindado, tres de carga, otros varios coches y armas.

Un barco de guerra italiano ha llegado a Sevilla. El recibimiento fué triunfal. La oficialidad visitó a los generales Franco y Queipo. El espectáculo se ha repetido en La Coruña con otro barco de guerra alemán.

Del Norte al Sur de España ya se puede viajar en automóvil. De Burgos han llegado coches a Sevilla. La unión de las columnas del Norte y del Sur es completa. Y ahora el objetivo se centra en Madrid, después de la dominación de Extremadura. El marxismo madrileño siente ya las angustias de la muerte. Reiteradamente se ha leído desde Madrid una nota pidiendo ayuda a los comunistas de todo el mundo. Por cierto que Moscú se ha mostrado un poco escéptica sobre el triunfo de sus camaradas. Son los únicos que ya quedan en ese bando. Sólo algún ingenuo—por no llamarle de otra manera—como Martínez Barrio puede ya decir que el mando no pertenece a los comunistas. El Gobierno madrileño sigue pensando en que alguna potencia extranjera intervenga como árbitro en la cuestión. No hay intervención posible, ha vuelto a reiterar Queipo. La palabra exacta y única es la de rendición. Pocos días les faltan para ello en España. Y lo mismo les ocurrirá en los demás países que hayan logrado convertir en escenario de sus violencias.

El mariscal Petain ha dicho en un discurso que sin Patria, sin familia y sin Religión no es posible la existencia. Y alguna «radio» de la zona francesa de Marruecos ha dado la noticia—no confirmada—de que Petain se había puesto al frente en Francia de un movimiento similar al español. «Si non e vero...»

Radio Club Portugués, la emisora que más y mejor información sobre el movimiento nacionalista de España ha radiado, no dió ayer emisiones. Ignoramos la causa, pero desde luego no se trata de interferencias pues se pudo comprobar que la estación portuguesa permaneció cerrada todo el día.

Las fuerzas del Tercio van a regresar a Granada, después de operar por la Sierra, en el día de ayer. Nuestra fotografía muestra a una sección, con una ametralladora, ocupando un camión en Güéjar Sierra.

SEVILLA.—La columna del general Varela ha tomado Archidona. Los marxistas, como es natural, fueron derrotados y dejaron en el campo gran número de muertos, armas y municiones.

También ha ocupado otra columna Higuera de la Sierra. Se han cogido al enemigo diez y ocho muertos, fusiles y otras armas. Entre los fusiles había tres de la Guardia Civil. Higuera de la Sierra es uno de los puntos estratégicos para rodear las minas de Riotinto.

TOMA DE ALANIS

SEVILLA.—Las columnas que operan en Cazalla de la Sierra han tomado el pueblo de Alanís.

La tranquilidad en Badajoz es completa. Se han cogido al enemigo numerosos prisioneros y tres mil armas.

Los grupos rojos que marchaban sobre Llerena fueron deshechos por nuestra aviación.

En Mérida las fuerzas hicieron una salida y acabaron de dispersar a los marxistas que quedaban por allí.

HUYEN CON DINERO LOS CABECILLAS DE BADAJOZ

SEVILLA 15.—Los cabecillas de Badajoz, teniente coronel Puigdengola, comandante de Asalto y alcalde huyeron por la frontera portuguesa unas horas antes de llegar a dicha capital las fuerzas del teniente coronel Yagüe.

El viaje lo hicieron en un coche requisado, en el que llevaban abundante dinero robado de los centros oficiales y algunos Bancos. Todos iban disfrazados.

Los marxistas de la ciudad extremeña les buscaron inútilmente para fusilarlos cuando se dieron cuenta de su fracaso.

ENTUSIASTA RECIBIMIENTO A UN BUQUE ITALIANO

SEVILLA, 15.—Esta tarde llegó a este puerto el destructor italiano «Antonio Bagnoly» y atracó en el primer muelle.

Esperaba una escuadra de Falange Española, con el jefe provincial señor Miranda, y numeroso público. Todos vitorearon a Italia y a Mussolini y los falangistas entonaron el himno fascista. La tripulación del destructor se hallaba formada y saludó con vivas a España, al Ejército y al fascio.

Las autoridades de Marina fueron invitadas a subir a bordo, como asimismo los falangistas, que visitaron la embarcación.

Después visitaron los oficiales del «Antonio Bagnoly» al comandante de Marina y a los generales Franco y Queipo de Llano.

El alcalde, señor Carranza, obsequió a los visitantes con un vino de honor.

LOS MILICIANOS QUE MUEREN EN EL FRENTE

Unión Radio de Madrid dijo anoche que se había decretado la gratuidad de las certificaciones de defunción de los milicianos que morían en el frente. Esta noticia indica el gran número de muertos que habrán tenido ya los rojos cuando se han ocupado hasta de ese detalle.

BARCELONA Y MADRID PIDEN SOCORROS

Las emisoras de Madrid y Barcelona repitieron varias veces una nota en la que, después de elogiar el movimiento criminal de octubre del 34 en Asturias, al que llamaron glorioso, se dirigían a los comunistas de todo el mundo pidiéndoles ayuda económica para luchar. La nota iba firmada por el Comité directivo del Socorro Rojo Internacional.

Después de esta nota aun el señor Martínez Barrio, prisionero de estas gentes, aseguraba que en Madrid y en sus ministerios no mandaban los comunistas.

TRIMOTOR CATALAN DERRIBADO

De Jaca han comunicado que un avión de caza de la columna aragonesa ha derribado un trimotor catalán. Fuerzas de Falange Española y Requetés han realizado una acción cerca de Roasal, en donde había unos grupos marxistas que intentaban levantar las líneas ferroviarias. Se les causaron muchas bajas y perdieron gran cantidad de material de guerra. El tráfico ferroviario es completamente normal.

MOSCU, PESIMISTA

Radio Moscú muestra desesperanza en el triunfo de los comunistas en España. Dice que la columna navarra del general Mola está tomando San Sebastián y que casi todas las poblaciones del frente Sur están perdidas para ellos.

PRIETO RECONOCE QUE LES FALTAN HOMBRES

En el artículo que diariamente trasmite a Bilbao Indalecio Prieto, hoy recomienda a las mujeres que estén en sus puestos que son los hospitales y los talleres, pues los milicianos que están en la Sierra sólo tienen «monos» y ya no pueden aguantar el frío. Reconoce que están faltos de hombres y abastecimiento de alimentos y ropas.

EL PERSONAL DEL M. DE ESTADO, DESTITUIDO

Radio Colonial de París, comunica que el Gobierno de Madrid, ha destituido a todo el personal del ministerio de Estado.

CRUCERO ALEMAN EN LA CORUÑA

Radio Coruña.—Ha llegado a Coruña un crucero alemán. Las autoridades de la capital visitaron el buque y cumplimentaron al comandante, quien después devolvió la visita. Al desembarcar los marinos alemanes el pueblo les ha ovacionado y agasajado cariñosamente.

Un avión rojo ha arrojado algunas bombas sobre Ferrol, pero fué puesto en fuga inmediatamente por la artillería antiaérea de la población.

UNAMUNO CREE EN EL TRIUNFO NACIONALISTA

En Salamanca, el señor Unamuno ha dicho que el Gobierno de Madrid se ha vuelto loco. El Ejército lucha por la civilización y el Gobierno de Madrid está entregado al comunismo. Cree firmemente en el triunfo nacionalista.

ALOCUCION A LOS ESPAÑOLES DE AMERICA

Por el micrófono de Radio Coruña dirigió anoche la palabra a los españoles residentes en América el presidente del Centro Gallego de Montevideo, don Constantino Sánchez Mosquera.

Dijo que España había estado en peligro de caer en manos de los secuaces a sueldo de Rusia. Pero los españoles se han levantado a salvarla y hoy tienen más de las tres cuartas partes de la nación completamente dominadas. Unos días y todo será nuestro. Ya se puede gritar ¡Viva España!, exclamación que antes, durante el criminal mandato del Frente Popular, era un delito de gran importancia.

Después hace un llamamiento a los españoles de América, de quienes espera que ayudarán a su patria con aportaciones a la suscripción nacional.

UNAS PALABRAS SIGNIFICATIVAS DEL MARISCAL PETAIN

Una emisora de extracorta de la zona francesa de Marruecos ha dado la noticia de que el mariscal Petain, jefe de las fuerzas de Francia en aquel territorio, se había puesto al frente de un movimiento militar antimarxista.

Esta noticia ha sido captada por varias emisoras nacionales, pero no se ha obtenido confirmación alguna. Lo que sí se sabe con seguridad es que dicho caudillo francés ha pronunciado un importante discurso, del cual son estas palabras: «Sin Patria, sin familia y sin religión no es posible la existencia», y más tarde añadió que había que acabar con este estado de cosas.

HABLA UN PERIODISTA ITALIANO EN SEVILLA

SEVILLA.—Después de la emisión de las diez en la Radio Sevilla habló el enviado de los periódicos «Stampa» y «Popolo d'Italia». Comenzó agradeciendo la cariñosa acogida que le han dispensado en dicha localidad y en cuantas de Andalucía ha recorrido.

Se refirió a la ceremonia de la restauración de la bandera que ha presenciado y al entusiasmo del pueblo sevillano. Dijo que había recorrido ya

Primera página de «Ideal» dando cuenta del avance de Varela hacia Granada.

—Ha hecho más daño con su pluma que otros con sus pistolas (67).

Miguel se queda mudo ante la absurda respuesta. ¿Se tratará de algún escrito que él no conoce? En cualquier caso, la acusación no puede tener ninguna importancia. También ha oído algo de «espía ruso», pero ¡eso es de risa!...

Ruiz Alonso vuelve a entrar en la casa número 1 de la calle de Angulo, acompañado de Miguel Rosales. Federico está acabando de arreglarse y Miguel le ayuda.

Mientras tanto, Ruiz Alonso queda con las mujeres.

—Si quiere merendar... íbamos a hacerlo ahora...

Y el ex diputado acepta: café con leche y galletas (68). Doña Luisa le pregunta, en bajo:

—¿De qué se le acusa?

—De espía ruso (69).

—¡Dios santo!, ¡qué barbaridad! Eso es imposible.

—Pues entonces no tienen por qué tener miedo de nada. Iremos a Comisaría y allí se aclarará todo.

Federico ya ha bajado:

—Esto es un error... un abominable error —repite.

—Ya he dicho que todo se aclarará. No debe tener miedo —insiste el ex diputado, terminando su taza de café con leche.

—No lo tengo —contesta, ¿o miente?, Federico.

—Pues vamos.

Al despedirse de las tres mujeres de la casa, les dice:

—Recen por mí al Sagrado Corazón. Yo lo he hecho antes de cambiarme.

Se refiere a la imagen que tiene tía Luisa en el piso que él habitaba.

—Lo haremos, pero no te preocupes...

---

un escritor sobre el «caso García Lorca»: pertenezco a una policía especial que nos encargamos de esta investigación.

Y les mostré mi carné de «patrón de embarcaciones deportivas». Es de fondo azulado, con mi fotografía —sellada— en un ángulo, y en el otro el escudo de España (Ministerio de Marina) cruzado todo él por la bandera nacional. *Picaron* los tres. ¡Y Julián Fernández Amigo era el comisario jefe de Policía de Granada!

Naturalmente, después, deshice el enredo, y expuse mi teoría sobre la *orden de detención firmada por Valdés*, que aceptaron.

Miguel añadió: «Incluso podía ser una licencia de arma de caza.»

(67) Cuando Miguel Rosales leyó el capítulo «¿Quién mató a García Lorca?» de mi libro *¿Así fue? Enigmas de la guerra civil española*, me dijo textualmente: «En lo que a mí concierne, todo es cierto. Pero Ruiz Alonso no dijo "Ha hecho más daño *con sus libros* que otros con sus pistolas", sino exactamente *con su pluma*.»

(68) Incomprensible, inaudito, monstruoso. Pero fue así.

(69) Ver apéndice II: «Arthur Koestler.»

Se abrazan.

Federico:

—Si me juzgan no encontrarán nada contra mí.

—¡Naturalmente!

—Vamos —ordena Ruiz Alonso, impaciente.

Y Federico García Lorca sale de la casa de sus amigos, para no volver.

9. Domingo, atardecer y noche. Detenido

En el automóvil conducido por Juan Trescastro se instalan Federico, Miguel y Ruiz Alonso.

Hay dos salidas de la calle de Angulo: una da a la plaza de los Lobos, por ahí se desvanecerá la fuerza armada cuya utilidad ha sido nula; la otra da a la calle de las Tablas y, a pocos metros, la plaza de la Trinidad: por ahí saldrá el coche en que va Federico. Al pasar por ésta, mira por la ventanilla. Como después ya sólo verá paredes y noche oscura (sólo un amanecer, el último, campestre), *la plaza de la Trinidad* es la última visión que tendrá de su Granada. Y, curioso, su primera visión en este mundo, fue la *calle de la Trinidad*, de Fuente Vaqueros ...

—Busca a Pepe, por favor —le dice a Miguel.

—Sí, sí. Ahora mismo buscaré a Pepe, a Luis y a Antonio.

—A Pepe sobre todo.

Él es más amigo de Luis, pero sabe que el importante en la actual situación es *Pepiniqui*. Pasan de largo ante la Comisaría de Policía. Van directamente al Gobierno Civil. El automóvil se para. Bajan. Ruiz Alonso habla con la guardia. Al subir la escalera del edificio, uno de asalto golpea a Federico con la culata del mosquetón. Ruiz Alonso se interpone y le afea su conducta (70).

Pero este detalle alarma a Miguel quien, en seguida, pide ver a Valdés. No quiere que Lorca pase a manos de los «interrogadores profesionales» cuya existencia allí conoce muy bien.

El gobernador civil no está (71).

(70) De la fantasiosa y fantástica historia que Ruiz Alonso relató a Gibson (pp. 74-75), y que éste tomó subrepticiamente en cinta magnetofónica, la única verdad es esta anécdota. Y aún R. A. la atempera: «...no pude evitar que alguien con un mosquetón *le intentara* dar con la culata...»

(71) Efectivamente, lo confirma el diario *Ideal* del 17 de agosto de 1936, que,

«Si Ruiz Alonso "se ha cargado" a vuestro amigo, llévate
a Ruiz Alonso a cualquier camino y pégale cuatro tiros.»
(Valdés a José Rosales, según testimonio
del mismo al autor, julio de 1973.)

Valdés ya está tranquilo. Ha hablado con Sevilla.
Esta noche saldrá Federico hacia Víznar.

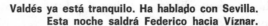

Portalón del palacio del arzobispo Moscoso.
En 1973 era legible aún la inscripción
«Todo por la Patria», sobrepuesta a un «Viva Gil Robles».

Le recibe el teniente coronel Velasco, quien sustituye a Valdés en sus ausencias. Miguel explica lo sucedido, quién es él y su familia, y quién es Federico García Lorca.

Consigue que le instalen, solo, en un despacho, en el mismo pasillo donde tiene el suyo el gobernador, y la promesa de que «no sucederá nada» hasta que llegue éste.

Naturalmente, registran a Federico.

Y él le pide a Miguel que le envíe mantas —está sudando y tiene frío, en agosto— y tabaco.

—¡Y que se ocupen de mi defensa, por favor!

Miguel le asegura que así lo hará.

Retorna al cuartel, más o menos tranquilo, pero se lanza a la búsqueda telefónica de Pepe, Luis y Antonio. No consigue hablar con ninguno de los tres.

Llama a su madre y le informa de cuanto ha sucedido desde que salió de su casa con Ruiz Alonso y Federico.

Doña Esperanza tampoco se ha quedado con los brazos cruzados. Ha intentado, asimismo, avisar a sus otros hijos. Llama a su marido, y éste a la Huerta San Vicente, pero los padres de Federico, enterados de la «otra» fatal noticia —de la muerte de su yerno—, están en casa de Concha G. de Fernández Montesinos, ahora viuda de Fernández Montesinos.

Don Miguel Rosales no tiene más remedio que llamar allí, y comunicar a don Federico el nuevo golpe.

---

aunque Gibson asegura que ese día no hubo periódico, por ser lunes, puede encontrarse en la colección de las oficinas del diario, en Granada, y que, muy amablemente, fue puesta a mi disposición por su director, don Melchor Saiz-Pardo, en abril de 1974.

Ideal, del *lunes* 17 de agosto de 1936, dice: «El teniente coronel de la Guardia Civil señor Velasco nos manifestó anoche en el Gobierno Civil que al gobernador señor Valdés que había salido de viaje con el propósito de llegar a Órjiva, no le fue posible pasar de Lanjarón porque el entusiasmo delirante que encontró en los vecinos de todos los pueblos le obligó a detenerse en cada uno de ellos para contemplar las formaciones de "balillas", que ya están organizadas en todas las localidades con el mismo entusiasmo con que las vemos en Granada.»

Y, tras de citar los nombres de los pueblos en que Valdés fue aclamado «con entusiasmo frenético» (sic), continúa: «El señor Valdés regresó a las diez menos cuarto de la noche; satisfechísimo de las pruebas de españolismo y virilidad que ha encontrado en esos pueblos.»

Esta noticia demuestra tres realidades:

a) Que Valdés no estaba de 5 a 6 de la tarde en el Gobierno Civil cuando llevaron a Lorca.

b) Que no había ido, precipitadamente, al frente del Oeste por donde avanzaba Varela, como se ha escrito, sino hacia el Sur, a las Alpujarras, en un viaje preparado, «triunfalista» (a visitar «balillas», niños con camisa azul que más tarde cambiarán el nombre italianizante por el de «flechas»).

c) Que, al regresar a las diez menos cuarto, sí estaba (vivía allí) en el Gobierno Civil, cuando, por la noche, fueron Luis y Pepe Rosales a intentar salvar a Lorca. (Este detalle es muy importante, como luego veremos.)

E, incomprensiblemente, aquel hombre rudo y fuerte, quizá anonadado por el dolor que ya pesa sobre él o terriblemente asustado por la marcha de los acontecimientos, en el momento de peligro de la «estrella» de la familia, del hijo amado y mimado, no se lanza fiero a defenderle (72). A la mañana siguiente le enviarán comida y tabaco. ¿Tan seguro está de que habrá *una mañana siguiente* para el poeta? (73).

Tras la conferencia telefónica con su hijo Miguel, la señora Rosales envía a un chiquillo, aprendiz de barbería y entusiasta falangista, al que llaman *el Benet*, con mantas y comida, pero se olvida del tabaco.

El Benet entra en el Gobierno Civil sin ninguna dificultad, y entrega a Lorca el paquete (74). También le visita Julián Fernández Amigo, quien, por casualidad se entera de que Federico está allí, detenido. Pasaba por delante del Gobierno y, al pararse a charlar con un guardia de la puerta, al que conoce, éste se lo dice. Julián es amigo de Federico. Sube, y le dejan entrar.

Federico está pálido, nervioso, pero no ha sido «interrogado» ni sufrido las consecuencias que ciertos «interrogatorios» producen físicamente. Le pide tabaco, y Julián le da un paquete ya empezado (75).

(72) Quizá pudiera ser comprensible tal postura por el terrible atenuante del reciente fusilamiento de Montesinos. Se ha dicho que «llamaron a su abogado, Pérez Serrabona, y no le encontraron»... Otras versiones lo niegan, entre ellas la del hijo de Pérez Serrabona (ver apéndice II).

(73) Sí hubo *mañana siguiente*. Y es posible que sea cierta la versión de Angelina (niñera de los hijos de Concha) de que le llevó «café en un termo y un cesto con una tortilla y tabaco», el 17 de agosto, pese a que las declaraciones de esta octogenaria no son muy convincentes, sí embrolladas, y no pueden tomarse como base.

(74) MARCELLE AUCLAIR, en *Enfances et mort de García Lorca*, dice que *el Benet* encontró a Federico «en medio de otros detenidos en una sala sombría; casi no puede reconocerle de tan pálido y deshecho que está». Tal como expreso en la parte del capítulo I dedicada a los más sobresalientes investigadores de este tema, el libro de Marcelle Auclair es de los más ecuánimes y honrados que he leído. Sin embargo, por noticias directas de los dos que, seguro, vieron a Federico, ya detenido, el 16 de agosto, en el Gobierno Civil (Julián Fernández Amigo y José Rosales), *estaba en un despacho, solo*. Y sí algo pálido y nervioso, pero no irreconocible.

Al *Benet* me ha sido imposible encontrarlo en dos años de búsqueda; tampoco dice Marcelle Auclair que ella hubiese hablado con él. Y Gibson expresa claramente que no pudo localizarlo.

Pero, desde luego, *el Benet* existió y actuó tal como describo más arriba: coinciden muchos en hacerme el mismo relato. Luis Rosales me dijo: «Pues si no le ha ocurrido ninguna desgracia, tiene que vivir, porque entonces era un chiquillo. Tendrá tu misma edad, quizá algo más, no mucho.» Su pista se ha perdido, pues nadie recuerda su nombre y apellidos verdaderos.

En Granada insistí mucho en su búsqueda, como ya he dicho, sin resultado; ¿habrá muerto o se habrá ido a otra ciudad?

(75) Conversación con Julián Fernández Amigo, en Granada, el 14 de julio de 1973.

Luis Rosales llega a su casa hacia las diez de la noche. Viene del frente Sur. Poco después llega Pepe del frente Este: de Güéjar-Sierra.

Y deciden inmediatamente, pese a lo avanzado de la hora, ir a ver a Valdés. Los acompaña Cecilio Cirre, un amigo falangista que acude, a menudo, a casa de los Rosales, y allí se entera de los sucesos.

La situación en que se encuentran, cara al gobernador, los dos hermanos Rosales es curiosísimamente contraria:

Luis sólo le ha visto una vez: sencillamente, le había llevado, poco antes del Alzamiento, un legajo en el que se contenían las instrucciones más importantes para la sublevación. *Pepiniqui* le pidió que lo hiciese por él, puesto que era el único joven de los Rosales que no estaba vigilado, en Granada, por la policía de la República. Pepe había estado ya en la cárcel. Antonio, Miguel y Gerardo eran «sospechosos». A Luis no se le conocía, casi, porque vivía en Madrid. Los papeles a Valdés los enviaba José Luis Arrese, que «a petición propia» (76) fue el encargado de «levantar» la zona de Andalucía oriental a favor del movimiento militar que se estaba incubando (77).

Luis se presentó a Valdés:

—Soy Luis Rosales, hermano de Pepe. Le traigo unos documentos importantísimos y confidenciales.

Julián es una de esas personas que irradian un gran sentido de la moral y la verdad. De una moral sana, sin mezquindades ni fanatismo, siendo un católico practicante y ferviente.

Al igual que me sucedió con Narciso Perales, desde la primera vez que le vi y oí, comprendí que aquel hombre no engañaba.

En junio de 1973 me rogó que no citase su nombre, dado su cargo de comisario jefe de Policía. Naturalmente, pensaba respetar su petición. Sin embargo, más tarde —tuve muchas más conversaciones con él, hasta mayo de 1974, no sólo respecto a indagaciones para el desarrollo de este libro, sino sobre otros muchos y diversos temas—, me dio permiso para hacerlo, pues ya se había jubilado «y soy un paisano más... clases pasivas... lo pasivo es que me aburro»...

(76) Quien debía hacerlo, en principio, era Narciso Perales, pero Arrese (casado con una Sáenz de Heredia, prima hermana de José Antonio) se atribuyó el encargo, aprovechando el encarcelamiento del jefe de Falange, porque le interesaba dominar aquella zona: tenía intereses particulares en Málaga. El testimonio de Manuel Valdés Larrañaga en *Falange... la Unificación y Hedilla* es absoluto: «Estando yo en la Cárcel Modelo, conocía todas las entrevistas que tenía José Antonio, porque a todas asistía, incluso a las visitas particulares que se le hacían; no recuerdo en ninguna ocasión haber visto al camarada Arrese visitarle en la Cárcel Modelo. Antes del Movimiento, a pesar del parentesco, tampoco tuvo el camarada Arrese ninguna relación política con José Antonio» (p. 100).

(77) Es muy importante históricamente, y más en el caso de Granada —en el que, desde luego, la tardía sublevación fue militar, pero totalmente apoyada por los falangistas que allí había—, dejar bien sentado que José Antonio Primo de Rivera, completamente informado de cuanto se fraguaba, dudó en apoyar el Alzamiento.

Manuel Cantarero del Castillo lo explica así a MIGUEL VEYRAT y J. L. NAVAS-MIGUEDA en *Falange-hoy*, Ed. G. del Toro, Madrid, 1973, p. 82: «La Falange no estuvo en el planeamiento del alzamiento del 18 de julio. Se sumó al mismo a última hora y después de muchas vacilaciones. Sólo el aludido desbordamiento de la izquierda

De arriba abajo:
**Tres imágenes de «la Colonia»,
última morada en vida del poeta.**

**José Rosales, el autor
y el ex comisario-jefe
de Policía Julián Fernández Amigo
en «la Colonia», noviembre de 1973.**

Ante su asombro, el hombre delgado y de mirada fría que le abrió la puerta le contesta:

—No sé de qué me está usted hablando.

—¡Pero, hombre! Me ha dicho Pepe que me jugaba la vida trayéndole esto... Son documentos muy importantes...

---

proletaria decidió a la Falange. Los testimonios de José Antonio son terminantes a este efecto. La Falange fue al alzamiento por razones de mal menor, pero llena de dudas y de temores. La Historia está empezando a poner en claro todo esto.»

Recordemos el artículo *Cuidado con la derecha. Aviso a los madrugadores, la Falange no es conservadora* del propio José Antonio, en el periódico clandestino de FE de las JONS *No importa* (20 de junio de 1936).

El 24 de ese mismo mes (veintidós *días* antes del Alzamiento) insiste en *Circular a todas las Jefaturas territoriales y provinciales*: «Consideren los camaradas hasta qué punto es ofensivo para la Falange el que se le proponga tomar parte como comparsa en un movimiento que no va a conducir a la implantación del Estado nacional sindicalista, al alborear de la inmensa tarea de reconstrucción patria bosquejada en nuestros 27 puntos, sino a reinstaurar una mediocridad burguesa conservadora (de la que España ha conocido tan largas muestras), orlada, para mayor escarnio, con el acompañamiento coreográfico de nuestras camisas azules.»

Al fin, el 29 de junio, sabiendo que sus falangistas, deseosos de actividad en cuanto vaya contra el Gobierno, pueden caer en desobediencia o anarquía, transige en ordenar nuevas instrucciones, *pero poniendo un plazo*.

Desde Madrid, Fernando Primo de Rivera, como jefe «en funciones» las expone a Manuel Hedilla, Mateo, Rodríguez Jimeno y algún otro de probada confianza, para que las transmitan a sus falangistas. Ya se puede pactar con los militares, pero sobre unas bases condicionales:

1.º) El jefe territorial se entenderá directamente con el jefe superior del movimiento militar y no con ninguna otra persona;

2.º) la Falange intervendrá en el movimiento formando sus unidades propias, con mandos naturales y sus distintivos (camisas, emblemas y banderas), etc. «De no ser renovadas por nueva orden expresa, las presentes instrucciones quedarán completamente sin efecto el día 10 del próximo julio a las 12 del día.»

El *17 de julio* se hace público un manifiesto atribuido a José Antonio en el que se incita a todos los españoles a la Revolución Nacional. No es seguro que dicho manifiesto sea de él. Los primeros en dudarlo son los historiadores Manuel Aznar y Ricardo de la Cierva, ambos muy especialmente dedicados a esa etapa de nuestra historia.

En el manifiesto no se habla ni de Falange, ni de nacionalsindicalismo, ni de juventudes, ni casi tiene el estilo de José Antonio, aunque parece como si hubiera querido semejarse.

Por otra parte, ¿por qué un manifiesto *a toda la nación*, sin una nueva circular a sus jefes provinciales y territoriales a los que había dicho que «a partir del 10 de julio quedan sin efecto las instrucciones»?

Y, repito la fecha, del —¿apócrifo?— manifiesto: 17 de julio.

Pero es que —dato poco conocido— *el 16 de julio de 1936 se da la primera orden militar de nuestra guerra civil*: el teniente coronel Juan Bautista Sánchez González (natural de Íllora, Granada) telefonea al comandante Ríos Capapé ordenándole avance secretamente con sus tropas al anochecer, sobre la ciudad de Melilla. *El teniente coronel Juan Bautista Sánchez se hace, personalmente, responsable de todas las consecuencias.*

La guerra la empezó un granadino, dos días antes de aquel en que se cree empezó. (Granada se sublevará dos días después del día en que se cree empezó la guerra.)

Colofón al pensamiento de José Antonio respecto a la sublevación:

1.º) Los manuscritos del jefe nacional de Falange, que publicó Prieto en el periódico mejicano *Mañana* (24 de mayo de 1947), reproducidos por S. G. Payne en *Falange. Historia del Fascismo español*, y por mí en *¿Así fue?* (pp. 267-268), en los

—No sé de qué está usted hablando.

Luis, cabreado, dejó los papeles encima de una mesa y se fue, sin despedirse (78).

En cambio, Pepe ha estado tratando muchas veces asuntos con él e incluso le ha escondido, en momentos de peligro, en el piso que ha alquilado para casarse (calle de San Isidro, 29), en el que tiene ya cuatro o cinco muebles. Es más: si Valdés llega a gobernador civil en cuanto estalla el Movimiento, lo será porque José Rosales así

---

que, ya iniciada la guerra, desde la cárcel de Alicante, José Antonio hace cálculos sobre si gana uno u otro bando, llegando. a la *salida única* de «deposición de las hostilidades y arranque de una época de reconstrucción política y económica nacional, sin persecuciones, sin ánimo de represalias, que hagan de España un país tranquilo, libre y atareado», son considerados, hoy, casi unánimemente, auténticos.

2.º) Personalmente, en noviembre de 1972, sostuve una interesantísima conversación, en Valencia, con Juan Vidal Quilis, quien me relató lo siguiente:

Él no era falangista, pero sí amigo de José Antonio. Por su profesión de viajante de comercio, se trasladaba con frecuencia de Alicante a Barcelona. En Alicante, visitaba en la cárcel a Primo de Rivera, quien le daba instrucciones o encargos para Luys Santa Marina, jefe falangista de Barcelona. Vidal, a quien le importaba un rábano la política, cumplía muy gustoso las comunicaciones, como un favor a su amigo.

El 18 de julio, al atardecer, llegó a Barcelona.

Traía un mensaje urgentísimo de José Antonio para Santa Marina. No le encontró en su casa. Estaba en el canódromo. Y allí fue, rápido, Vidal. Cuando le comunicó el mensaje de José Antonio, Santa Marina se puso hecho una fiera:

—¡¡Eso es mentira!!

El mensaje era: «Que Falange no se una al Alzamiento que preparan los militares.»

—¡Mentira! ¡No puede ser! ¡Eso es mentira!... Tú lo que eres... un cobarde...

Vidal trató de explicarle que a él no «le iba ni venía» nada en este asunto, que se limitaba a cumplimentar lo que le había solicitado su amigo José Antonio.

El diálogo transcurrió tenso. Fueron trasegadas varias, demasiadas, copas. Hubo un momento que Santa Marina y Vidal eran mirados excesiva, intensamente, por elementos que, a las claras, se veía su origen izquierdista.

Vidal propuso a Santa Marina:

—Salgamos.

—¿Por qué? ¿Tienes miedo de *ésos*?

—Vamos fuera.

Consigue sacarlo del canódromo, muy cerca del cuartel de Pedralbes. Allí se tienen que sumar al Alzamiento los de Falange y la CEDA. Vidal lo sabe (los monárquicos y carlistas se han destinado al cuartel de San Andrés).

Y *sale* el machismo español. Vidal, que no es falangista, que «no está metido en el bollo», le dice a Luys Santa Marina:

—Conque ¿yo cobarde, eh?

—Sí, no me creo que sea cierto lo que dices. Lo que pasa es que tienes miedo.

—¡Muy bien! Vayamos los dos al cuartel de Pedralbes. ¡Ahora mismo! Te demostraré si tengo miedo o no.

Y, efectivamente, van allí los dos, les dan a cada cual una guerrera, cartucheras y mosquetón. *Y se sublevan* un par de horas después, a las cuatro de la madrugada.

La columna quedó destrozada en la plaza de Cataluña. Vidal se deshizo de la guerrera, cartucheras y mosquetón y pudo pasar inadvertido entre la multitud.

(78) Se ha dicho y escrito que Valdés tenía ojeriza a Luis Rosales por su propia cobardía en no admitir su participación en los momentos de peligro, antes del Alzamiento. No. Valdés no era un *héroe*, a mi modo de ver, pero tampoco un cobarde. Luis mismo me dio la clave: «Valdés, ahí, hizo lo que tenía que hacer. No me conocía. Él era un conspirador de verdad. Yo no. Me parece lógico.»

lo ha recomendado. Porque *Pepiniqui*, sin ningún cargo importante ni antes, ni en, ni después, del 20 de julio, *antes* es el que pone y dispone. Aunque más tarde se arrepienta.

Pero, *para él*, Valdés (el 16 de agosto, a las diez y media de la noche) es un subordinado.

—¡Vamos allá!

Suben la escalera del Gobierno Civil.

Un teniente coronel de la Guardia Civil les dice que, a esas horas, no pueden ver a Valdés.

—¡Soy José Rosales!

—Ya lo sé.

Pepiniqui recuerda a ese teniente coronel. Era uno de los que el 20 de julio dudaba entre un campo u otro. Pepe le puso la pistola en el pecho preguntándole por cuál se decidía. Se decidió por los que se sublevaban, por los que tenían la pistola que le apuntaba.

Luis dice:

—Tenemos que ver a Valdés.

—Ya he dicho que no se le puede molestar.

—Es importante. Han entrado en mi casa, en casa de unos falangistas, y se han llevado a nuestro huésped. Y lo han traído aquí.

—Haga una declaración oficial.

Y la hace:

«Hoy, dieciséis de agosto de 1936, hacia las cinco de la tarde, se ha presentado un tal Ruiz Alonso en mi casa, calle de Angulo, 1, llevándose detenido, sin que se sepa el motivo, a nuestro huésped el poeta Federico García Lorca...»

Están en una gran sala, y casi cien personas escuchan todo esto. Junto a Luis, Pepe y Cecilio Cirre. Enfrente, el teniente coronel de la Guardia Civil. Luis firma la declaración. Y después exclama:

—¿Por qué un tal Ruiz Alonso tiene que haber ido a detener a nadie en mi casa? ¿Quién es ese tal Ruiz Alonso?

Un joven alto y fuerte se adelanta, y encarándose con Luis, al oír por tercera vez «ese tal», se presenta:

—Ese tal Ruiz Alonso soy yo.

—¿Y cómo se te ha ocurrido semejante desfachatez?

—Lo he hecho bajo mi propia responsabilidad.

—Pero, ¿cómo?

—Bajo mi propia responsabilidad.

—No sabes lo que dices: repítelo.

—Bajo mi propia responsabilidad.

También él ha repetido tres veces su *autorresponsabilidad*.

La situación no puede ser más tensa. Luis está indignado y a

Detalle, ampliado, del mapa publicado por la Excma. Diputación Provincial de Granada en 1973. García Lorca fue asesinado en el camino de Víznar a Alfacar, aproximadamente en la curva que corta la denominación «Canteras».

punto de estallar. Puede cometer una imprudencia. Cecilio Cirre lo comprende y, para evitarla, es él quien agarra a Ruiz Alonso y le zarandea.

—¡Cállate! —le grita Cirre.

—Yo... —balbucea el otro.

—Estás hablando con un superior. Cuádrate y vete.

Pepiniqui no aguanta más. A grandes zancadas, se va al despacho de Valdés. Un guarda, a la puerta, trata de impedir que entre. Lo aparta de un empujón, pega una patada a la puerta y ésta se abre. Entra.

Valdés está acompañado de dos hermanos Jiménez de Parga (79), el policía Julio Romero Funes y el abogado Díaz-Pla, jefe local de Falange. Todos le miran asombrados.

Pepe saca la pistola y la monta. La pone en la sien de Valdés. Le pregunta:

—¿Tú has ordenado a Ruiz Alonso que entre en mi casa a detener a García Lorca?

—*Yo no he mandado a nadie a tu casa.*

No está aterrado. Sigue frío e impasible. Pero dice:

—No seas loco y guarda esa pistola.

—¡Sabes que puedo quitarte el mando!

—Guarda esa pistola.

Lo hace.

—¿Dónde está García Lorca?

—En un despacho en este mismo pasillo. Puedes verle, si quieres, pero tú solo.

Alguien, de entre los que acompañan a Valdés, dice:

—La denuncia contra él es grave: *socialista y agente de Moscú.*

Pepe va a verle. Federico está allí, solo.

—¡*Pepiniqui!*

—Te traigo tabaco —y le entrega un cartón de Camel—, mi madre no se había acordado esta tarde cuando te ha enviado al *Benet.* —Pepe quiere quitarle dramatismo a la circunstancia para tranquilizar a Federico.

—He rezado y he prometido no fumar hasta las 12, para que ganen los militares (80). Además, quiero hacer un donativo para el Movimiento (81).

—Mañana saldrás de aquí.

—¿Seguro, Pepe?; ¿qué quieren hacerme?

Pepe le pellizca cariñosamente la mejilla.

(79) Ver apéndice II: «Los Jiménez de Parga.»
(80 y 81) Según José Rosales Camacho, éstas fueron exactamente sus palabras.

**Federico García Lorca ha muerto, ha sido asesinado.
Sin juicio, atado y por la espalda.
(Última foto conocida del poeta, en Madrid, julio de 1936.)**

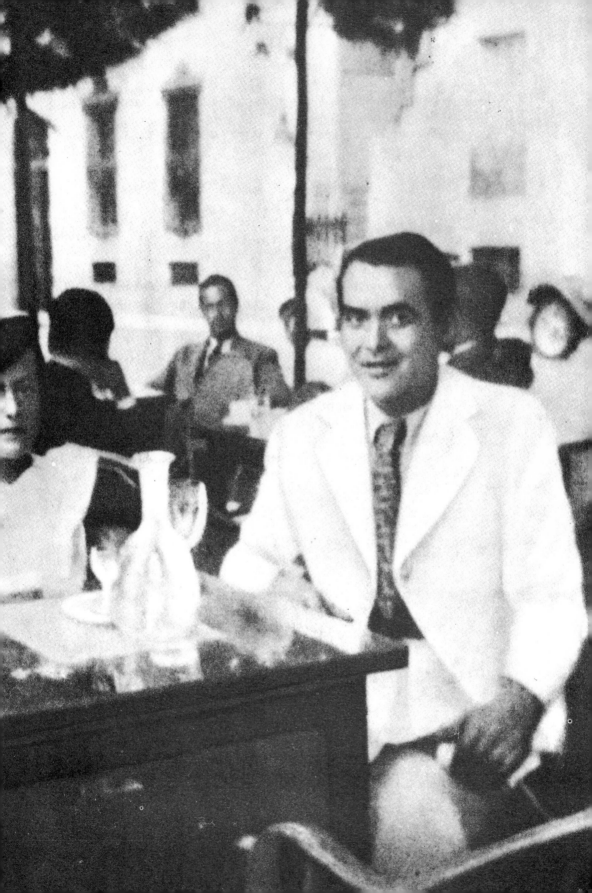

—No te preocupes. Procura dormir. Mañana te saco yo de aquí.

—Sí, ¡por favor, Pepe!

—Hasta mañana. Ten calma.

10. Desaparición

A la mañana siguiente, temprano, Pepe va al Gobierno Militar y el propio gobernador militar, coronel Antonio González Espinosa, *le da una orden de libertad para Federico.*

Normalmente, no se interfieren las decisiones de este tipo entre los gobernadores civil y militar de Granada; pero, naturalmente, la de este último es de superior autoridad a la del otro.

Pepiniqui, contento, se dirige al despacho de Valdés.

Éste le recibe, siempre frío, siempre impasible:

—Lo siento, García Lorca ya no está aquí.

—Pero ¡¿qué dices?!

—Se lo han llevado a Víznar, de madrugada. Ya lo habrán fusilado.

—Peeee... rooo...

—¡Y ahora vamos a ver qué hacemos con tu hermanito!

Pepe sale aterrado. Conoce bien a Valdés. A Federico ya no le puede servir de nada su ayuda. ¡Ahora debe ocuparse de Luis!... Las palabras «Vamos a ver qué hacemos con *tu hermanito*» le repican en la cabeza...

Y, sin embargo, Valdés le ha mentido (82). ¿Por qué? Probablemente porque *no sabe qué hacer con García Lorca.*

Valdés está acostumbrado a hacer *su santa (?) voluntad,* a *tirar por la calle de en medio.* Pero ahora se ha encontrado con que ese *poetastro* le presenta un problema que no se decide a solucionar *a su manera,* él solo.

Unos le han dicho que es un *rojo,* que es socialista, comunista y espía ruso. Otros le han dicho que es una persona importante incluso en el extranjero. Bueno, ¿qué más le da lo extranjero?, ¿qué

---

(82) *Pepiniqui* insiste en que «no podía haberle mentido, *a él,* Valdés». Está convencido de que aquella madrugada, del 16 al 17, se lo llevaron a Víznar y allí le fusilaron, inmediatamente.

Pero las indagaciones efectuadas me indican que, la mañana del 17, Lorca aún estaba en el Gobierno Civil de Granada.

es el extranjero?... ¿la Internacional?... ¿los criminales que ayudan a la anti-España?...

Hasta el maestro Falla ha estado a interesarse por él. Y le era difícil volver allí.

Valdés ya sabe quién es «*el maestro* Falla». Muy católico y muy de derechas, pero siempre viene a interceder por los rojos.

Naturalmente, no le ha recibido. Al pobre viejo le han aconsejado, en el Gobierno Civil, que no insista, que ya no hay nada que hacer y que procure cuidarse él mismo.

Así, Valdés corta cualquier intervención, excepto la que él está esperando. Ha enviado un S.O.S. a Sevilla. En casos como éste, es conveniente atenerse a las soluciones jerárquicas. Es decir: *traspasar la papeleta*; siempre podrá ampararse en el cumplimiento de órdenes. En cualquier caso. Aunque, como en éste, se haya olvidado del gobernador militar de Granada, al que ha acudido *Pepiniqui*.

Por eso ha tenido que mentirle y, de paso, amenazar a Luis. Que, en el fondo, es el responsable de todo este embrollo, por ocultar a García Lorca en su casa. Valdés se entera también de que el 12 ó 13 de agosto ya había ido una patrulla a buscar *a ese poeta* a la Huerta San Vicente (83) y que ha sido la propia familia García quien ha dicho que está en casa de su amigo Luis Rosales.

Los hechos, ahora, se producirán a marcha rápida, como en el cine cómico antiguo, sin que ninguno de los sucesos tenga nada de cómico, sí de antiguo. Las horas parece que sólo tengan diez minutos cada una, aunque los segundos puedan representar diez o veinte años.

Ayer, Franco salió de Sevilla. A esta ciudad llegó el comandante Lisardo Doval. Por la tarde, Valdés habla con Sevilla. Varela, que sigue avanzando en su empeño en despejar la carretera que enlaza Granada con Sevilla, por Antequera-Archidona-Loja, está a punto de entrar en contacto con las fuerzas nacionales granadinas. Parece ser que sus «harcas» de regulares han cometido algunas tropelías al entrar en los pueblos conquistados. A los moros les gustan las mujeres, los relojes y los dientes de oro. Con un «tú estar rojo», juzgan, condenan y ejecutan a quien no se deje quitar la mujer, el reloj o el diente de oro (los dos primeros *objetos* aún son fáciles de quitar sin necesidad de ejecución; el tercero, no). El bilaureado ge-

(83) Esta tercera incursión a Huerta San Vicente —ver notas (21) y (25) de este mismo capítulo— es posible que sí fuese organizada por Ruiz Alonso. Pero no puede asegurarse. Puede ser que no; que, precisamente al enterarse del resultado (confesión de la familia de que Federico está en casa de Rosales), surgiera su idea de ir a detenerlo allí, a Angulo, 1.

Alrededores del lugar donde fue asesinado el poeta.
«Yo canto su elegancia con palabras que gimen
y recuerdo una brisa triste por los olivos.»

Aquí, arriba o abajo, está enterrado el poeta.

Fuente Grande,
donde no llegó
Federico García Lorca.

neral se ha indignado y ha tenido que imponer severas sanciones y ordenar drásticas instrucciones. Pero también le ha causado un deplorable efecto ver cadáveres de no combatientes, con las manos atadas en la espalda, en los bordes de los caminos... «¡Estos canallas rojos!» Después, ha visto otros cadáveres que eran, precisamente de *rojos*. Y los ejecutores no han sido sus regulares. ¿Quién, pues? El pueblo había sido tomado y vuelto a abandonar por avanzadillas de Granada. *¡Esto no puede ser!* Varela quiere poner coto a esas barbaridades y ha decidido hacerlo como sea, y a costa de quien sea. La guerra es una cosa, las *masacres* injustificadas son otra que no debe admitirse. Varela hace la guerra con guantes blancos.

A Luis Rosales, que, pese a no *sentirse* falangista, lleva camisa azul (84), el capitán Manuel Rojas (85) le expulsa de Falange y le arranca el emblema del yugo y las flechas («el cangrejo» como allí le llaman).

Luis comprende. Si han de fusilarle, no debe ser *a un falangista*.

Cecilio Cirre está indignado. Incluso insinúa organizar una nueva sublevación. *Pepiniqui* vuelve a ver a Valdés. Ya no ostenta la seguridad, desenvoltura ni jactancia de antes. Pero disimula porque quiere salvar a su hermano.

—¿Qué quieres? —le pregunta Valdés.

(84) El 22 de octubre de 1971, Luis Rosales, en su domicilio de Madrid, me dijo: «Yo no soy falangista ni lo he sido jamás.»

El 10 de julio de 1973, en el mismo lugar, le expuse:

—Ian Gibson, en la página 76, afirma que usted se había afiliado a Falange poco antes de que se iniciase el Movimiento (no expresa que usted se lo dijera), pero a mí usted me dijo que «nunca había sido falangista». ¿Presupone, esto, que se afilió a Falange, aun «sin espíritu», únicamente por sugerencia de su hermano, por ejemplo? ¿O no se afilió?

—Yo me afilié a Falange, «como todo el mundo» allí en Granada, una vez iniciado el Alzamiento. Antes, como ya te conté —unas veces me trata de *tú* y otras de *usted*—, había hecho alguna gestión de ayuda a Falange y al Alzamiento, porque me lo pidió mi hermano Pepe.

Efectivamente, una vez iniciado el Alzamiento se alistaron tantos jóvenes en Falange que, una nota procedente de Valdés, publicada en *Ideal* el 29 de julio de 1936, advierte: «*La venta de telas azules*. En el Gobierno Civil se ha dispuesto que los comerciantes de tejidos no vendan telas azules, camisas y "monos" del mismo color sin la autorización del mismo Gobierno, lo que ya se hace en algunas tiendas, para evitar que pueda haber confusiones de emblemas de las fuerzas; pero aún hay numerosos establecimientos que no cumplen esta orden y por eso el gobernador quiere recordarla para evitar tener que imponer las sanciones pertinentes, que puedan perjudicar los intereses de los comerciantes.»

Tras esta nota, que casi paralizó la próspera venta de camisas azules, ocurrió un hecho divertido: un camión abierto trasladaba, por las calles de Granada, a unos cuantos voluntarios falangistas cuando, de repente, empezó a llover. Todas las camisas se destiñeron. El azul resbalaba, con el agua, hacia el fondo del camión y, de allí, hacia la calzada.

Poco tiempo después, volvió la «venta libre» de camisas azules, las más utilizadas, a las que algunos llamaban «el salvavidas» y otros *refugium peccatorum*. La *prosperidad* había vuelto a las camiserías.

(85) Ver apéndice II.

—Tú lo sabes.

Valdés «le da la vuelta» al asunto:

—Bueno, si Ruiz Alonso *se ha cargado* a vuestro amigo, llévate a Ruiz Alonso a cualquier camino y pégale cuatro tiros (86).

No se han entendido. Es decir: Valdés no ha querido entender. Porque él ya está tranquilo. Ha hablado con Sevilla. Esta noche saldrá Federico para Víznar. De momento, le dejarán en «la Colonia» hasta nueva orden.

A todos los efectos, «ha desaparecido».

11. «La Colonia»

Al anochecer del 17 de agosto, un automóvil que hace diariamente el «servicio» Víznar-Granada-Víznar se lleva a Federico García Lorca, junto con un banderillero llamado *Galadí.* Ambos van atados. Sus guardianes son tres guardias de asalto —uno de ellos conduce— y Juan Trescastro (87).

El paisaje no puede verse bien, la noche es oscura. Pero tampoco les interesa, todos ya lo conocen.

(86) Testimonio de José Rosales al autor, julio de 1973.

Me añadió: «A veces, siento no haberlo hecho... pero, por otra parte, me alegro y estoy muy tranquilo de no haber matado a nadie.»

(87) Testimonio de J. G., en Granada, noviembre de 1973.

J. G. era guardia de asalto, destinado en Víznar, en «la Colonia». Él no iba en ese automóvil, pero lo vio llegar y reconoció al poeta, por haberle visto varias veces con Fernando de los Ríos, del que (como socialista que había sido J. G.) era gran admirador. Del nombre «del otro» —el banderillero— se enteró al día siguiente.

M. Auclair e Ian Gibson creen que el automóvil lo habría conducido F. G. de la C., ambos —automóvil y conductor— requisados por el Gobierno Civil.

Esta tesis cae por dos flancos: 1.º) No se *requisa*, normalmente, automóvil y conductor al unísono más que en caso de urgencia. O se requisa el automóvil, o se moviliza al dueño, pero por separado. Y aquél no era un caso de urgencia, pues se esperó a desplazarle a Víznar más de veinticuatro horas (según los autores citados, tres días). 2.º) Todos reconocen que Nestares, o enviados de él, pasaban cada noche a recoger, en el Gobierno Civil, los posibles detenidos que Valdés enviaba a Víznar. Esto me hizo suponer que existía un «servicio» organizado. Y, efectivamente, lo hallé. El automóvil era un Buick grande, con banquetas. Casi seguro requisado. Muchas veces se le veía, durante el día, parado en la plaza de Víznar, ante el palacio del Arzobispo.

Por otra parte, Lorenzo Ruiz de Peralta, escritor y persona muy conocida en Granada, le dijo a José Rosales que *él iba en el coche que llevó a Federico a Víznar y que intentó evitar el fusilamiento; que algún día le dará los detalles.* Pero no se los ha dado.

Por cuanto me expresan varias personas, las historias de Lorenzo Ruiz de Peralta no son muy dignas de crédito.

Y a Federico no iban a fusilarle el mismo día de su trasaldo a Víznar.

Llegados a Víznar, paran un momento en la plaza y un guardia sube unos papeles al palacio del Arzobispo. Baja en seguida. Vuelve a montar en el Buick y, en seguida, cruzada la plaza, encuentran un camino más estrecho. A poco trecho, para otra vez el coche. Bajan todos. A la izquierda, un sendero desciende en suave pendiente. Lo siguen. Al final una villa, que es muy bonita, pero que los dos que no la conocen (Lorca y *Galadí*) no pueden ver bien, porque sólo la ilumina una débil bombilla sobre la puerta.

Es «la Colonia». Oyen el susurro del agua de la acequia. Entran. Se cierra la puerta. Se cierra el alma. Se cierra la esperanza. Se cierra todo.

El día 18 el general Varela ocupa Loja. Las fuerzas de Granada, mandadas por el coronel Muñoz Jiménez, que el día anterior han ocupado Huétor-Tájar, establecen contacto con las de Varela en el lugar llamado «Venta del Pulgar».

Los tres presos de «la Colonia» también oyen tiros. Sí, son tres: Lorca, *Galadí* y otro banderillero que ya se hallaba allí al llegar los dos nuevos. En «la Colonia» no hay muchos huéspedes ni se está mucho tiempo. Es un sitio *de paso* (88).

Los tiros que oyen son lejanos, pero retumban por el eco de la sierra.

Las fuerzas de Falange que hay en Víznar han atacado en Cogollos a unos grupos de rojos procedentes de Iznalloz y Delfontes. Los hicieron huir a la desbandada y les ocuparon cinco mulos y algún material de guerra.

Hoy, día 18, en el cerro de los Pollos, más allá de la casa del señor Izquierdo, estas fuerzas de Víznar han rescatado cerca de trescientas cabezas de ganado que tenían en su poder los

(88) Dice J. G.: «Yo estaba en "la Colonia" donde vigilábamos a los presos que traían allá. Estaban poco: tres, cuatro o cinco días. A veces sólo horas: los dejaban allí mientras el jefe que los traía iba a hablar con el capitán Nestares. Luego, al amanecer, se los llevaban hacia Fuente Grande. Yo los acompañé varias veces. Al principio los fusilábamos en el muro del barranco y luego los llevábamos hacia arriba, donde ahora están los pinos, y allí los enterrábamos nosotros mismos. Sí, era muy pesado. Por eso, en seguida se cambió la táctica. Los sacábamos de «la Colonia», siempre en grupos de dos o tres, nunca más de cinco, y les hacíamos andar hacia Fuente Grande. Nosotros íbamos detrás, apuntando con los fusiles ya montados. En un momento dado, durante el "paseo", el jefe hacía una seña y disparábamos. Luego se les daba el tiro de gracia. Dejábamos los cadáveres al borde del camino. Más tarde los enterraban otros.»

«Benavente, los Quintero, Muñoz Seca, Zuloaga y hasta el pobre Zamora asesinados por los rojos (...) Es decir, que esa canalla no pensaba dejar a ninguna persona que sobresaliese en cualquier actividad» (Queipo de Llano en su charla nocturna del 20 de agosto de 1936).

rojos. El ganado procedía del cortijo de Linillos. Los marxistas han tenido, además, dos muertos (89).

Pasa la noche del 18, sin que ese día hayan ocurrido otras novedades importantes.

12. El asesinato

Ideal, el miércoles 19, publica:

Falange Española de las JONS.
Suscripción «ORO para la Patria».
Con este destino hemos recibido los siguientes donativos:
... don Miguel Rosales Vallecillos y señora: una cadena con dos broches, una cadena de señora con broche, tres pares de pendientes, dos relojes de señora, un reloj de caballero con su cadena, tres alfileres de pecho y corbata, unas gafas, una cruz, dos pulseras, un anillo, dos sortijas y diez monedas de oro de diversos tamaños.

También se dice que mañana, por la mañana, llegará el general Varela a Granada. Valdés decide dejar *limpia* «la Colonia». Esta tarde ha vuelto a hablar con Sevilla. Por la noche el Buick llega muy tarde, ya madrugada. Se lleva a Dióspoto Galindo González, maestro de Pulianas («todos los maestros son rojos», comenta Valdés) y a su hijo (¿los hijos de los rojos también son rojos?). Dióspoto es cojo y, como va atado, tienen que ayudarle, casi alzarle para subirlo al coche. Le ha detenido un policía con el que tenía enemistad. Y el hijo, al intentar defenderle, ha sido *invitado* a acompañarle. Este policía (90) se acomoda con ellos, y los guardias de asalto en el automóvil. El Buick toma el camino de Víznar. Si los motores de explosión de cuatro tiempos acoplados a un cigüeñal, en vez de quemar gasolina utilizasen sangre, este automóvil podría ir solo a su

---

(89) *Ideal*, miércoles 19 de agosto de 1936 («recibido por teléfono el 18»).

(90) Llamémosle X. X. Mucho más tarde, le echaron del servicio por dar una paliza a un soldado de aviación que resultó ser sobrino de un ministro. Hoy vive y tiene una tienda, en Granada, en la calle de la Tinajilla. Éste fue el que se pavoneó, entonces, en el bar Sevilla, bebiendo el vaso de vino y plomo, de haber dado el tiro de gracia a García Lorca, mientras otro —Juan Trescastro— lo hacía en el bar Pasaje.

160

destino, sin nadie que lo condujese, en una *caña*, como los caballos. Pero este automóvil no utiliza sangre, sólo la proporciona.

Al llegar a la plaza —la iglesia, el palacio del Arzobispo Moscoso y la fuente central—, el pueblo está dormido: hoy no hay rosario de la aurora.

Se detiene el Buick y baja el policía. Los demás esperan allí varias horas. Cuando el policía retorna del cuartel general de Nestares, baja acompañado de Juan Trescastro, que se une a la comitiva. Él no lleva mosquetón pero sí pistola (91). Ya casi empiezan a despertarse los primeros rayos de sol del día 20 de agosto de 1936. «Hoy, a las 10.30 de la mañana, llegará a Granada el general Varela», están componiendo los linotipistas del diario *Ideal*. El gallo aún no canta en Víznar. El Buick sigue por el camino estrecho, hasta la altura de «la Colonia», que queda, a la izquierda, semioculta. Allí para. Pero no descienden por el sendero que lleva a la villa. Se quedan ante el automóvil. Pronto, allí mismo, se les reúnen otros tres hombres atados —un poeta y dos banderilleros— y más guardias.

Los cinco desarmados caminan delante. Los demás apuntan. Avanzan...

> *Aquel camino*
> *sin gente...*
> *Aquel camino.*
>
> *Aquel grillo*
> *sin hogar...*
> *Aquel grillo.*
>
> *Y esta esquila*
> *que se duerme...*
> *Esta esquila* (92).

(91) Trescastro ya murió, pero según me han asegurado diversas personas en Granada, nunca ocultó su participación en los hechos, tanto en la detención como en la ejecución de Lorca. Incluso «la adornaba» con detalles de pésimo humor.

GIBSON, con el que difiero en otras de sus hipótesis o *sus* resultados de investigación, dice en *La represión...*, pp. 104-105: «Juan Luis Trescastro, sin embargo, hablaba sin reserva de su participación en la detención de Lorca. Admitía que en su coche habían llevado al poeta de la calle de Angulo al Gobierno Civil, y que él iba al volante, pero sostenía al mismo tiempo que fue Ruiz Alonso y no él quien había hecho la denuncia contra el poeta y quien dijo a Valdés dónde se hallaba Federico (según Trescastro, Alonso dijo al gobernador que Lorca "tenía una emisora en la Huerta y era un enlace directo con Rusia"). Además, Trescastro se jactaba de haber tomado parte en el asesinato del poeta. Una mañana (debió de ser hacia el 19 ó 20 de agosto), Ángel Saldaña, un concejal independiente de Granada, estaba sentado en el bar Pasaje (más conocido por "La Pajarera"), cuando Trescastro entró y dijo en voz alta a los reunidos: "Venimos de matar a Federico García Lorca. Yo le metí un tiro en el culo por maricón."»

(92) F. G. L., de *NOCHE, suite para piano y voz emocionada.*

Avanzan hacia Fuente Grande. «Ainadamar», en árabe: *fuente de las lágrimas.*

En el silencio de la noche, sólo se oyen los pasos de la muerte y la vida del agua que circula insensata, alegre, por riachuelos y acequias.

> *Y la canción del agua*
> *es una cosa eterna.*
>
> *Es la savia entrañable*
> *que madura los campos.*
> *Es sangre de poetas*
> *que dejaron sus almas*
> *perderse en los senderos*
> *de la Naturaleza* (93).

Los olivos, junto al camino, vierten una sombra casi inexistente en la poca luz del momento. La brisa del amanecer los mueve tristemente.

> *¿Conocerán vuestras raíces toscas*
> *mi corazón en tierra?* (94).

Sí.

Al llegar a una curva, rebasada ésta, los cinco hombres atados pasan sobre un puentecillo que atraviesa un barranco. El jefe de la patrulla da la señal.

Algunos vecinos de Víznar se despiertan al oír los tiros. El gallo canta. Ya es hora de empezar las faenas del campo.

Federico García Lorca no ha llegado a Fuente Grande. Pero está cerca.

> *Mi corazón reposa junto a la fuente fría.*
> *(Llénala con tus hilos,*
> *araña del olvido)* (95).

Federico García Lorca ha muerto, ha sido asesinado. Sin juicio, atado y por la espalda. Junto a un maestro cojo y su hijo. Y junto

---

(93) F. G. L., *Mañana*, en *Libro de poemas*, 7 de agosto de 1918.
(94) F. G. L., *Árboles*, en *Libro de poemas*, 1919.
(95) F. G. L., *Sueño*, en *Libro de poemas*, mayo de 1919.

a dos toreros de poca categoría. Él había escrito para un torero insigne:

> *Tardará mucho tiempo en nacer, si es que nace,*
> *un andaluz tan claro, tan rico de aventura.*
> *Yo canto su elegancia con palabras que gimen*
> *y recuerdo una brisa triste por los olivos* (96).

Él es, ahora, recipiendario de sus propios versos. Los hombres armados se aseguran de que sus cinco presas ya no tienen vida. Cuelgan al hombro sus mosquetones, enfundan sus pistolas, y regresan al pueblo.

13. Funerales

Extractado de *Ideal*, 20 de agosto de 1936:

La charla del señor Ruiz Alonso está dirigida al proletario español. *Proletario español, escucha* se titula:

Tú, que guardas desde niño un ideal en el fondo de tu alma y estás dispuesto a morir por él.

. . . .

Proletario español, proletario amigo, proletario hermano que me escuchas (...) grita conmigo hasta enronquecer:
Yo os acuso.

. . . .

¡Álzate contra ellos!
Tus *leaders* son hipócritas porque te engañaron.

. . . .

Tus *leaders* son criminales y bandidos.

. . . .

---

(96) F. G. L., *Llanto por Ignacio Sánchez Mejías.*

Tus *leaders* son un aborto de la Humanidad. No hay. No puede haber madre española que sea capaz de parir esos monstruos que han hecho del crimen un sistema de lucha y del asesinato un sistema de vida.

¡No atacan más que por la espalda!

. . . .

Tú, que siempre gustaste se te hablase en lenguaje desnudo y crudo: Escucha:

El acero de las espadas es duro y está reciamente templado.

Las gargantas de los traidores serán ahogadas en su misma sangre.

¡¡¡Pide paso la nueva España!!!

El mismo 20, por la noche, en su charla diaria (97) el general Queipo de Llano dice: «Benavente, los Quintero, Muñoz Seca, Zuloaga y hasta el pobre Zamora asesinados por los rojos (...) Es decir, que esa canalla no pensaba dejar a ninguna persona que sobresaliese en cualquier actividad (...)»

Pero, sin negar —¡ni mucho menos!— ni atenuar que en la zona republicana hubiese también «grandes cementerios bajo la luna», da la casualidad que, de todos esos nombres que cita Queipo, sólo Muñoz Seca será asesinado. ¡Y lo será el 28 de noviembre de 1936, es decir: más de tres meses después de que él lo anuncie!... ¿No es esta *cortina de humo* una especie de funerales por García Lorca? (98).

Ideal, del jueves 20 (refiriéndose al 19, naturalmente): «Boletín del día: día de calma nacional.»

Ideal, del viernes 21: «El general Varela no pudo venir ayer a Granada por tener que ir a Sevilla.» Si es posible que la muerte de Lorca (*la limpieza* de «la Colonia») se hubiera adelantado por la llegada de Varela, dispuesto a poner coto a las arbitrariedades, este «suelto» del diario es el último cirio en los funerales de Federico.

---

(97) Publicada en *Ideal*, 21 de agosto de 1936.
(98) Es mucha casualidad la coincidencia de fechas y alegatos. ¿Temía Queipo que se propagase demasiado pronto la muerte de Lorca y, así, *equilibrar* la sangrienta balanza?

V. Paralelismos con otros sucesos en nuestra guerra civil

1. Las razones

La apasionante historia de nuestra guerra civil 1936-1939 se va, al fin, poniendo en claro gracias a unos pocos historiadores e investigadores ecuánimes, entre los que ya —después de muchos años de poder consultar sólo extranjeros— tenemos nombres españoles, como Carlos Seco, Ricardo de la Cierva, Ramón y Jesús Salas Larrazábal, J. M. Martínez Bande, Maximiano García Venero, Guillermo Cabanellas (aunque éste reside en la Argentina), Manuel Aznar (en su época posterior a los años cuarenta), J. L. Alcofar Nassaes, etc. Así, observadas las situaciones en un plano no triunfalista, sino meramente comparativo, creo que pueden establecerse *tres paralelismos* al asesinato de García Lorca, por tres razones totalmente distintas:

a) Por la ocultación y tergiversación tenaces de la noticia: GUERNICA.

b) Por la absurda inutilidad del crimen que, en ambos casos, no responde a los motivos que más tarde se indicarían: LUIS MOSCARDÓ.

c) Por el hecho en sí: ASESINATOS DE INTELECTUALES NACIONALISTAS.

2. Guernica

Hoy no cabe ya la menor duda de que Guernica fue destruida por la aviación militar nacional. Que fuera la Legión Cóndor o no, carece de importancia, pues, como es lógico en una guerra, la Legión Cóndor, a pesar de utilizar uniformes alemanes, tenía que obedecer los planes estratégicos o tácticos de las jerarquías del sector, que eran españolas.

Aparte de ello, está demostrado que Guernica era un objetivo militar clarísimo (cruce de carreteras, compañías en repliegue, fábrica de armas y baterías antiaéreas).

La absurda posición de la propaganda nacional negando la evidencia (aún hoy persiste en algunos sectores la teoría de «tierra quemada y dinamitada en la huida») ofrece una identificación total con la que se sostuvo durante años con respecto al asesinato de García Lorca.

3. Luis Moscardó

El hijo del entonces coronel Moscardó habló, ciertamente, por teléfono con su padre, sitiado en el Alcázar de Toledo. Tampoco cabe la menor duda de que el jefe de milicias republicanas, Cándido Cabello, le dijo al coronel que si no se rendía mataría a su hijo Luis. Y el coronel no se rindió.

Pero aquí viene el paralelismo: Luis no fue fusilado en el acto (23 de julio de 1936), sino que se le encarceló. Un mes después, el 23 de agosto, como consecuencia de un bombardeo, las milicias se llevaron a más de cuarenta detenidos —¡las terribles e innobles represalias!—, los cuales fueron fusilados. Entre ellos estaba Luis Moscardó, el hijo del defensor del Alcázar.

Es tan absurda esta muerte como la de Lorca y como la de cualquier otro de los miles de inocentes que cayeron sin justificación alguna.

Pero también es absurdo que se haya organizado la aureola de Luis Moscardó como *contestación a la negativa de Moscardó a rendirse*, cuando fue asesinado a los treinta días. Tan absurdo como la bandera lorquiana de «defensor del pueblo».

4. Asesinatos de intelectuales nacionalistas

Respecto al paralelismo con otros muchos intelectuales asesinados en la zona gubernamental, éste es patentísimo.

Ricardo de la Cierva me dijo una vez, refiriéndose a unos capítulos en los que yo elogiaba las figuras del catedrático y gran político socialista Julián Besteiro y del poeta Miguel Hernández (muertos en cárceles nacionales en 1940 y 1942, respectivamente) que cuando se escribe el panegírico de estas indiscutibles personalidades de la izquierda, debería presentarse la contrapartida de, por ejemplo, Ramiro de Maeztu y Víctor Pradera. Yo, entonces, estaba sólo *a medias* de acuerdo con él, porque durante durante muchos años, en España, las figuras mártires de la derecha habían sido repetidamente exaltadas sin contrapartida alguna. Pero hay que reconocer que últimamente —quizá por un fenómeno físico de reacción— éstas cada vez van siendo más olvidadas. Ahora, también por reacción —mía— estoy más de acuerdo con La Cierva.

Sin embargo, ateniéndonos a la exclusiva calidad de intelectualidad literaria y, como es lógico, prescindiendo de aquellos que desarrollaron su actividad principalmente en el campo político —Calvo Sotelo, Maeztu, Pradera, Primo de Rivera, etc.—, veremos en seguida que *no ha quedado* ningún nombre mártir a nivel del de García Lorca.

En el opúsculo *Escritores asesinados por los rojos*, de José Sanz y Díaz (1) encontramos la siguiente lista:

Adán (Joaquín)
Albiñana Sanz (José María)
Alcocer Martínez (Rafael)
Alonso Bedriñana (Rosendo)
Álvarez (Melquiades)
Álvarez Herrero (Carlos)
Álvarez Lara (León Carlos)

Allueva (Luis)
Arias González (José)
Argibay Rollán (José)
Arjona Medina (Pedro)
Asenjo Alonso (José)
Ayala Pastor (Joaquín María)

(1) *Temas Españoles*, núm. 47, Publicaciones Españolas, Madrid, 1958.

Arde Guernica.

**León, mayo de 1939.
Fuerzas de la Legión Cóndor
desfilan frente a Franco antes
de su embarque con destino
a Alemania.**

«Guernica.»

El jefe del Estado Mayor de la Legión Cóndor durante la operación contra Guernica, Von Richthofen, imponiendo diversas condecoraciones a sus hombres.

Picasso en su taller durante la realización de «Guernica» con destino a la Exposición Internacional de París de 1937.

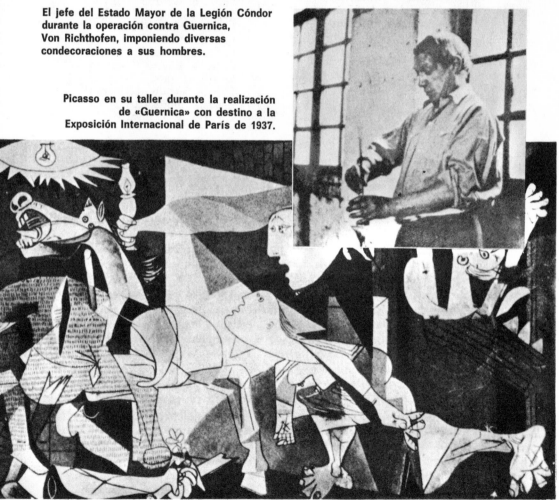

Balibreo Balaín (Ernesto)
Barberá Colomina (Antonio)
Barceló Toro (Antonio)
Baró Bonet (José)
Baró Bonet (Miguel)
Bastos Anxart (Antonio)
Batalla Catá (Martín)
Béjar Martínez (Antonio)
Bermúdez Cañete (Antonio)
Blanco y Pérez del Camino (Julián)
Blanco y Sánchez (Rufino)
Boquera (Juan)
Bueno (Manuel)

Calamita Ruy-Wamba (Luis)
Calvo Sotelo (José)
Campos (Juan Bautista)
Capablo Trillo (Marcelino)
Capdevila (Tomás)
Capó Medina (Guillermo)
Carmona (Alfredo)
Carrasco Moreno (Manuel)
Carrascosa Molero de la Fuente (Emilio)
Castell Giménez (Fernando)
Centelles Colomb (Fidel)
Corbí Cerdá (José)
Cordavias Sorrosal (Luis)
Cos Serrano (José)
Coso Langa (Conceso)
Crespo Pastor (Ángel)
Cruella Aragonés (Luis de)
Cuartero Montero (José)
Cura (Juan del)

Dapena Ezcurra (Manuel)
Delgado Barreto (Manuel)
Domingo Soler (José María)
Duque Berzal (Julio)

Escobar Espadero (Luis)
Espinosa de los Monteros (Enrique)
Estévez Ortega (Enrique)
Estrem Fa (Salvador)

Farfán de los Godos (Carlos)
Felíu Rubio (Aurelio)
Fernández González (Santos)
Ferré Guasch (Salvador)
Fientosa (Francisco de)

Galvache Guijarro (Miguel)
Gamboa y Toledano (Andrés de)
Gandullo León (Juan)
García-Ceballos Teresí (José)

García Villada (Zacarías)
Gayla Grau (Tomás)
Giménez Giménez (Emilio)
Gómez Martorell (José)
Gómez de la Serna (José)
González Marín (Sabas)
González Wea (Manuel)
Goñi (Francisco)
Gracia Barreda (Alfredo)
Guasch Jiménez (Ricardo)
Guillia Mercet (Fernando)

Heredero Ruiz (Diego)
Hernández Laredo (Luis)
Hernández Loro (Andrés)

Juncosa Villanova (Manuel)

Laborda García (Ramón)
Lafuente Wanrell (Lorenzo)
Lago Maslloréns (Carlos)
Laguía Lliteras (Juan)
Latorre Martínez (Gonzalo)
Langucha Casares (Eduardo)
Ledesma Ramos (Ramiro)
León y Donaire (Miguel)
León y Serralbo (Eduardo)
López Campúa (José)
López Núñez (Álvaro)

Llorea Montesinos (Joaquín)
Llorente Monleón (Teodoro)

Maestro Pérez (Jaime)
Maeztu (Ramiro de)
Martín de Argenta (Jesús)
Martín Sanalot (Atilano)
Martínez (Isidro Juan)
Martínez Conejero (Miguel)
Martínez García (Francisco)
Martínez Morán (Fernando)
Martínez Vega (Felipe)
Maura y Gamazo (Honorio)
Mensaya Aceituno (Justo)
Millán González (José)
Miralles (Alfredo)
Monrová Martorell (Juan)
Morante Chic (José María)
Moreno Hidalgo (Antonio)
Muñoz Seca (Pedro)
Mur Brull (Enrique)
Murga Llopis (Fernando)

Niubé Casanellas (Jaime)
Noblejas Higueras (Manuel)

El Alcázar de Toledo, una gesta controvertida.

«Lo cierto es que en los momentos
primeros de la revolución
en Granada ese escritor
murió mezclado con los
revoltosos; son los accidentes
naturales de la guerra»
(Franco a propósito de Lorca).

Olarrieta Crespo (Germán)
Orbón (Julián)
Ortiz Tello (Francisco J.)
Orsila Pons (Antonio)

Pagés García (José María)
Palmeiro Abril (Julio)
Paula Barrera (Francisco)
Paula Medrano (Francisco)
Pérez Adrián (José)
Pérez Márquez (Fructuoso)
Piedrahíta Ruiz (Manuel)
Piñol Aguiló (Luis)
Polo Benito (José)
Porras Romero (Manuel)
Pozo Millas (Zacarías del)
Pradera (Víctor)
Primo de Rivera y Sáenz de Heredia
    (José Antonio)
Puig Estapé (Pedro)

Quadra Salcedo (Fernando de la)

Ramis de Silva (Rafael)
Rayo Pérez (David)
Recio Rodero (José)
Redondo Ortega (Onésimo)
Requejo San Román (Jesús)
Revuelta Escribano (Teodoro)
Rico Ariza (Estanislao)
Roca Domingo (Estanislao)
Rodríguez Santamaría (Alfonso)
Ruiz Cano (Bernardo)
Ruiz Pérez (Miguel)
Ruiz Rosell (Enrique)

Sáenz de Barés (Pedro)
Salazar Alonso (Rafael)

Salazar Ruiz (Jesús)
Salmón Amorín (Federico)
San Germán Ocaña (José)
Sánchez Barba (Pedro)
Sandulay Seserón (Antonio)
Santander Ruiz-Giménez (Federico)
Sierra Quesada (Ezequiel)
Sintes Roger (Pedro)
Solache Santamaría (Agustín)
Solé Montardit (José)
Soro Macabich (Juan)
Suárez Bravo (Francisco)
Suárez Cifuentes (Víctor)

Tavó de Casas (Vicente)
Tejero Medina (Mariano)
Torró Sansalvador (Antonio)
Traversi de Rebolledo (Andrés María)
Tuset Arbonés (Juan)

Urbano Lanaspa (Luis)
Urquijo y M. de Aguirre (Fernando)

Valdés (Francisco)
Valle (Gregorio del)
Vázquez Fernández (Nicolás)
Vega Ceide (Francisco)
Velasco Pacheco de Padilla (Rafael)
Vilela Gárate (Arcadio)
Vilatimó Costa (Miguel)
Villaverde Pando (Francisco)
Vinardell Palau (Santiago)

Ximénez de Couder (Victoriano)

Zarco Cuevas (Julián) (2)

Menos exhaustiva es la que el propio Franco cita al periodista mejicano Ricardo Sáenz Hayes (durante la entrevista que le concedió en 1937) como respuesta a su pregunta:

—¿Han fusilado ustedes a escritores de fama mundial?
—Se ha hablado mucho en el extranjero de un escritor granadino, el vuelo de cuya fama no puedo yo medir hasta qué fronteras hubiera llegado; se ha hablado mucho porque los rojos han agitado este nombre como un señuelo de propaganda. Lo cierto es que en los momentos primeros de la revo-

(2) Encuentro algún error en esta lista, como, por ejemplo denominar Tavó de Casas a don Vicente Davó de Casas, lo cual, incluso hace cambiar el orden alfabético. Por lo cual es probable que haya algunos otros.

lución en Granada, ese escritor murió mezclado con los revoltosos; son los accidentes naturales de la guerra. Granada estuvo sitiada durante muchos días y la locura de las autoridades republicanas, repartiendo armas a la gente, dio lugar a chispazos en el interior, en alguno de los cuales perdió la vida el poeta granadino.

»Como poeta, su pérdida ha sido lamentable y la propaganda roja ha hecho pendón de este accidente, explotando la sensibilidad del mundo intelectual; en cambio, esa gente no habla de cómo fueron asesinados fríamente, con saña que pone espanto en el ánimo más templado, don José Calvo Sotelo, don Víctor Pradera, don José Polo Benito, el duque de Canalejas, don Honorio Maura, don Francisco Valdés, don Rufino Blanco, don Manuel Bueno, don José María Albiñana, don Ramiro de Maeztu, don Pedro Muñoz Seca, don Pedro Mourlane Michelena, don Antonio Bermúdez Cañete, don Rafael Salazar Alonso, don Alfonso Rodríguez Santamaría (presidente de la Asociación de la Prensa), don Melquiades Álvarez, don Enrique Estévez Ortega, don Federico Salmón, el padre Zacarías G. Villada, don Fernando de la Quadra Salcedo, don Gregorio de Balparda y tantos otros cuya lista haría interminable esta contestación (3).

Según el diario *La Prensa* (Méjico, 26-11-37), a esta declaración, Franco había añadido: «Queda dicho que no hemos fusilado a ningún poeta.»

Analizando cada uno de los nombres mencionados por el actual Jefe del Estado español (que da por muerto, erróneamente, a Pedro Mourlane Michelena, fallecido en 1955), es fácil observar que, por muy importante e irreemplazable que sea cada una de esas vidas sacrificadas —también estúpidamente—, mi tesis sobre calidad literaria *que haya quedado* (a excepción de los escritores políticos) es totalmente válida.

Actualmente, sólo se recuerda a Muñoz Seca (4).

Debe tenerse en cuenta que el Premio Nobel don Jacinto Benavente, imagen perfecta del *bon vivant* de derechas (excepto en la no ocultación de sus propias debilidades), tanto en su vida como en su obra, vivió toda la guerra en zona izquierdista sin que fuese molestado.

---

(3) *Palabras del Caudillo*, Editora Nacional, Madrid, 1943.
(4) Repito, desde el punto de vista apolítico, meramente literario y a nivel nacional.

Y viceversa, el paradójico Unamuno, rector de la Universidad de Salamanca que, en principio, aplaudió el Alzamiento (siendo por ello desposeído de su cargo en la *Gaceta de Madrid*), el 12 de octubre de 1936, indignado por diversos hechos y frases de los nacionales, se revolvió públicamente contra el general Millán Astray. Su frase fue: «Venceréis, pero no convenceréis.» Es conocida la anécdota. Posiblemente salvó, en aquel momento, su vida, gracias al brazo que le ofreció doña Carmen Polo de Franco. Y fue —también por el Gobierno Nacional— destituido de su cátedra, *a petición de sus compañeros*. Moriría el día de fin de ese año. ¿De vejez?, ¿de melancolía?, ¿de asco?... Pero no fue sancionado por la autoridad.

Retornemos al comienzo: paralelismo hubo. No podemos utilizar ni un balance (debe-haber) ni una balanza (por ejemplo, en actuales derechos de autor). Sería absurdo. Reconozcamos que, desgraciadamente para todos, paralelismo hubo.

VI. Algunos personajes mencionados en el relato

1. Ramón Ruiz Alonso se considera injuriado

El 4 de octubre de 1972 recibí en mi domicilio una cédula en la que el Juzgado Municipal n.º 11 de Barcelona me citaba para las 10 de la mañana del próximo día 11. Iba acompañada de una copia del escrito en que el procurador de los Tribunales don Leopoldo Rodés Durall expresaba el deseo de un acto de conciliación previo a presentación de querella criminal —en nombre de don Ramón Ruiz Alonso contra mí— por injurias graves y calumnia.

La demanda se basaba, no en mi libro *¿Así fue? Enigmas de la guerra civil española* (editado en Barcelona por Ediciones Nauta, S. A.), sino en el capítulo «¿Quién mató a Federico García Lorca?» que, más tarde, reprodujo —naturalmente con completo consentimiento de la editorial y mío— *Sábado Gráfico*, que se publica en Madrid.

Indudablemente, *Sábado Gráfico* difundió muchísimos más ejemplares que los que se editaron del libro completo, pero era inconcebible pensar que el señor Ruiz Alonso no conociera mi obra, puesta a la venta en mayo y que desde junio hasta octubre estuvo calificada por el Instituto Nacional del Libro Español entre las diez más vendidas en España, con los grandes *best-sellers* de la época: *El Padrino, Oh, Jerusalén, Chacal, Pregúntale a Alicia, Otra Historia de España, Mujeres españolas*, etc. Además, tanto las numerosas críticas que se publicaron como la propaganda de la editorial insistían en destacar el capítulo de García Lorca como uno de los principales. Efectivamente, era la primera vez que en España, escrita por un español, se publicaba tan neutralmente una síntesis del desgraciado asunto.

Pero aún hay más. Sé, porque me lo ha explicado él, que mi buen amigo Tomás Hernández, entonces redactor-jefe del *Diario de Barcelona*, llamó telefónicamente a Ruiz Alonso, a quien conocía de vista —de los años 36 ó 37 en Salamanca— preguntándole su opinión. Eran los primeros días de junio y Ruiz Alonso realmente aún no conocía el libro, recién salido. Le dijo a Hernández:

—¿Y cita mi nombre y apellidos?

—Sí —contestó el periodista.

—Envíemelo como sea.

—Mire usted, el libro pesa un kilo. Lo puede encontrar ahí, en Madrid, en cualquier librería.

—Ahora mismo mando a buscarlo.

¿Por qué, pues, esperó hasta septiembre para pedir mi citación, basándose no en el libro, sino en la reproducción del artículo en *Sábado Gráfico*, de 22 de julio de 1971?

Su abogado era don José M.ª Gil Robles.

Naturalmente, me negué a retirar una sola línea de lo publicado, aunque expuse al juez que no era mi intención injuriar ni calumniar, sino meramente relatar hechos históricos.

El acto se dio por no avenido.

Pasaron tranquilamente los plazos legales, sin que ni Ruiz Alonso ni su abogado interpusiesen la amenazadora querella criminal. Es decir: se retiraron. Gané por abandono.

No conozco personalmente a Ruiz Alonso más que a través del hilo telefónico. Cuantas veces he intentado verle, se ha negado rotundamente a recibirme.

A este respecto, debo reseñar que a Marcelle Auclair le sucedió exactamente lo mismo que a mí, pese a que incluso se hizo pedir audiencia por Natalia Figueroa, hoy esposa del cantante Raphael, y una de las personalidades destacadas del Madrid aristocrático e intelectual.

Sin embargo, a Ian Gibson sí le recibió Ruiz Alonso. No entiendo cómo pudo arreglárselas el escritor irlandés, pero es así.

De todas formas, para lo que le explicó no valía la pena tan inútil pérdida de tiempo. Su discurso es una sarta incongruente de disparates, disculpas y mentiras que hacen palidecer o sonrojar al lector. Sencillamente, se hace pasar casi como el protector o el «hada madrina» de García Lorca cuando le ordenan ir a detener a

Federico... «¡que esté en gloria!, ¡que esté en gloria!» (palabras del ex diputado cedista).

Termina diciendo: «Como católico, como ser humano, tengo que condenar y reprochar lo que con este hombre se hizo. Por católico y por humano, reprobarlo con toda mi alma, porque para mí no hay ni rojos ni blancos en este orden moral. La vida de un hombre, para mí, vale tanto la de un rojo como la de un amarillo, o como la de un verde o como la de un azul. Todos somos seres humanos hechos a imagen y semejanza de Dios, y el alma del señor García Lorca, por lo menos, en el peor de los casos, puede valer exactamente lo que la mía, en el peor de los casos. Posiblemente, a lo mejor, puede valer más.» Ian Gibson lo tiene grabado en cinta magnetofónica.

Estas palabras no coinciden exactamente con las que dijo en 1936, cuando con otros compañeros cogieron a unos republicanos que, creyendo por sus periódicos que Granada había caído en poder de su Gobierno, entraron, despreocupadamente, en un automóvil. Tampoco debían de ser unos angelitos ya que, en el coche, se encontró un paquete con unos pechos de mujer cortados.

Ruiz Alonso explicó:

—A uno de ellos le he pegado un tiro detrás de la oreja. Luego me he ido a comulgar con la mayor tranquilidad de conciencia.

Tengo testigos de sus palabras, no de los hechos (ni del tiro ni de la comunión).

La última vez que hablé con él, por teléfono, fue el 27 de septiembre de 1973.

Previamente, le había pedido cita desde Barcelona. Me la dio, por fin, tal fecha, diciéndome le llamase antes de las nueve y media. Me trasladé a Madrid y así lo hice.

La conversación fue la siguiente:

—¿Don Ramón Ruiz Alonso?

—Servidor de usted.

—Soy Vila-San-Juan.

—¡Ah! Vila-San-Juan...

—Buenos días, ¿cómo está usted?

—Buenos días... Mire, esa conversación que quiere tener conmigo, puede tenerla usted con mi abogado Gil Robles.

—Óigame... No se trata de ningún asunto judicial, ya se lo expliqué. Yo le doy la oportunidad de que exprese usted cómo se desarrollaron los hechos.

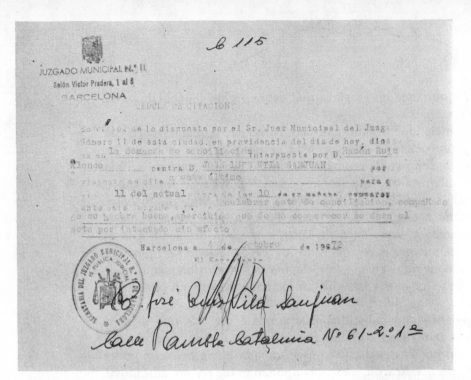

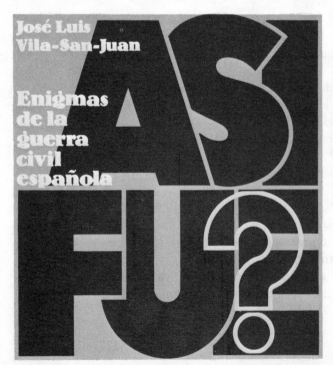

Cédula de citación para el acto de conciliación
previo a presentación de querella criminal
interpuesta por Ramón Ruiz Alonso
contra José Luis Vila-San-Juan.

El motivo de una querella que no llegó a prosperar.

José María Gil Robles.

DEMANDA CONTRA DON JOSE LUIS VILA-SAN JUAN

Por supuestas injurias y calumnias en "¿Así fue"?

Ha sido presentada demanda de conciliación previa a querella por injurias graves y calumnias contra don José Luis Vila San-Juan, autor de la obra «¿Así fue?» Enigmas de la guerra civil española», por don Ramón Ruiz Alonso vecino de Madrid, al que se alude en s.. capítulo dedicado a la ..uerte del poeta García Lorca, y que fue reproducido en el semanario «Sábado Gráfico» del 22 de julio pasado, debidamente autorizado por la Editora y el autor.

Dicho acto de conciliación ha sido señalado para el próximo día 11 de los corrientes, en el Juzgado número 11 de Barcelona.

Fech

LOS

has

BEIRUT
de Efe.) —
compañías .
ductores .
sido acog
—sede de
important
expectació

Según i
do, «que
rica en la
mundial»
tas adqu

La detención y muerte de Lorca, tema polémico.

busca de una

Sobre un relato sobre la muerte de García Lorca

NO HUBO CONCILIACION ENTRE RUIZ ALONSO Y VILA-SAN-JUAN

En el Juzgado Municipal número 11 de nuestra ciudad, tuvo efecto el acto de conciliación, previo a la demanda promovida por don Ramón Ruiz Alonso contra don José Luis Vila-San-Juan.

El primero se considera injuriado y calumniado en el libro «¿Así fue?... enigmas de la guerra civil española», de Vila-San-Juan, en el que en un capítulo dedicado a la detención y muerte del poeta García Lorca, se le alude. Dicho capítulo fue rep.cducido en «Sábado Gráfico» el 22 de julio de 1972.

En el acto de conciliación, el señor Ruiz Alonso, estuvo representado por el procurador, señor Rodés. Don José Luis Vila-San-Juan asistió personalmente acompañado de su hombre bueno, su hermano y letrado don Pablo Vila-San-Juan oponiéndose a la demanda en todas sus partes por imprecedente y temeraria.

La parte .ctora insistió en las pretensiones de .a demanda. No habiendo, por tanto, conciliación.

—Esa oportunidad *se la dará a usted* (sic) el señor Gil Robles.

—Repito que no se trata de nada judicial. De ser así, yo también habría venido con mi abogado. Se trata únicamente de que usted me dé su versión.

—Todo lo que quiera hablar conmigo lo trata usted *directamente* con el señor Gil Robles.

—¡Pero el señor Gil Robles no estaba en Granada en aquellas fechas! No me puede dar la versión *directa* que le pido a usted.

Hay una pausa. Parece vacilar. Pero insiste:

—Todo lo que quiera hablar conmigo lo trata con el señor Gil Robles. Adiós, buenos días.

Y cortó la comunicación.

Parece que, nuevamente, como en los viejos tiempos, había sido *amaestrado*: «Todo lo que... con el señor Gil Robles.»

2. El comandante José Valdés, personaje de Hitchcock

Ideal del 26 de julio de 1936 publica su currículum, indudablemente dictado —o por lo menos minuciosamente revisado— por él mismo:

DON JOSÉ VALDÉS GUZMÁN, NUEVO GOBERNADOR CIVIL DE GRANADA

INGRESÓ EN EL EJÉRCITO COMO SOLDADO VOLUNTARIO

Declarado el estado de guerra en nuestra capital y provincia, por la autoridad militar fue designado para el cargo de gobernador civil el comandante, comisario de guerra, don José Valdés Guzmán.

Carácter castellano y como tal serio y severo, de gran energía e incansable actividad, el señor Valdés ha tomado sobre sus hombros la ardua tarea de regir los destinos de nuestra provincia en estos momentos tan difíciles.

Hijo del general Valdés

Don José Valdés Guzmán nació en Logroño y es hijo del general de la Guardia Civil, en situación de reserva, don Perfecto Valdés Díaz.

Cursó el Bachillerato en los Institutos Cisneros y San Isidro de Madrid. Trasladado su padre a Barcelona, empezó los estudios de ingeniero industrial; pero sintiendo que su vocación era la carrera de las armas, abandonó los estudios comenzados para dedicarse por entero a preparar su ingreso en la Academia Militar.

Soldado voluntario

A poco era trasladado su padre a las Islas Canarias, donde continuó aquella preparación; pero como viera que su padre carecía de los recursos necesarios para costearle una carrera tan cara como la de militar, decidió sentar plaza como voluntario en el Regimiento de Infantería de Las Palmas número 66.

En él ascendió a cabo; mas por animosidad con algún jefe rescindió su compromiso e ingresó como artillero en la Comandancia de Artillería de Gran Canaria. A los tres meses ascendía a cabo, y cuando llevaba dos años de servicio, tiempo imprescindible para ingresar en la Guardia Civil, con derecho preferente por ser hijo del cuerpo y poseer título académico, solicitó el paso a la Benemérita e ingresó en la Comandancia de Toledo, donde prestó sus servicios hasta su ingreso en la Academia de Infantería.

Al terminar sus estudios en la Academia fue destinado al Regimiento de Menorca y al cabo de unos meses, a petición propia, se le destinó al Regimiento de San Fernando, de guarnición en África. También voluntario, pasó al poco tiempo al grupo de Regulares indígenas de Tetuán número 1.

Durante su permanencia en el citado Regimiento de San Fernando prestó servicios en comisión en la brigada disciplinaria de Melilla. En los regulares de Tetuán asistió a todas las operaciones llevadas a cabo en la zona occidental de Marruecos de 1918 a 1925.

Herido grave

Resultó herido leve en una operación, y más tarde grave en la ocupación de Fater-el-Berda, con cuyo motivo se le envió hospitalizado a la Cruz Roja de Sevilla, donde permaneció siete meses hasta su total curación.

En abril de 1923 se presentó a las oposiciones del Cuerpo

de Interventores militares, donde obtuvo plaza, y una vez terminadas las prácticas de dicho Cuerpo marchó de nuevo a África, donde permaneció hasta 1929, en que se fue a Sevilla con licencia por enfermo.

En esta última capital fue operado de una úlcera en el estómago y al terminar la licencia que se le había concedido, fue destinado a Madrid.

Al advenimiento de la República vino con carácter forzoso a Granada, donde desde entonces ha ocupado el cargo de comisario de Guerra interventor.

Condecoraciones

Posee, dentro del empleo de teniente, siete cruces rojas sencillas y además la Medalla de sufrimientos por la Patria con aspa de herida, medalla de Marruecos y cruz de San Hermenegildo.

La sublevación del cuartel del Carmen

En el año 1920 se encontraba con licencia en Zaragoza cuando tuvo conocimiento de la famosa sublevación de las tropas del cuartel del Carmen, ocurrida en la madrugada del 9 de enero del citado año. Acompañado sólo de una pareja de la Guardia Civil, fue el primero en llegar al citado cuartel, donde entabló un violento tiroteo con los rebeldes. Al poco rato se le incorporó el resto de la fuerza de la Guardia Civil, al mando de su padre, que entonces era coronel. Con todos estos elementos cercaron el edificio, y después de un intenso fuego de fusilería y de haber muerto la fuerza sitiadora al comandante Chueca y haber herido el actual gobernador civil a uno de los soldados principales del movimiento, se abrió la puerta del cuartel y subió él rápidamente a la batería sublevada, a la que hizo bajar y formar en el patio del cuartel, con lo que quedó extinguida la rebelión.

Por este hecho le fue concedida una cruz roja sencilla, por no haber en aquella época otra recompensa. Asimismo fue premiado su padre y varios guardias y cabos, a todos los cuales les fueron impuestas las condecoraciones ante el estandarte del regimiento de Artillería.

Informaciones publicadas en «Ideal», de Granada, el 22 y el 25 de noviembre de 1933 tras el triunfo de la coalición derechista en los comicios. El pie de una de las fotos explica: «Durante las elecciones del domingo, el candidato obrero, señor Ruiz Alonso, recorrió, con un grupo de correligionarios, las calles de Santa Fe, donde fue objeto de manifestaciones de simpatía.»

Veamos un resumen de los datos que él mismo ha dado o revisado:

— Empieza estudios de Ingeniero Industrial. *Los deja.*
— Se prepara para ingreso en la Academia Militar (y es hijo de general, equivalente a plaza asegurada). *Lo deja.*
— Sienta plaza como soldado de Infantería. Asciende a cabo. *Lo deja,* por «animosidad» con un jefe.
— Pasa a Artillería. Luego a la Guardia Civil. Por fin, ingresa en la Academia de Infantería...

Datos no incluidos en el currículum reproducido: nació el 25-2-91. Sus dos hermanos menores, Baltasar (n. 1897) y Perfecto (n. 1899), ingresan en la Academia Militar, respectivamente, en 1919 y en 1916, siendo ya ambos tenientes de Intendencia en 1925. José Valdés ha ingresado en el Ejército en 1908. Será oficial 1.º (equivalente a teniente) de Intervención en 1923. Como puede verse, no parece haber llevado una carrera muy brillante, ni en tiempo de la Monarquía, pese a que él resalte que la República le envía con carácter forzoso a Granada.

Al producirse el Alzamiento, presenta de inmediato una personalidad represiva y totalitaria que, como ya he explicado en páginas anteriores, hace temer a cuantos le rodean.

Aun las personas que hoy, en Granada, creen que Valdés los salvó de caer —ellos o sus padres— asesinados por los otros, cosa muy posible, reconocen su espantosa brutalidad.

3. Luis Rosales Camacho, académico

Cuando se le concedió el Premio Nacional de Literatura Miguel de Unamuno (compartido con su paisano Antonio Gallego Morell) por su obra *Lírica Española*, el diario *ABC* de Madrid publicó, el 8 de enero de 1974, la siguiente nota biográfica:

LUIS ROSALES

Pocos poetas y personalidades de las letras españolas tan conocidas y admiradas como Luis Rosales. «En el campo de la literatura —ha escrito Dionisio Ridruejo— la casa de

Rosales, la de Aleixandre y la de Dámaso Alonso han sido los hogares más vivos de la vida madrileña.» Nacido en Granada en 1910, publica su primer libro, *Abril,* en 1935, después de cursar Filosofía y Letras en su ciudad natal y en Madrid. Uno de los más altos representantes de la llamada «generación poética del 36», sus títulos *Segundo abril, La casa encendida, Rimas* (Premio Nacional de Literatura en 1951), *Retablo Sacro del Nacimiento del Señor, El contenido del corazón* (Premio de la Crítica en 1970), entre otros, son de obligada lectura para todo aquel que quiera acercarse a la poesía española contemporánea. Secretario de *Escorial,* director de *Cuadernos Hispanoamericanos,* miembro de la Hispanic Society of America y actual director de Actividades Culturales del Instituto de Cultura Hispánica, Luis Rosales es elegido miembro de la Real Academia Española en diciembre de 1962, año en que se le concede también el premio Mariano de Cavia, de periodismo. Pero a su intensa labor como poeta Luis Rosales vincula la de estudioso e investigador, fundamentalmente de nuestros clásicos. *Poesía heroica del Imperio* (y *La mejor Reina de España,* drama) aparece en colaboración con Luis Felipe Vivanco, mas en 1960 da a conocer su extenso estudio *Cervantes y la libertad* (premio Juan Palomo), y en 1973 *Teoría de la libertad,* libros que vienen a significar su prolongado ensayo de sistematización de algunos puntos trascendentes en su inmersión por el Siglo de Oro Barroco, siglo XVIII y el 98. Se hace sintomático de una recuperación, precisamente, su discurso de ingreso en la Real Academia Española: *Pasión y muerte del conde de Villamediana.* En el libro con el que se le acaba de conceder el premio Nacional de Literatura Miguel de Unamuno, Luis Rosales presenta seis de sus más cuidados, rigurosos y sugestivos ensayos: *Garcilaso, Camoens y la lírica española* (influencia de los dos grandes poetas en la literatura del Siglo de Oro), *Pequeña historia de un mito* (analiza las tres etapas por las que pasa la elaboración de *Don Quijote de la Mancha*), *Vida y andanzas del duque de Rivas, Rubén Darío: un clásico actual* (se examina con gran originalidad de su admiración por el nicaragüense y estudia a fondo su función renovadora), *Muerte y resurrección de Antonio Machado* y *Leopoldo Panero, hacia un nuevo humanismo,* en el que describe las características del mundo poético en general y cómo se modifican en cada época según las ideas predominantes y, por último, define el estilo de Panero calificándolo de «nuevo humanismo».

Ruiz Alonso, autor.

Ramón Ruiz Alonso
obrero tipógrafo
Diplomado en Ciencias sociales y exdiputado a Cortes

¡Corporativismo!

Ya sé que habrá por ahí quien diga...

que capital y trabajo serán siempre rivales irreconciliables y que jamás será salvado el abismo insondable que les separa marcando a cada cual su rumbo, su camino, su meta...

...También se repelen y se rechazan los colores. El blanco es pureza, candor, júbilo, alegría; eco triunfal de esponsal que avanza por templo engalanado en busca de un altar y una ilusión. El negro es luto, pena, amargura, tristeza, llanto; lúgubre acento de arrogante figura que fué y tan solo espera ya una fosa en que aniden los gusanos.

Y sin embargo...
¡Ovejas negras aciertan a parir corderillos blancos!

1937
————— Primera edición —————
Composición e impresión de la Comercial Salmantina
Prior, 19 ——— Salamanca ——— España
————— Primer año triunfal —————

Cesa en el Gobierno Civil el señor Valdés, por reintegrarse a su cargo militar

D. JOSE VALDES GUZMAN

D. LORENZO TAMAYO ORELLA...

SE HA POSESIONADO INTERINAMENTE DEL MANDO DE LA PROVINCIA EL CORONEL SEÑOR TAMAYO ORELLANA

¡Viva siempre el generalísimo Franco!—Lorenzo Tamayo Orellana.»

Despedida del señor Valdés

«Estimo un deber ineludible, al cesar en el cargo de gobernador civil de esta provincia, el despedirme del pueblo de Granada, a quien tanto quiero y en el que puse todos mis desvelos, todos mis entusiasmos y sacrificios, para con mi ejemplo cooperar con vuestro indiscutible apoyo a salvarlo de la tiranía roja, en lo que nuestra gloriosa guarnición supo poner el principal jalón para la salvación de nuestra España.

El mando ha estimado más necesarios mis servicios, dada mi cualidad militar, en otro puesto, en el que me ofrezco a vosotros y en el que con toda mi alma seguiré, como hasta ahora, luchando por la Patria. Dios quiera iluminarme y que de él salga con la misma tranquilidad de conciencia con que abandono éste y con la íntima satisfacción que siempre produce el deber cumplido.

Podéis tener la seguridad de que el que me sustituye, con sus relevantes cualidades, mejorará el desempeño del cargo para bien también de Granada.

¡Granadinos! Yo os pido perdón si, en el inexorable cumplimiento de las obligaciones de mi cargo, no fui con vosotros lo benévolo que hubiese querido, pero no olvidar nunca que h[e]mos vivido seis meses históricos y que las responsabilidades que en mí encarnaban ante Dios y ante mi Patria eran tremendas; cuando el tiempo haga su perspectiva más distan-

te todos lo comprenderemos en justos términos.

Granada es un pueblo hidalgo, p[a]triota y austero como pocos y c[...] vibran en vosotros los sentimien[...] del patriotismo; tened la segurid[...] que Granada será grande como [...] lo es por su historia. Dios os dé m[...] cha felicidad; para mí sólo le pi[...] que jamás olvidéis los días que [...] chamos juntos por nuestra Gran[a]da y por nuestra España.

¡Viva España! ¡Arriba España! ¡V[...]va siempre el generalísimo Franco[...] **José Valdés Guzmán.»**

Despedida de amigos y func[io]narios

Al conocer la noticia de haber c[e]jado el Gobierno civil el señor V[al]dés acudieron a este centro num[e]rosos amigos particulares, como [...] los funcionarios del Gobierno, pa[ra] despedirle. El señor Valdés agr[ade]ció a todos el concurso que le h[a]bían prestado durante su actuaci[ón] y les reiteró su amistad sincera.

Los funcionarios del Gobierno [ci]vil fueron presentados después al [se]ñor Tamayo por el secretario del G[o]bierno, don Vicente Hita.

D. JOSE VALDES GUZMAN

Por reintegrarse a su cargo militar, ayer entregó el mando de la provincia don José Valdés Guzmán al coronel de Infantería y presidente de la Diputación don Lorenzo Tamayo Orellana, quien ha sido designado, con carácter interino, gobernador civil.

La toma de posesión se verificó en la tarde de ayer y al recibir a nuestro redactor político las autoridades entrante y saliente le facilitaron las siguientes notas:

El nuevo gobernador

«Cumpliendo lo ordenado por necesidades militares me he encargado interinamente del cargo de gobernador civil de esta provincia, en sustitución de mi buen amigo el señor Valdés, cuya labor patriótica en momentos difíciles para la Patria todos conocéis.

Durante el tiempo que desempeñe [...]

La noticia del cese del comandante Valdés como gobernador civil de Granada, «por reintegrarse a su cargo militar», según «Ideal» del 22 de abril de 1937.

«Me echaron de Falange y me impusieron una multa de cien mil pesetas —como unos dos millones de hoy— que pagó mi padre. Me echó el capitán Rojas, el de Casas Viejas» (Luis Rosales al autor).

Aquel poeta que «prometía» en 1936, *cumplió* efectivamente.

El capítulo IV («Crónica del asesinato») debiera tener, aquí, una continuación, al tratar de Luis Rosales, pues éste estuvo a pocos pasos, también, de caer a balazos cerca de Víznar.

Luis me explicó:

—Cuando Valdés le hizo ver claramente a mi hermano Pepe que el «asunto Lorca» estaba liquidado, le dio a entender, también claramente, que luego iba a por mí.

»Fui a ver a Díaz-Pla e hice unos pliegos de descargo que, de todas formas, terminaban así: «Y como español y como hombre haría otra vez cuanto hice por Federico García Lorca.»

»Me echaron de Falange y me impusieron una multa de cien mil pesetas —como unos dos millones de hoy— que pagó mi padre. Me echó el capitán Rojas, el de Casas Viejas. No me mataron gracias a Narciso Perales, que llegó poco después a Granada, dándose a conocer como jerarca falangista.

—Perales me dijo —le expuse a Luis— que si él llega a estar en aquellos momentos, no matan a García Lorca.

—Lo creo. A mí, desde luego, me salvó él. Creo que también lo habría hecho con Lorca... ¿Que si yo tenía miedo a Valdés? ¡Pues claro que sí!... Por eso *me procesé* yo mismo... Sí, es muy posible que Valdés consultase con su superior qué era lo que tenía que hacer con Lorca... Él tenía, así, una coartada jerárquica; muy lógico.

—Ya conoce —le digo— la querella que no llegó a ponerme Ruiz Alonso. Pero, si hubiese prosperado, y yo le hubiese llamado a usted como testigo, ¿me habría apoyado?

—A usted y a cualquiera que me ponga delante a Ruiz Alonso, siempre que sea en la parte contraria. Lo que más deseo es llegar a un tribunal de Justicia y testificar cuanto le he explicado. Cuando me enteré del intento de querella, pensé que, si me llamaba, había llegado el gran momento... ¿Así que lo llevaba Gil Robles? Claro, él es más inteligente y le diría que no removiese el caso...

—Respecto al libro de Max Aub *La gallina ciega*, que pone en boca de Paco García Lorca la acusación de que el verdadero delator fue el padre de usted, ¿qué puede decirme?

—Me ha extrañado mucho que Max Aub (que era amigo mío) haya escrito esas estupideces. También me extraña que Paco las dijese, pero debo resaltar que la familia García Lorca *no ha querido nunca* enterarse de nada. Ponían como pantalla a su madre. El año 49 hice una gira por Sudamérica y allí me oí llamar «asesino de

García Lorca». Cuando llegué a Nueva York, llamé a Paco pidiéndole que hiciésemos una declaración conjunta. Yo nunca he temido decir cuanto sé que sucedió. Paco me dijo que su madre aún no se había hecho a la idea de la muerte de Federico. Le habían cobrado —según Paco— 8 000 pesetas para la libertad de Federico y aún no se atrevían a decírselo. Leyenda...

Sé que Luis Rosales sufrió mucho con lo escrito en el libro de Max Aub respecto a su padre. Por ello me causó una gran alegría cuando poco después pude escribirle:

«He estado hablando con Francisco García Lorca y me ha afirmado rotundamente que es falso que él dijese a Max Aub lo que éste escribe. Y me ha dado pleno consentimiento para que lo publique.»

Sé que Luis, al recibir mi carta, se quitó una gran espina. Siempre es agradable poder quitar una espina.

4. José Rosales Camacho, falangista y juerguista

Es una de las personas más simpáticas que he conocido en mi vida. Y conste que lo he conocido a sus 62 años de edad.

Ya he explicado antes su actuación, tanto en el Alzamiento como en los intentos de salvación de Federico. Aparte de ello, y del importantísimo hecho de que Valdés no sólo le dio *carta blanca*, sino que incluso le incitó a que matara a Ruiz Alonso, y Rosales se negó a hacerlo, tengo testimonios de personas a quienes él salvó de la represión. Entre ellas la de Carmelo Mariscal —Pepe salvó la vida de su padre, socialista—, dueño del bar Carmelo, en la calle de la Colcha, que es el que en la actualidad más frecuenta José Rosales.

A *Pepiniqui*, como amistosamente se le llama, le conoce todo Granada. Y no cabe duda de que su gran simpatía, su carácter, su desprendimiento y generosidad (esta última dentro de sus posibilidades limitadas; y muchas veces, por encima de sus posibilidades) le granjean el aprecio unánime y la general disculpa a su forma de vida alegre y despreocupada.

Otro importante hecho a tener en cuenta es que José Rosales (ninguno de los Rosales) no ha *pasado factura* al Régimen. Terminada la guerra, terminó el asunto: ni momios, ni cargos. Incluso Antonio Rosales —hoy ya fallecido—, que era tesorero de Falange, se dio de baja el día que llegó una orden conforme le correspondía un sueldo.

DECLARACIÓN DE JOSÉ ROSALES CAMACHO

El 15-VI-73, José Rosales, Julián Fernández Amigo (entonces comisario jefe de Policía de Granada) (1) y yo fuimos invitados por el prestigioso abogado granadino Antonio Jiménez Blanco a casa de éste, al objeto de continuar allí las conversaciones que sosteníamos sobre la muerte de Lorca.

En aquella reunión, Jiménez Blanco me entregó el escrito que reproduzco a continuación, confeccionado por él.

Procedí a la lectura del mismo, ante los testigos señalados, y *Pepiniqui* admitió como absolutamente cierto cuanto allí se expresaba. Me di cuenta de que, aparte de alguna nueva aportación que yo aún no conocía, las declaraciones hechas por José Rosales a Jiménez Blanco en 1971 coincidían perfectamente con las que me había hecho a mí en 1973.

En una persona como José Rosales, tal exactitud en una diferencia de dos años supone una indiscutible veracidad.

Aclararé: pese a que no dudo de su veracidad espontánea, *Pepiniqui* es un hombre incapaz de *aprenderse una lección*, aunque fuese dictada por él mismo, al objeto de *ir soltando el rollo*. Es incapaz por su propia moral y por su forma de ser, en la que no da gran importancia a la realidad cotidiana.

Conversación con José Rosales Camacho, *Pepiniqui*, el 26-8-71, en el bar Carmelo (2).

1.º) Él piensa que la actitud de Ramón Ruiz Alonso al detener a Federico García Lorca era de venganza contra falangistas, y especialmente contra él. Un poco antes del Movimiento, R. R. A. habló con *Pepiniqui* y le pidió entrar en la Falange dejando la CEDA, pero le planteó que para ello era necesario

---

(1) Aunque en estas conversaciones conmigo siempre obraba a título personal y debo reconocer que jamás me mencionó ningún secreto profesional ni actuación propia de su cargo.

(2) Repito que el escrito pertenece a Antonio Jiménez Blanco, quien me lo entregó en 1973.

«Como español y como hombre haría otra vez cuanto hice por Federico García Lorca.» (Del pliego de descargo de Luis Rosales.)

«Lo que más deseo es llegar a un tribunal de Justicia y testificar cuanto le he explicado» (Luis Rosales al autor, julio de 1973).

que Falange le pagara el sueldo de diputado —unas 1 000 ptas. mensuales (3)—. *Pepiniqui* fue a Madrid —con R. R. A.— y visitó solo a José Antonio, quien fue partidario de la entrada de R. R. A. pero, dado el estado económico de Falange, no pudo aceptar el sueldo pedido por R. R. A. Ello contrarió tremendamente a éste que, desde entonces, fue gran enemigo de Falange y de los Rosales.

2.º) La detención de F. G. L. fue por la tarde. *Pepiniqui* estaba en Güéjar-Sierra y no volvió hasta por la noche. Según le contaron sus familiares, consternados, entró en la casa, sin problemas, R. R. A., que, como de derechas, fue tan bien recibido *que merendó* con la familia (4). Después de merendar fue cuando dijo que traía orden de llevarse a Federico. Después supo la familia que había rodeado la casa de gente con fusiles y que, en la puerta, estaban esperándole los que habían venido con él, Trescastro, Luis García Alix, Sánchez Rubio (el concuñado de Carlos Puerta) y Godoy *el Jorobeta*.

3.º) A su vuelta de Güéjar-Sierra, por la noche, y al ver a su familia, consternada, y conocer el motivo, se fue derecho al Gobierno Civil, entrando, dando una patada a la puerta porque no le dejaban entrar, en el despacho de Valdés, que estaba acompañado del policía Julio Romero Funes, de los Jiménez de Parga y de Díaz-Pla. *Amenazó a Valdés con quitarle el mando* (5), y Valdés le dijo que a F. G. L. no le pasaría nada, que estaba detenido y que podía visitarle. *Pepiniqui* le visitó y le llevó un cartón de tabaco rubio (6), y entonces Federico le dijo de hacer un donativo para el Movimiento, que hizo. Recuerda que en la entrevista en el despacho de Valdés, sus acompañantes le dijeron que la denuncia era muy grave, que G. L. *era socialista y agente de Moscú*, etc. Pero él se fue tranquilo de que, al menos, de momento, no había problema.

4.º) A la mañana siguiente, intranquilo a pesar de todo, se fue al Gobierno Militar, y el *gobernador militar, que cree era González Espinosa*, le dio una orden de libertad para

---

(3) La visita de *Pepiniqui* a José Antonio, en la Cárcel Modelo de Madrid, se efectuó a fines de abril de 1936. Por lo tanto, Ruiz Alonso ya no era diputado. ¿Cobraba esa suma mensual de la CEDA, como «obrero amaestrado», o era, sencillamente, una solicitud de empleo?

(4) Antonio Jiménez Blanco atestigua que también se lo dijo a él, asimismo, la madre de los Rosales.

(5) A mí ya me había dicho antes José Rosales que él fue quien designó a Valdés para gobernador civil «como podía haber puesto a otro».

(6) Camel, especificó *Pepiniqui*.

F. G. L. (7). Cuando la presentó en el Gobierno Civil le dijeron que F. G. L. había sido llevado de madrugada a Víznar, para fusilarlo, y que ya estaría fusilado.

La razón era que si bien los fusilamientos se ordenaban y ejecutaban a partir del Gobierno Civil, no obstante la autoridad militar tenía una especie de superautoridad.

José Rosales piensa que, sin su actitud decidida frente a Valdés, éste le hubiera fusilado a él mismo (8).

5.º) Desde la salida del Gobierno Civil, *Pepiniqui* no sabe nada por conocimiento directo. Dice que *don Lorenzo Ruiz de Peralta* le ha dicho, personalmente, que él iba en el coche que llevó a F. G. L. a Víznar, *intentando evitar el fusilamiento* (9) y que le tiene prometido darle todos los detalles. Al preguntarle yo a Pepe Rosales a quién podrían corresponder las iniciales de F. G. de la C., que, según Marcelle Auclair, conducía el coche, me dijo que no lo sabía, pero que podrían ser las de Fernando Gómez de la Cruz, llamado *el Niño de la Publicidad*, aunque le extraña que fuera él; dice que quien podría dar más datos era la gente que estaba en Víznar, como Nestares y A. E. D., pero que no han querido hablar nunca.

Granada, 26-VIII-1971.

5. Miguel Rosales Camacho vive en la gloria

También he descrito ya su actuación en torno al momento en que García Lorca fue detenido. Sobre Miguel se han tejido varias leyendas que le colocan en lugar bastante afecto a la represión de 1936. No he podido hallar pruebas a favor ni en contra. Hoy es un hombre que, dentro de la bohemia especial en que vive, guarda ciertas formas. Sin poderse decir que sea metódico, en su vida noctámbula respeta ciertos ritos. Es el más *duro* de los hermanos. Apasionado de la pequeña historia y el arte granadino, conoce al dedillo todos los enclaves de la más mínima importancia.

Como excepción, aparte de su autoobligada saeta anual, ha dejado esta expresión de quienes le critican :

(7) Ese documento asegura José Rosales que tiene que estar en su casa. Lo ha buscado sin conseguir encontrarlo.
(8) Reafirmadísimo.
(9) ??...

«La gallina ciega», de Max Aub:
un testimonio malévolo.

Madrid, 1951. La poesía, superadora de la guerra civil:
de izquierda a derecha, Germán Bleiberg,
José María Valverde, Luis Rosales, Dionisio Ridruejo,
Carlos Bousoño, Luis Felipe Vivanco, y sentados,
Gerardo Diego, Jorge Guillén, Vicente Aleixandre,
Melchor Fernández Almagro y Dámaso Alonso.

Fotocopia del carnet
de militante de FET
y de las JONS de
José Rosales Camacho.

José Rosales Camacho —«Pepiniqui»,
como familiarmente se le conoce—,
en las cercanías de Alfacar.

José Rosales
con Antonio Jiménez
Blanco: declaración
para la Historia.

Miguel Rosales: se han tejido varias leyendas
que le colocan en lugar bastante afecto
a la represión. No he podido hallar
pruebas a favor ni en contra.

Andan de mí murmurando;
cada cual cuenta su historia,
hago lo que me parece:
estoy viviendo en la gloria;
y, como no disimulo,
si hay alguien a quien le pese
lo mando a tomar pol culo.

Miguel Rosales me explica que está basada en una antigua *soleá* :

Dicen que dicen que dicen.
Lo que dicen no lo sé,
pero lo que te aseguro
es que la mitad no es.

Su definición de que está *viviendo en la gloria* es importante, porque es totalmente cierto. Pero no en la gloria triunfalista. Ésa no·la han conocido nunca ni él ni *Pepiniqui*, porque no la han querido. Y, realmente, en los primeros años de posguerra todos los Rosales podían haberse hecho conceder altos cargos y prebendas, como tantos otros lo han hecho. Ya he dicho que ellos no pasaron nunca factura al Movimiento.

Tanto Miguel como José *viven en la gloria* desde un punto de vista totalmente subjetivo : hacen lo que les da la gana. Una auténtica bohemia, dentro de ciertas normas burguesas.

6. Rafael Alberti no fue envenenador

En 1971, escribí lo siguiente (10) respecto a la muerte de García Lorca :

(10)   J. L. V., *¿Así fue?*, Ed. Nauta, Barcelona, 1972, pp. 108-109.

¿ENCENDIÓ LA MECHA EL POETA ALBERTI?

En *Crónica de la Guerra Civil española* (11) leemos:

«UN POEMA ENVENENADO

»He aquí una versión poco difundida sobre las circunstancias que rodearon la desaparición de Federico García Lorca, escuchada en Buenos Aires de labios del ilustre escritor, ex embajador de la República Española en Londres, don Ramón Pérez de Ayala. Dejamos consignado el relato como un aporte más al aguafuerte trágico y confuso que constituye la misteriosa muerte de un gran poeta español, cuyo nombre fue uncido al carro de la propaganda política, sin entrar en apreciaciones sobre su historicidad. En el estado actual de conocimientos sobre el caso resulta aventurado pronunciarse a favor de determinada versión. Contra la que se transcribe a continuación está el hecho de que Rafael Alberti se hallaba en Ibiza al producirse el Alzamiento, y en la isla permaneció escondido hasta ser conquistada por la expedición Bayo el 15 de agosto de 1936, por lo que difícilmente podía estar actuando en Madrid antes del 18, fecha probable de la muerte del poeta granadino.

»García Lorca, que, por sus vinculaciones con las izquierdas, se había refugiado, temeroso, en casa de su gran amigo el poeta falangista Luis Rosales, apenas salía de su refugio. Cuando lo hacía era atentamente observado por los exaltados milicianos nacionalistas, que miraban con recelo a Federico. Parece que en una de estas salidas fue preguntado por los milicianos adónde iba. Lorca contestó que a entregar unas cartas para unos amigos y familiares que estaban en la zona republicana, y que un mensajero conocido se había ofrecido a llevar. Los milicianos, probablemente falangistas, aceptaron la versión con cierta incredulidad. Días después, por la radio de Madrid se escuchó la voz de Rafael Alberti recordando al gran "poeta republicano Federico García Lorca que se encontraba prisionero de los traidores rebeldes, pero que no había perdido su fe en el triunfo, y por eso había enviado a sus amigos de Madrid unos versos que acto seguido iba a leer ante el micrófono". En efecto, Alberti dio lectura a unos versos tremendos

(11)   De Ed. Códex, Buenos Aires, fascículo 10.

en los que se insultaba con los vocablos más soeces a los jefes sublevados, poesía evidentemente no imputable a Lorca, siempre correcto y elegante de expresión. Tenían, por el contrario, aquellos versos, la factura de Alberti, quien terminó la audición agradeciendo a Lorca el envío de sus versos y haciendo votos por su pronta liberación.

»Parece que los milicianos y falangistas que desde la zona granadina escucharon la emisión, se encolerizaron contra García Lorca, considerándose burlados por él cuando les dijo que iba a enviar unas cartas a los amigos y familiares de Madrid, pues en realidad, y por lo escuchado, lo que había hecho era facilitar material de propaganda con su nombre y firma a los republicanos. Esta supuesta actitud de Lorca habría desencadenado la iracundia de sus fanáticos acusadores, quienes le dieron muerte en un entrevero de desorden y terror que nunca pudo, con certeza, aclararse. Según el testimonio de Pérez de Ayala, amigos comunes de Alberti y Federico habrían reprochado más tarde al primero el haber atribuido a Lorca unos versos que no había escrito, y que habían equivalido a su condena de muerte, a lo que Alberti respondió disculpándose que con ello había querido intentar evitar que los nacionalistas utilizaran para su propaganda a Federico, adelantándose él para dejarlo públicamente comprometido con la causa republicana, en la que siempre había militado.»

Marcelle Auclair en su magnífico *Enfances et mort de García Lorca* (Ed. du Seuil, París, 1968) —en el que, por cierto, escribe siempre García sin acento en la i, pues, realmente, es tal como firmaba, siempre, Federico— quita importancia a esta versión en sólo pocas líneas de su exhaustiva investigación. (Marcelle Auclair, excelente periodista, es, también, una excelente amiga de los esposos Alberti-León.)

Dice:

«Son perversas las versiones que intentan imputar la muerte de Lorca a sus amigos de izquierda. En 1966 fue Rafael Alberti el acusado de haber atraído la venganza sobre Federico al leer por la radio un poema contra los nacionales que le atribuyó. Si sicológicamente esto es imposible, también lo es materialmente: Alberti estaba en Ibiza en el momento de la sublevación, y no salió de allí hasta que la isla fue tomada por Bayo el 15 de agosto.»

Y bien, García Lorca fue arrestado en casa de su amigo Rosales el 16 de agosto. Según estos datos, sería casi imposible que el 15 Bayo desembarcase en Ibiza, el mismo 15 Alberti llegase a Barcelona o Valencia, y el mismo 15 recitase ese «poema envenenado» por la radio.

Casi imposible… Pero hemos leído también que la mayoría de cronologías nacionalistas reconocen que «fuerzas de milicias procedentes de Cataluña y Valencia *tomaron Ibiza el 8 de agosto*, y pusieron pie en Mallorca el 16».

Guerra y Revolución en España,* editado en Moscú en castellano, dice:

«El día 5 de agosto, la isla de Formentera fue liberada sin resistencia. *El día 6, las naves republicanas fondearon ante Ibiza.* Una parte de las milicias desembarcó en la región de Santa Eulalia. Los fascistas ofrecían escasa resistencia. Eran pocos y el pueblo se levantó contra ellos. Ibiza era libre. El conocido poeta Rafael Alberti y su esposa, la escritora M.ª Teresa León, que estaban pasando una temporada en dicha isla, se unieron a los milicianos y pudieron retornar a la península.»

Y, después, añade, lo que yo sintetizo:

«El 16 se desembarcó en Mallorca. El 4 de septiembre, retirada.»

¿También *la Pasionaria* tiene *prosa envenenada* contra los suyos?…

Tras más amplio estudio del tema (y que conste: sin haber tenido la más mínima observación ni petición de rectificación al respecto por parte de Alberti ni ninguna otra persona) llegué a la conclusión que me impelió a escribir esta carta:

27 de junio de 1973
Sr. D. Rafael Alberti

Distinguido Sr.:

En mi libro *¿Así fue? Enigmas de la guerra civil española* reproduje el artículo «Un poema envenenado» del fascículo 10 de *Crónica* de Ed. Códex, en el que se acusa a usted —según dicen, por boca de don Ramón Pérez de Ayala— de haber recitado, por Radio Madrid, un poema atribuido a García Lorca

---

* Tomo I, p. 27; Ed. Progreso, Moscú, 1967. Elaborado por una comisión presidida por Dolores Ibárruri e integrada por Manuel Azcárate, Luis Balaguer, Antonio Cordón, Irene Falcón y José Sandoval. Consultantes que han colaborado en este tomo: Juan Modesto, Manuel Márquez y Alberto González.

Sevilla, 1928. De izquierda a derecha, Rafael Alberti, Federico García Lorca, Juan Chabás, Mauricio Bacarisse, José María Platero, Blasco Garzón, Jorge Guillén, José Bergamín, Dámaso Alonso y Gerardo Diego.

Rafael Alberti con Federico García Lorca y Pedro Salinas en una foto fechada en 1927.

Alberti, hoy.

Federico García Lorca a la derecha
de María Teresa León en el homenaje
que a ésta y a Rafael Alberti
—que aparece en primer plano— se les rindió
en Madrid en febrero de 1936.

que —siempre según el citado artículo de Códex— pudiera haber sido causa indirecta de la muerte de Federico.

También reproduje, a continuación, la defensa que la excelente escritora Marcelle Auclair hace de usted y de la imposibilidad de que tal hecho pudiese ser cierto por una cuestión de fechas.

.   .   .   .

Sin afirmar ni negar *el hecho* en sí, yo expuse que *posibilidad* la había.

.   .   .   .

No del todo satisfecha mi curiosidad por cuanto concierne al asesinato de Federico García Lorca, he estado ampliando mis investigaciones y, en cuanto respecta a su atribuido «poema envenenado», he llegado a la conclusión de que, posiblemente, el hecho *no* es cierto por:

a)   No he encontrado ni en Granada y Madrid, principalmente, ni en el resto de España, a nadie que recuerde haber escuchado dicho poema «seudolorquiano» antifranquista.

b)   García Lorca, una vez acogido a la hospitalidad de la familia Rosales, no salió de la casa hasta su detención.

c)   No había forma de enviar cartas desde Granada-capital a la zona republicana, abiertamente, «por mensajeros conocidos».

d)   Aun en su —en aquellos momentos— enardecido apasionamiento prorrepublicano y antifranquista, cabe suponer que su reconocida inteligencia impediría poner en peligro la vida de su buen amigo Federico.

Voy a publicar un estudio más exhaustivo sobre la muerte de García Lorca y, naturalmente, expresaré estas opiniones. Le ruego pueda proporcionarme algún dato más al respecto, aunque sólo fuese la confirmación de mi conclusión «*d*)». O, naturalmente, cualquier referencia que pudiera aclarar las responsabilidades del crimen.

Aunque repito, en mi libro *¿Así fue?* ni afirmaba ni negaba el hecho del «poema envenenado» y, por lo tanto, no me creo en la obligación de disculparme ante usted, quiero expresarle mi mejor deseo de dejar bien aclarada su inocencia, conclusión a la que he llegado.

Mucho agradecería poder contar con la amabilidad de su respuesta.

Atentamente le saluda,

J. L. VILA-SAN-JUAN

Transcurrido cierto tiempo sin recibir contestación, le envié —como acostumbro a hacer— copia de la carta y una nueva expresando mi suposición de que no había recibido la anterior.

Tampoco hubo respuesta.

Ese mismo verano de 1973, un buen amigo y gran periodista —Adolfo C. Barricart— fue a Roma y, a petición mía, le preguntó, a Alberti, por mi carta.

—¿Y qué te ha dicho? —indagué, a su vuelta.

—Nada. *Cree* que la recibió, pero dice que no contesta nunca. Vive en otro mundo...

De todas formas, mi aclaración aquí queda.

VII. Conclusiones

1. Acusaciones

Conocido ya el relato verídico de los sucesos desarrollados, entre el 8 y el 20 de agosto de 1936, en relación con el asesinato del poeta, creo que, antes de exponer aquellas conclusiones a que yo he llegado, debo hacer un análisis de las *acusaciones* que, por orden cronológico, se fueron forjando:

a) *A los nacionales en general.* Ya en el mismo agosto de 1936, llega la noticia como rumor «procedente del frente cordobés». La publica el *Diario de Albacete* y la recoge el 1 de septiembre *La Voz*, de Madrid.

Se señala como autor de la orden al coronel Cascajo, lo que, si por una parte es absolutamente inconcebible, dado que Cascajo en aquellas fechas estaba defendiendo a Córdoba, en grave peligro de ser conquistada por el enemigo, por otra encaja tanto con el carácter del coronel como por el hecho de que el rumor «procede del frente cordobés».

Guillermo Cabanellas explica: «El general Varela, al frente de su columna, pudo tomar contacto con la procedente de Granada (...) el 18 de agosto de 1936 (...) Inmediatamente, el general Varela debe trasladarse a Córdoba ante la ineptitud demostrada por el coronel Cascajo, hábil y sanguinario en la represión, pero tímido, vacilante y falto de condiciones militares en la guerra. Demostró cabalmente que, sin más que el terror, no se podía liberar a Córdoba de los ataques del enemigo. Cascajo continuó en su triste papel de verdugo; mientras que Varela, con los escasos elementos de que disponía, emprendió una ofensiva contra las fuerzas atacantes, partiendo de la misma ciudad de Córdoba» (1).

Cascajo es, pues, debido a su *popularidad* en Córdoba, la primera persona designada —injustamente— como responsable de la muerte de Lorca en Granada.

En la zona republicana, las noticias sobre la certeza o no de la ejecución del poeta son vacilantes...

El 9 de septiembre *El Sol* de Madrid expresa que, aunque otros diarios de la capital y de provincias dan por confirmada la muerte de Lorca, «las noticias más dignas de crédito procedentes del Ministerio de la Guerra y de la Dirección General de Seguridad no son terminantes». Añade la probabilidad de que tales rumores «estén basados solamente en el hecho comprobado (2) del fusilamiento de Manuel Fernández Montesinos, que era el alcalde de Granada y estaba casado con la hermana mayor del poeta. ¡Ojalá! no nos equivoquemos (...)»

Ese mismo 9 de septiembre, en Madrid, Carlos Morla, el diplomático chileno gran amigo de Federico, oye vocear a «varios chavales vendedores de periódicos: "¡¡¡Federico García Lorca!!! ¡¡¡Federico García Lorca!!! ¡¡¡Fusilado en Granada!!!"» (3).

Y añade: «Recibo como un golpe de maza en la cabeza, me zumban los oídos, se me nubla la vista y me afirmo en el hombro del muchacho que está arrodillado a mis pies [un limpiabotas]... Pero luego reacciono y me pongo a correr, correr, correr... ¿Adónde? No lo sé... Sin rumbo (...) toda la tarde y toda la noche, desesperado en busca del desmentido (...) la especie carece de fundamento... Su origen es vago e indefinido... Y luego hay cosas que no pueden ocurrir; hechos que son imposibles. Me aferro desesperadamente a estos pobres jirones de optimismo. Más tarde me llama Manolito Altolaguirre, que, a su vez, desmiente la noticia. Él sabe que Federico está en sitio seguro. También lo sabe su hermana Isabelita» (4).

El 11 de septiembre la noticia es confirmada por el Gobierno de Madrid.

(1) G. CABANELLAS, *La Guerra de los mil días*, Ed. Grijalbo, Buenos Aires, 1973, p. 559.
(2) Recordemos que la ejecución de Fernández Montesinos sí fue *oficial*.
(3) C. MORLA, *En España con Federico García Lorca*, Ed. Aguilar, Madrid, 1958, p. 496.
(4) Op. cit., pp. 496 y 497.

LA VOZ

Redacción y Administración
Calle de Larra, 8.
Madrid

Diario independiente de la noche · Noticias de todas partes

«La Voz», de Madrid, recoge el 1 de septiembre de 1936 la noticia
sobre la muerte de Lorca publicada en «Diario de Albacete».

«El Sol», de Madrid, afirma el 9 de septiembre, a propósito del asesinato
del poeta, que «las noticias más dignas de crédito procedentes del Ministerio
de la Guerra y de la Dirección General de Seguridad no son terminantes».

Carlos Morla Lynch:
«Hay cosas que no pueden ocurrir;
hechos que son imposibles».

CARLOS MORLA LYNCH

EN ESPAÑA
CON FEDERICO
GARCIA LORCA

AGUILAR

b) A los republicanos. ¡Inaudito! Según Marcelle Auclair, el 10 de septiembre «un diario de Huelva» da la noticia de que ha sido asesinado en Madrid (5).

El 19 de septiembre, tanto *El Diario de Huelva* como *La Provincia*, de la misma ciudad, aseguran que ha sido asesinado en Barcelona; el *Diario de Burgos*, en cambio, publica: «García Lorca ha sido fusilado. París. Se sabe que el poeta García Lorca ha sido fusilado en Madrid por elementos marxistas. En los centros literarios franceses la noticia ha causado impresión, puesto que eran conocidas sus ideas izquierdistas» (6).

c) A la Guardia Civil. Ésta es la teoría que más tiempo perduró hasta muchos años después de terminada la guerra. Incluso, hoy, estoy absolutamente convencido de que un gran número de españoles creen aún en tal acusación.

Es, desde luego, falsa.

No estoy de acuerdo con Gibson cuando expresa: «Después de todo, era inevitable que se culpara a la Guardia Civil de la muerte del poeta.»

Es completamente falto de lógica creer que la Guardia Civil podía cometer tal crimen como venganza por los famosos versos del *Romancero gitano.* Versos publicados en 1928, en plena Monarquía y, por lo tanto, la Guardia Civil, aún no *republicanizada*, en pleno auge como fuerza influyente.

Y, sin embargo, en 1928 ni el Cuerpo como tal, ni ningún oficial, se querella contra el poeta.

El 24 de febrero de 1937, la revista *Mundo Gráfico*, de Madrid, publica una anterior supuesta entrevista de Antonio Seco a García Lorca, en la que éste explica que, en 1936, «un señor de Tarragona, a quien no conocía» le había introducido querella por el poema. Como puede observarse por el dilatado plazo de ocho años entre publicación y querella, es difícil creer que algún juez la admitiese.

Por otra parte, la Guardia Civil fue uno de los Cuerpos más consecuentes en todas cuantas funciones le fueron encomendadas durante la guerra. Es más: su corrección llegó a tal punto que —con las escasísimas excepciones de rigor— sus elementos, ya en el mismo momento del Alzamiento, se pusieron a la orden del superior jerárquico a quien debían obedecer. En Barcelona, por ejemplo,

(5) M. Auclair, *Enfances...*, p. 417.
(6) *Diario de Burgos*, 19 de septiembre de 1936.

208

obedecieron al capitán general Llano de la Encomienda, no al sublevado Goded. Y en Granada al sublevado —aunque tardío— Campins, cuando éste declaró el estado de guerra, no antes.

El verdadero origen de la atribución del asesinato a la Guardia Civil se halla no en los versos de Federico, sino en el declarado odio que tienen las masas proletarias a la Benemérita, encargada, desde su fundación, de hacer respetar el orden público —no sólo perseguir gitanos— y, por lo tanto, muchas veces enfrentada, especialmente durante la Monarquía, a las manifestaciones, algaradas, etc., que, con razón o sin ella, se producían.

Por si eso fuera poco, el periodista Vicente Vidal Corella publicó, el 15 de septiembre de 1937, en *Adelante* de Valencia, una supuesta entrevista con un guardia civil pasado de la zona nacional a la republicana. Éste *no quiere dar su nombre*, porque —asegura el periodista— tiene a su madre y cinco hermanos en la otra zona. Dice que formó parte del piquete encargado de ejecutarle, aunque él no disparó.

Naturalmente, esas declaraciones se reprodujeron profusamente en la prensa republicana y en el extranjero, sobre todo en Hispanoamérica, donde era preciso forzar la propaganda antifranquista ya que la mayoría de centro y sudamericanos se estaban decantando a favor de la propaganda nacional.

De ahí a establecerse la acusación como un hecho real en la mentalidad popular no hay ni siquiera un paso. Sobre todo, cuando la leyenda encaja perfectamente en la enemistad hacia la Guardia Civil.

El *traslado* de esas razones a los versos del *Romancero gitano*, lo supongo debido precisamente a las derechas, por el siguiente proceso:

1.°) Se sabe ya, con seguridad, que Federico ha sido asesinado.

2.°) Por la extensión con que ha prendido el bulo que carga el crimen a la Guardia Civil, se cree en él.

3.°) Como las derechas no odian —todo lo contrario— a la Guardia Civil, encuentran su única *explicación* en una *justiciera venganza* por los *insultos* del poeta.

d) A Ramón Ruiz Alonso, en particular. Aunque, por lo general, se cree que el primero en publicar este nombre fue un diario mejicano que lo recogió directamente de Ramón Serrano Suñer —más adelante analizaré el caso—, la verdad es que ya se le cita en los primeros momentos en que la prensa republicana echa al aire el asunto.

SOLIDARIDAD OBRERA

ÓRGANO DE LA CONFEDERACIÓN REGIONAL DEL TRABAJO DE CATALUÑA △ IT PORTAVOZ DE LA CONFEDERACIÓN NACIONAL DEL TRABAJO DE ESPAÑA

AÑO VII · ÉPOCA VI · Barcelona, sábado, 5 de septiembre de 1936 · NÚMERO 1371

¡Merecemos el respeto del mundo!

Cese la farsa diplomática y sepamos de una vez quién está en favor del fascismo y contra la libertad. - Los Estados de Europa deben hablar claramente. - La abnegación y el sacrificio del pueblo español lo exige

Cese ya la farsa diplomática

Ha llegado la hora de que comencemos a ocuparnos seriamente de la actitud de ciertos países europeos frente a la obligada posición que el pueblo español ha tenido que adoptar. Las nuevas normas diplomáticas que han surgido es el mundo político con motivo de la gesta española, no pueden convencernos a los trabajadores, y es esto, como en todo hay que llegar a conclusiones extremas obligando al Gobierno a "herrar o quitar el banco". España no puede ser el segundo caso de Abisinia. Mal conocen al proletariado español los que crean rasa de segundo orden capaz de someterse a la espuela militar sin cuando ésta lleve el ascaso disimulado de las potencias que se denominan fuertes a sí mismas. Esto no será ni aun cuando para ello tengamos que colocarnos frente al mundo entero. Si el hecho jurídico que proclama la legalidad del Gobierno constituido conforme a la forma establecida por todos los Estados no basta para convencer a esa potencia de su obligación solidaria de asistirnos, la convencerá el elemento trabajador con su decisión tajante de, además de impedir el paso del fascismo, crear una vida internacional nueva, deslegada de la podrida diplomacia al uso.

Quiere decir todo esto que comenzamos a necesitar saber de una vez la posición de todos y cada uno de los Estados de Europa frente al drama español de estas horas decisivas, porque después hemos de apelar al proletariado de estos países, que son en definitiva, en los únicos que nosotros hemos de poner nuestras esperanzas.

Ya se dice públicamente, por hombres tan significativos en la política y tan íntimamente ligados al Gobierno como Indalecio Prieto, que los facciosos reciben todos los días pertrechos de guerra de Alemania y de Italia. Si nosotros podemos probar esto — y podemos probarlo— ¿a cuándo aguardamos para exigir a Francia y Rusia una actitud que no sea precisamente la de la "neutralidad"? La inhábil fórmula presentada al mundo por Francia tiene, o una ingenuidad incomprensible o una intención aviesa. En cualquiera de ambos casos no nos sirve, y visto que está violada desde el mismo instante que se firmaba, es necesario que aquellos Gobiernos que dicen amigos del Gobierno español vuelvan de su acuerdo y entren de lleno en la obligada solidaridad que nos deben...

Es inútil que se quiera soslayar una guerra europea, que ya ha sido soslayada con el sacrificio de Abisinia. Esta forma de soslayar la conflagración, no significa más que un aplazamiento. Pasado el sacrificio de España, si éste se consumase, no habrían hecho las potencias más que apalar nuevamente lo que ya es inevitable. Fascismo y obrerismo, frente a frente, se esperan en el mundo para la gran batalla. Cada encuentro que la democracia pierde en cualquier país, la pierde el Universo entero. La órbita de la lucha se ha ensanchado de tal modo, que llega de Norte a Sur. A nosotros nos conmueven los dolores del mundo trabajador esté éste donde esté. A ellos también, a nuestros enemigos seculares, les duele la pérdida de sus privilegios de clase, se hallen donde se hallen. No importa que no hayan establecido los capitalistas una internacional del trabajo, como un organismo físico. La han establecido espiritualmente. Su nexo es el fascismo. Unos u otros se ayudan cada mismos que desde los Estados que detentan. Si los Estados democráticos — que saben esto no se defienden y no open a los trabajadores, están perdidos como Estados libres. Del mismo modo que Italia, Alemania, Grecia y Portugal, se han entregado a la bárbara dominación militar, se entregarán los suyos. Este ha sido el gran error de la República española. No ver quién la rodeaba y quién la servía. Convertirla en un instrumento de dominación y de tiranía del proletariado. Todo esto cuando el mundo dibuja de manera clara y evidente las dos tendencias en pugna de muerte.

Y todavía le quedan al Gobierno español los rescabios de sus equivocaciones tolerando una situación diplomática internacional, que nos arruina. No más farsas. Hay que despejar la incógnita de esos pueblos que se llaman amigos nuestros. A los enemigos los conocemos demasiado. No vayamos a hacer los obreros españoles el papel de otro Negus, implorando de puerta en puerta que le devuelvan su trono y su país en un exilio grotesco y vergonzante. Nosotros no somos emperadores ni príncipes. Si hemos de morir como pueblo libre muramos conscientemente; y si es necesario escupiendo a la cara a aquellos Gobiernos que no nos brindaron amistad cuando nada comprometían al brindarla; pero que a la hora de los sacrificios les da miedo enviarnos lo que de ellos necesitamos...

Al igual que en Barcelona, créase en Castellón el Comité de Obreros y Soldados

CASTELLÓN DE LA PLANA. — Se ha celebrado en el Ateneo Nacionalista, una reunión de representantes de la U. G. T. y de la C. N. T. para constituir el Comité de Obreros y Soldados, al igual que en Barcelona.

Los delegados de Barcelona han demostrado la eficacia de esta organismo para acabar con los pueblos desmanes.

Barcelona y Madrid, pueblos hermanos

Una vez más se ha sellado la hermandad de dos grandes pueblos hispánicos: Barcelona y Madrid. Sólo que ahora este sello se ha hecho con la sangre del pueblo trabajador y no habrá nadie que pueda borrarlo. De esta hermandad que todos los urbes, saldrá el futuro indestructible de la nueva España.

De cómo se han unido y amado en la fortaleza del drama de la guerra fascista Barcelona y Madrid, se da cuenta el periodista eso de se trasladó de una a otro punto. En Barcelona nos interrogan constantemente:

—¿Y Madrid? ¿Cómo está?

Y en Madrid, pregunta a todo aquel que llega de Barcelona:

—¿Cuál es el espíritu de Barcelona?

Verdaderamente, ambos pueblos compiten en mantener su alma tensa ante la inmensidad de este gran crimen del fascismo. Madrid, siempre ligero e ingenioso, olvidando con una frase donosa y oportuna la amenaza constante de las bombas que se ven con cuando dejan caer sobre la población los "pájaros negros", ofreciendo al cercano frente de la Sierra y Extremadura lo mejor de su juventud, que cada y ríe camino del infierno de las batallas. Barcelona, ordenada, laboriosa, continúa sacando del fondo de su extraña industrial todo un orden de producción que garantiza el éxito de la campaña libertadora, al mismo tiempo que envía también lo más rico de su mocedad a los frentes de Aragón y Mallorca. Un mismo ritmo para no más de batalla y mismo afán de ambos en dar sangre y cerebro para trabajarlo a tiempo. Yunque y martillo batiendo la brasa del espíritu en marcha.

—"¡No pasarán!" —ha dicho el pueblo ante la horda militar—. ¿Y cómo han de pasar ante una conjunción de los dos pueblos que representan la capitalidad del país? Pudieron los traidores apoderarse de la mansedumbre ingenua de esas ciudades tímidas que jamás supieron sacudir el prejuicio que las inspiraba el cañón de fraile y el brillo de la escuria: de las pobres aldeas sometidas a la cacique secularo, dueños de la tierra y de la vida de los que la trabajan. Pero las ciudades vivas, "alabeando constantemente por la labor social", no han cedido ni un punto de terreno, ni a tregua minuscula de un minuto a los detentadores tradicionales. Dejó el miserable Gil Robles a un periodista francés, al llegar de nuevo a Burgos: que "Aquí no es España, ni en España está España, que ya si no España un pueblo domado, con el sueño de hoy, bajo su catedral, con su corte de estrechos purpurados.

Como en el medieval España es otra, afortunadamente para España. Es el Madrid populoso y genial que siempre encuentra la frase chispeante ante la desgracia y trabaja con la sonrisa en sus labios. Es esta Barcelona inmortal que todos los días surte al mundo español de la extensa gama manufacturada que precisa para vivir como un pueblo civilizado. Es el taller y la cátedra. El periódico y el martillo.

Por eso es deber nuestro, de Barcelona y Madrid, al liberar a las infelices ciudades caídas en la garra fascista, comenzar a dotarlas de una vida nueva, de una savia distinta, que las ponga en un plano mismo de las dos capitales españolas. En la tutela que forzosamente tendrá que implantar Barcelona y Madrid sobre esos pueblos, habrá que poner un esmero tal que haga imposible la repetición de este salvaje hecho histórico que el mundo civilizado presencia atónito...

Lo más firme ya está logrado. Ver a Barcelona y Madrid estrechamente unidos por el vínculo imborrable de la sangre derramada en holocausto de un ideal común. Nadie intentará ya, a partir de aquí, un divorcio entre las dos grandes ciudades unidas tanto en la Historia como en la vida defendida con la muerte.

Ezequiel Endériz

REFLEJOS DEL FRENTE

¡Compañero! Que mi sangre te sirva de estímulo para seguir luchando, por la libertad de nuestros hermanos proletarios. ¡Viva la F. A. I.!

Un error que nos cuesta caro

El asesino más repugnante que jamás se dará en la tierra, se halla en Burgos. Este personaje sangriento ha disfrutado de los resortes del Estado por un período de dos años. Y más tarde, cuando las jornadas de febrero dieron al traste con las derechas, se le respetó como si se tratase de un colega.

A Gil Robles lo han resguardado las izquierdas y han impedido que el furor popular acabara con este chacal ignaciano. No podemos borrarnos de la memoria que Gil Robles tenía a toda hora dos agentes de seguridad a las puertas de su domicilio y que le acompañaban sin cesar los agentes que la situación de febrero pagaba para que velasen por la vida del que hoy está asesinando al proletariado español.

Hoy está en Burgos. De la sede de la Junta Nacional de los curas, militares y plutócratas se traslada con gran frecuencia a Lisboa. Esta es su tarea, con el objeto de mantener el ataque criminal de que somos objeto.

Pero Gil Robles desempeña su papel de asesino y de ladrón. Quien no estuvo en su lugar fueron los gobernantes de izquierda. Las consecuencias son palpables.

No olvidemos la lección. Todavía hay quien es tolerado y que merecería que fuese tratado a rajatabla.

Anteayer salió para el frente aragonés la primera caravana artística de «Las Noticias»

Conforme se había anunciado, anteayer, a las nueve de la mañana, frente al edificio de "Las Noticias", se formó la primera expedición artística que organizada por dicho fraternal colega, se dirige al frente aragonés para proporcionar a los bravos milicianos que luchan en el mismo unas horas de distracción y alegría.

De dicha expedición forman parte las actrices Carmen Laresma, Dora Sancho, Elvira Luque, Juana Benítez, María Luisa Jou, Mary Soler Gari, Nieves Lacasa y Pepita Tormo; actores Antonio Castillo, Antonio Salom, Manrique Gil y Pablo Melgoza; el apuntador Pedro Serra, el organizador Alejandro Molina y el avisador Adolfo Morera Risueño, todos ellos de la compañía de Manrique Gil; los músicos Rogelio Ferrer, Luis Monreal, Ramón Tuturieu, Silverio Figueras, Clemente Ambrós Sallés, Adolfo Sánchez, Jaime Layal, Andrés Fuster, Gabriel Estarán, Juan Holm, Juan Tort y Esteban Peña Morell, de la orquesta "Royal", y los artistas de varietés Isidro Badurge León, Petra García "Niña de Linares", Francisco Villanueva, Francisco y Araceli Martínez, hermanos Lewis, Montserrat Veloqui "Minerva", María Pont, Mary Marina, Angelita Rosa, Isabel Lapesa, Jony Pompy and Monta, clowns musicales; Lina García y José Campos.

Antes de partir para el frente, se formó una cabalgata que recorrió diferentes vías de la población. Dando escolta a los coches que ocupaban los artistas y organizadores, desfiló la centuria "Rafael Fuster", del cuarto de cargos Marx (P. S. U. C.), con sección de gastadores, banda de trompetas y tambores, bandera y música.

La comitiva desfiló por las Ramblas y calle de Fivaller hasta la Plaza de la República, donde se congregó un gran gentío.

El presidente, Companys, y el alcalde Pi y Suñer, salieron a los balcones de la Generalidad y del Ayuntamiento respectivamente, en medio de los aplausos de la multitud.

El señor Companys pronunció un breve discurso que terminó con vivas a la República, a Cataluña y al pueblo, que fueron coreados entusiásticamente por el pueblo.

Junto con el comisario de Espectáculos Públicos, señor Carner Ribalta, un delegado del Comité Central de Milicias Antifascistas y otro del Comité Económico del Teatro; el director de "Las Noticias", Gabriel Trilla, y demás organizadores y un grupo de señoritas artistas visitaron en sus despachos respectivos al alcalde y al presidente de la Generalidad, los cuales testimoniaron en nombre del pueblo la gratitud que mere-

Los fascistas han fusilado a Federico García Lorca

Las últimas noticias confirman la muerte del poeta García Lorca. Ha sido asesinado por las hordas del jefe militar de Córdoba.

El poeta inmolado por Cascajo es uno de los pocos autores teatrales que han recogido la fibra popular. Sus obras poseen un hondo sentido de humanidad. García Lorca plntaseaba en las tablas, y con un ropaje bello, los más arduos problemas que se debaten en el campo y en la ciudad.

El lenguaje es florido en demasía. Sabe dar vida a los personajes y moverlos con soltura y maestría. Conocemos algunas obras de García Lorca. Recordamos con preferencia "Yerma" y "Bodas de sangre".

No pretendemos protestar del inicuo crimen. Sería tontería y hasta parecería infantil. Pero si es cierta la muerte del poeta que se inspiró en el hálito de la calle y penetró en lo más hondo del dolor de la población española, no queremos orillar a una de las figuras más interesantes del campo revolucionario.

La figura de García Lorca será siempre para los trabajadores el poeta que, con la cadencia de los versos, supo conjugar un tono de dulzura con el dramatismo que ha vivido nuestro pueblo.

No olvidaremos a García Lorca. Al cabo de los años se le conocerá por el poeta de la revolución.

cen todos cuantos colaboran en esta obra desinteresada de amor a los que ofrecen sus vidas por la Libertad y Justicia social.

Después de esto y de interpretar la banda en la Plaza de la República "Els Segadors" y "La Internacional" entre grandes aplausos, siguió la comitiva hasta la Plaza de la Universidad, donde los expedicionarios fueron despedidos cariñosamente por una gran muchedumbre.

Primera página de «Solidaridad Obrera» correspondiente al 5 de septiembre de 1936; en la página número dos de la edición de ese día se da cuenta del fusilamiento de García Lorca por el coronel Cascajo.

En octubre de 1936 (algo menos de dos meses después del crimen), H. G. Wells envió a las autoridades militares de Granada el siguiente telegrama: «H. G. Wells, presidente PEN-Club de Londres, desea con ansiedad noticias de su distinguido colega Federico García Lorca y apreciará grandemente la cortesía de una respuesta.»

La respuesta es: «Coronel gobernador de Granada a H. G. Wells: Ignoro lugar hállase don Federico García Lorca. Firmado, Coronel Espinosa.»

El diario madrileño *El Sol* publicó inmediatamente (el 15 de octubre de 1936) el siguiente comentario: «El ex coronel Espinosa seguramente se ha enterado ahora, al recibir el telegrama de Wells, de que existió un poeta llamado Federico García Lorca, y de que fue asesinado por las hordas que acaudilla Ruiz Alonso (...)»

Mucho más tarde, en 1950, Brenan, en *The face of Spain*, asegura que Serrano Suñer, en 1947, había dado el nombre de Ruiz Alonso, como responsable de la muerte del poeta, al periodista mejicano Alfonso Junco. Éste niega la noticia.

Es en 1948 cuando otro periodista, Armando Chávez Camacho, publica en *El Universal Gráfico* que «el jefe del grupo que sacó a Lorca de su casa y le mató fue el diputado derechista y antiguo tipógrafo Ramón Ruiz Alonso» atribuyendo literalmente las palabras a Serrano Suñer.

El ex ministro escribió a Chávez una carta cuya parte más importante se publicó en *El Universal Gráfico*, el 3 de mayo de 1948.

Ese mismo año, Chávez publica el libro *Misión de prensa en España* (7), reproduciéndola en las páginas 372-374. Dice:

> Mi distinguido amigo:
> ...Lamentábamos los dos, usted y yo, en nuestra conversación privada, el error trágico que la España nacional cometiera en la muerte del gran poeta granadino. Argumenté yo que ese crimen había sido deplorado por muchos que fuimos (y algunos que todavía son) jefes de la Causa nacional, que ninguna parte tuvo en él, siendo tal crimen obra de unos «incontrolados» de los que actúan casi siempre en toda revuelta sin poderlo evitar. Tuve interés en puntualizar, y esto con perfecto conocimiento de causa, que ni un solo falangista había participado en ese crimen.
> Y aun le añadiré, si no lo dije entonces, que eran precisamente los pocos falangistas que había en Granada, amigos y

_____

(7) Ed. Jus, Méjico, 1948.

protectores del poeta cuya incorporación a la Causa preveían. Causaron su muerte quienes menos entendían la generosa ambición española del Movimiento, elementos poseídos por un rencor provinciano y difícil de definir; desde luego antifalangistas.

Y como prueba de ello, le expliqué a usted cómo la opinión había relacionado a los agentes del crimen de Granada con un diputado de la minoría citada en quien presumían una natural relación con las milicias de Acción Popular que detuvieron a García Lorca, aunque seguramente sin el propósito de conducirlo a su trágico destino. La detención tuvo lugar en el domicilio del poeta falangista Rosales, que le protegía. Por consiguiente lo de que aquellas milicias y aquel diputado fueron autores de la muerte del poeta no pasaba de ser un rumor que yo aducía como prueba del carácter antifalangista que al crimen dio la opinión desde el primer momento.

Esto para quien conozca la España nacional de entonces es muy claro. La Falange representaba entonces el extremismo político frente a «las derechas», pero representaba también el propósito de conversión y conquista, de asimilación del elemento rojo enemigo. Hacer propios todos los valores —sobre todo los intelectuales— de España era la consigna principal de entonces. Esta tendencia tuvo centenares de expresiones. En el caso de García Lorca la cosa era así en grado máximo. En primer lugar, porque García Lorca no era propiamente del «campo enemigo». Como reconoció el gran Antonio Machado en un documento de propaganda roja, el pueblo al que cantaba García Lorca no era el pueblo-masa, subvertido por las consignas de la Internacional, sino el pueblo tradicional y religioso, el pueblo en el que la misma Falange quería apoyarse. Por otra parte, muchos amigos de Lorca eran falangistas, y en realidad su muerte fue para la Falange doblemente trágica: porque venía a convertir a Lorca en bandera del enemigo, ¡y con qué impiedad lo usó éste como bandera!, y porque ella misma perdía un cantor, el mejor dotado seguramente para cantar aquella ocasión —única— de regeneración española revolucionaria en que la Falange soñaba.

Ésta es la verdad. García Lorca era un gran poeta, el lírico de mayor fuerza que España alumbrara en los últimos años; un poeta hecho de la tierra y la sangre de España: popular, castizo. Ayer y hoy nosotros lo hemos considerado como un valor y una gloria de España y su muerte —que sirvió a los

El Colegio de Abogados de Madrid denuncia al Mundo civilizado la serie interminable de crímenes y barbaries cometidas por los fascistas españoles

Diputados asesinados, obreros quemados vivos, mujeres violadas y niños torturados por el salvajismo de los facciosos

"La serie de horrores y de crueldades que han desencadenado los militares que, haciendo traición a la esencia de sus deberes, combaten al pueblo español con las armas que éste les dió para que lo defendiese, obliga imperiosamente a la Junta de gobierno del Colegio de Abogados a levantar su voz ante el Mundo civilizado para protestar de tan sangrienta y feroz conculcación de los más elementales derechos de. humanidad y obtener la solidaridad de todos los hombres de bien.

Duras han sido siempre las guerras civiles que al romper el vínculo fraterno aguijan el encono y el odio; pero los militares sublevados están realizando hechos que superan a los más brutales actos de la criminalidad colectiva y hacen pensar en una sentimentalidad infrahumana.

Deseamos que nuestro clamor de hombres de ley encuentre eco y auxilio en los colegas de toda la Tierra y en las masas cultas de los grandes países de alta civilización, ya que la solidaridad humana es universal.

Adversarios del fascismo por la profunda convicción de nuestras ideologías democráticas, debemos decir que quisiéramos que nuestra voz también llegase a las muchedumbres cultas y sensibles a los principios básicos de la dignidad humana de los países en que impera ese régimen político.

LA BARBARIE DE LOS FASCISTAS ESPAÑOLES

La singularidad de las reacciones públicas de España debe ser estudiada para evitar la confusión a que puede verse inducida la opinión universal por las imprecisas e inexactas clasificaciones políticas. El llamado fascismo español nada tiene de común con los fascismos de Italia y de Alemania, sin que esta distinción haya de expresar menor reprobación por nuestra parte para estos últimos. Mas sí conviene establecer que España se encuentra ante una sublevación militar defensora de los viejos privilegios y del más arcaico e inquisitorial fanatismo religioso que realiza su último y desaforado esfuerzo para impedir a los españoles la normal evolución y progreso que hagan de España un país moderno. La vieja Monarquía ha regido a España como si fuese una colonia. Perdió, por su incapacidad, las que conquistara el genio popular. Y ahora sobre España, que era su última colonia, quiere, con sus tradicionales artefactos militares, reducirla de nuevo a coloniaje. Hasta las fuerzas que emplea —moros Regulares y Tercio de extranjeros, transportados de Africa— denuncia tan honda verdad histórica. Ciertamente, España combate hoy por su liberación, como en el siglo pasado lucharon las colonias americanas que hoy son grandes naciones libres.

La mentalidad que inspira a estas hordas arcaicas es la misma —como si sobre ellas no hubiese pasado un día— del absolutismo impregnado de ruda y fanática intolerancia de Fernando VII y de las guerras carlistas. Han resurgido los obispos y clérigos guerrilleros y las boinas rojas de los requetés. A los moros que vienen a matar españoles les bendicen los obispos y les colocan farisaicamente en el pecho un corazón de Jesús, diciéndoles que es un amuleto.

Pedimos el auxilio moral del Mundo ante esta ola de ancestral barbarie que invade a España, alentada, además, por ambiciones imperialistas de otros países, contrarios al fundamental interés de una nación independiente. La consigna de los insurrectos, estampada en instrucciones impresas que se han encontrado al caer algunos de sus jefes en poder de las fuerzas leales, es la del más impío exterminio y terror.

Tales instrucciones ordenan que se mate sin compasión no sólo a los dirigentes y obreros de las organizaciones sindicales, sino a los individuos de su familia, para producir un espanto en el que se ahogue toda voluntad de defensa. Estas instrucciones dan plena conciencia y responsabilidad a los jefes del movimiento en cuanto a los horrores que se están cometiendo.

MILLARES DE FUSILADOS EN SEVILLA...

No podemos incluir en este documento la innumerable cantidad de actos de barbarie con que los insurgentes están martirizando a los ciudadanos de España. Cada día que pasa alumbra múltiples escenas de horror. Estamparemos aquí sólo algunas de ellas que expresan la intensidad del crimen colectivo contra el que apelamos ante la opinión internacional.

En los territorios ocupados por los insurgentes han fusilado éstos sistemáticamente a cuantos obreros poseían un carnet sindical. Sus cadáveres, abandonados en las calles o formando en los cementerios siniestro montón, aparecen con el carnet de su Sindicato, atado a una pierna o a un brazo, como expresión del motivo por el que han sido ejecutados.

En Badajoz, al entrar las fuerzas fascistas, encerraron en los corrales de la plaza de toros a 1,500 obreros. Colocaron ametralladoras en los tendidos de la plaza, y haciendo salir a aquéllos a la arena, los ametrallaron inpiamente. En terrible amontonamiento permanecieron los cadáveres en el ruedo. Algunos obreros quedaron heridos y nadie atendió los lamentos de su agonía.

Al diputado por Salamanca, abogado socialista de gran prestigio, José Andrés Manso, le condujeron también a la plaza de toros de esta ciudad, le pusieron banderillas de fuego y luego le mataron con un estoque.

Sólo en la ciudad de Sevilla, e independientemente de toda acción guerrera, han asesinado a más de nueve mil obreros y campesinos. En los barrios obreros, los soldados de Regulares moros y del Tercio recorrían sus calles de modestísimas casas de una planta y por las ventanas

(Continúa en la segunda página)

=No fiemos sólo en la razón; seamos fuertes para imponerla=

C.N.T.

UN TERRIBLE DOCUMENTO ACUSATORIO

(Continuación de la primera página)

arrojaban bombas de mano, destruyéndolas y matando a las niñas. Las hordas moras y a los moros libremente al saqueo y a la violación. El general Quiepo de Llano, en sus charlas a través del micrófono, que son exponente de la grosera y baja mentalidad de los sublevados, incita a estas fuerzas al que violen a las mujeres, y cuenta con rudo sarcasmo brutales escenas de este género.

UN RELATO IMPRESIONANTE

En los pueblos andaluces de Constantina, Carmona, Posada, Palma de Río, Peñaflor, Alanis, Cazalla, Puebla de los Infantes, Villanueva de las Minas, Pedroso, La Campana y otros, como en numerosos de Extremadura, la aviación de los insurgentes ha bombardeado al pacífico vecindario, aunque no hubiese en dichos pueblos ninguna fuerza militar, matando a numerosas mujeres y niños. Las mujeres formaban en muchos de ellos largas colas a las puertas de las tahonas para proveerse del pan familiar, y sobre esa masa de mujeres indefensas se complacían los aviones arrojar bombas. A muchas mujeres embarazadas las han obligado a ingerir una mezcla de ricino y petróleo. A una de ellas, en Algeciras, como se enterasen de que su esposo había huido a Gibraltar, la obligaron a beber una fuerte cantidad de este líquido y la dejaron luego ir a reunirse con su marido. Sucumbió al día siguiente.

Han fusilado a todos los diputados de izquierda que han aprehendido en las provincias de que tuviesen alguna notoriedad.

Al inteligentísimo abogado y diputado a Cortes Landrove le han fusilado, así como a su padre, en Valladolid, manifestando luego, que le habían impuesto esa pena por no asistir a la oficina.

En Logroño han fusilado al alcalde, D. Basilio Gurrea, y al médico Vallejo.

El señor Pérez Carballo, gobernador de La Coruña, ha sido fusilado, así como su esposa, dama cultísima, que pertenecía al Cuerpo de Archiveros y Bibliotecarios. A los diputados Aliseda, Martín de Nicolás Dorado, Antonio Acuña y a otros muchos los han ejecutado igualmente.

Al ex diputado de las Constituyentes Alonso Zapata, director del grupo escolar Joaquín Costa, de Madrid, para demostrar el odio a todo lo que sea cultura, así como a su mujer e igualmente, así como a su mujer y a sus jóvenes hijos.

En el pueblo de El Carpio, próximo a Córdoba, actualmente liberado por las fuerzas de la República, un capitán fascista que ha tiranizado al pueblo durante unos días, llevó al cementerio a doscientos obreros, y después de obligarles a cavar una gran fosa, les hizo fusilar. Después

Al pueblo de El Carpio, por el cementerio durante

publicó un bando, a redoble de tambor, comunicando al vecindario que se le daban dos horas de plazo a los familiares de los muertos, antes de enterrarlos, para que pudieran ver los y recoger alguna de sus prendas. Esto dió lugar a escenas de dolor, cuyo patetismo es difícil de escribir. Pero lo más terrible fué que cuando estuvieron allí reunidos los familiares de aquellos obreros, asesinados, ser y [...] castilla ellos, [...] fuego

En Morón, nuestras fuerzas, al liberar esta ciudad, se encontraron a varias mujeres a las que habían cortado los pechos, y en una tapia del pueblo pudieron leer esta villana inscripción: "Nosotras morriremos, pero vuestras mujeres parirán fascistas." En otros puntos, a las mujeres les cortan el pelo con la máquina cero y las obligan a bailar desnudas en las plazas públicas.

En Caspe (Aragón), el capitán Negrete y el teniente que iba a dar órdenes fusilaron a la madre, a sus hermana casada con un capitán de la Guardia civil y a la viuda y a una niña de cuatro años del alcalde. La torre, al que habían asesinado ellos hace tiempo. Igual suerte corrió el abogado Alejandro Blanco. En los balcones de la plaza del pueblo, donde se hicieron fuertes las facciosos, colocaron como parapeto a los hijos y a las mujeres de las personas de izquierda.

En Granada han asesinado al escritor García Lorca, genial y popular, eminente dramaturgo, poeta era, a no dudarlo, la figura más culminante de la Juventud literaria de España.

OBREROS QUEMADOS VIVOS

En Baena (Córdoba), según el testimonio de Antonio Moreno Benavente, de la Agrupación Socialista, que logró huir apenas los fascistas se adueñaron del pueblo, se incautaron de los ficheros de las organizaciones obreras y procedieron al fusilamiento de cuantos figuraban en al extremo, como en otros sitios, llegó al extremo, como en otros sitios, llegó a hacerles cavar sus propias fosas. A los presidentes de la Agrupación y de la Juventud Socialista, Alonzo y Manuel Sevillano, Gregorio tés, los amarraron juntos y así los fusilaron, haciendo presenciar el crimen a las familias de los tres.

De los 375 miembros de dichos Sindicatos han fusilado, en 29 del pasado mes, 296. El 9 de agosto se obligó a que 30 obreros trabajasen forzadamente para fortificar el histórico castillo del pueblo, y después de cuarenta y ocho horas de labor sin descanso, azuzados a latigazos y sin darles detrás, los precipitaron al foso. Tres de ellos, antes de sufrir este martirio, se habían vuelto locos.

En El Carpio encerraron en un chozo a seis militantes de la F.A.I., los rociaron de gasolina y prendieron fuego, muriendo todos abrasados.

En Castro del Río se degolló, como a reses, a los más destacados elementos obreros.

El secretario de la Agrupación

Socialista de Pedro Abad (Córdoba), Rafael García, confirma que los facciosos, al llegar allí, el día 22 de julio, prendieron a siete obreros, los condujeron en un camión a las afueras del pueblo, los rociaron de gasolina y los quemaron vivos.

Al entrar en Navalmoral de la Mata, los Regulares moros produjeron escenas de salvajismo inenarrable, asesinando a los moradores, desvalijando las casas. Los elementos de ultraderecha, por poseer los mejores muebles, fueron los más castigados.

Muchas mujeres católicas que rezaban por que entrasen los fascistas, fueron, cuando ello ocurrió, violadas y muertas.

En Zaragoza han fusilado unos dos mil obreros. Al doctor Aicrudo, un hombre generoso que se dedicó siempre a hacer el bien, le prendieron, así como a su hijo, joven de dieciséis años; fusilaron a éste en presencia de su padre, al que ejecutaron poco después, no sin gozarse antes en su dolor terrible.

UNA ACUSACION SERENA

Sin perjuicio de informar con todo detalle a la opinión mundial en una prolija enumeración en que se estampe todo el horror y la barbarie de este movimiento, contra el cual combate el pueblo español por su dignidad, por su libertad y por su vida, nosotros hemos de poner punto hoy a este documento, porque la pluma se quiebra de amargura y de angustia al verse obligada a estampar tal villanía y crueldad, tanta impiedad en los métodos del fascismo vaticanista.

Acudimos con un grito vibrante de hondísima emoción, de fe también en la solidaridad humana, a la opinión universal, para que aisle como a fieras a los insurgentes, que no tienen derecho al apoyo ni a la simpatía de ninguna masa de hombres que pueda calificarse de civilizada.

El Gobierno de la República española, legítimo de las fuerzas parlamentarias recientemente elegidas con la garantía de sinceridad electoral, que significa la circunstancia de que dichas elecciones se hayan verificado bajo la dirección de un Gobierno reaccionario, tiene derecho a que su personalidad no sea menoscabada y a que no se le estime en paridad de facultades con unos insurgentes, ya que ello, que es decir al Mundo que hemos de elemental y evidente constituye una los principios del Derecho internacional público. Pero, además, fuerzas que de tal manera se comportan al que invaden nuestro país con hordas africanas y extranjeras para darles y martirizar a las españolas y envilecer su dignidad humana hasta los extremos de horror que quedan estampados en este documento, no pueden ser, en manera alguna, tratadas como beligerantes por ningún país. La Junta de gobierno del Colegio de Abogados invoca los sentimientos de fraternidad universal, segura de que su voz ha de conmover al Mundo civilizado. — El decano, Eduardo Ortega Gasset; el secretario, Luis de Zubillaga."

Documento de la Junta de Gobierno del Colegio de Abogados de Madrid, reproducido por «Solidaridad Obrera» el 2 de octubre de 1936, en el que se da cuenta del fusilamiento en Granada de Federico García Lorca.

enemigos para infamarnos— era ya, por sí misma, una pérdida sensible para nosotros.

Respecto a la dirección que la opinión señaló al origen del crimen, la recordé yo cuando usted, que venía de Portugal, me comunicó que había oído allí a un político español acusaciones de crímenes y atropellos contra la España nacional que yo tenía el deber de rechazar por inexactas, fuera de casos lamentables como el que nos ocupa que, por desgracia, pueden ser inevitables en esa cosa terrible que es la guerra civil. Tenía yo el deber de defender el honor de una política y de un Estado que eran inocentes de aquel crimen y también el buen nombre de quienes no sólo fueron inocentes de él sino que lo condenaron con indignación. Eso sólo es lo que yo quería dar a entender a usted y lo que mantengo ahora a los efectos de la significación moral del hecho que en último término fue una mera brutalidad que salpicó el merecido prestigio de nuestra Causa, pero que a ningún sector ni ideología puede ser imputado *verdaderamente* y menos, y sin pruebas, a una persona concreta. Precisamente, y de una manera general en relación con lo acaecido en zona nacional en los primeros meses de la guerra civil, le dije a usted que yo no tenía información positiva y directa por encontrarme entonces prisionero de los rojos en la Cárcel Modelo de Madrid. Por esto yo deseo que el nombre de aquel diputado de la CEDA quede indemne de semejante mancha, mientras nadie pueda demostrar que el rumor fuera justo. Hace doce años que no he visto ni hablado al diputado aludido, pero por el rigor que me debo a mí mismo y por respeto a mi conciencia de cristiano no he de formular acusación contra nadie que no sea probadamente culpable...

Suyo affmo.

RAMÓN SERRANO SUÑER, *Firmado*

La reproducción, aquí, de este documento tiene valor de autenticidad no sólo por la posible corroboración en los impresos citados, sino porque tan realmente es lo que escribió Serrano Suñer que ha sido él mismo quien me ha proporcionado las fotocopias de estas páginas del libro de Chávez Camacho y, naturalmente, autorizado su publicación.

Me aclaró, además, que el periodista mejicano quizá abusara de informaciones que, si no confidenciales, pueden calificarse de *off the record*, ya que Chávez Camacho, hombre muy simpático, cuando estuvo en España fue admitido amistosamente en los más altos

Artículo sin firma publicado en «Solidaridad Obrera», de Barcelona, el 21 de septiembre de 1937.

El general González Carrasco en una foto retrospectiva durante su estancia en África. La información, publicada en el órgano de la CNT barcelonesa, disparatada y fantasiosa, le atribuye el fusilamiento de Lorca.

círculos oficiales o ex oficiales madrileños, donde obtuvo tales datos, sin que los informantes, quizá ingenuamente, pensasen iban a ser publicados. Ello explica la aclaración reproducida, en la que Serrano no niega haberle dado el nombre de Ruiz Alonso a Chávez, pero no desea sostener públicamente «semejante mancha, mientras nadie pueda demostrar que el rumor fuera justo».

Como hemos visto, poco después (1950) Brenan habla de Ruiz Alonso, y seguirán hablando de él todos los investigadores del tema.

e) *A la Falange.* Aquí se trata del proceso de confusionismo respecto a nuestra guerra civil y el Estado nacido del final de la misma. En cierta ocasión, Ricardo de la Cierva sintetizó clarísimamente tal confusionismo: se ha hablado de la lucha de los anticomunistas contra los antifascistas, sin tener en cuenta que, sobre todo al principio, en un bando los comunistas eran minoritarios, y en el otro los minoritarios eran los fascistas. Naturalmente, al decir «fascista» se refería a «falangista», hecho que suscita una inacabable polémica pero que, aun si la identidad no es exacta, puede hablarse con absoluta seguridad de una hermandad total.

Terminada la guerra, para el extranjero el Gobierno español es falangista, otro hecho bastante discutible. Al acusarse a los nacionales del crimen, se pasa a identificar a los nacionales como falangistas. Positivamente, no hay duda de que no sólo no fueron los falangistas, sino que, a mi modo de ver, el estúpido crimen fue, precisamente, producto de una *maniobra* contra Falange (8).

f) *Riñas de homosexuales.* Como ya he expresado anteriormente, la teoría procede de Schonberg. Está totalmente desprovista de fundamento y no puede alegar prueba alguna. La única base al respecto es la desviación sexual atribuida a Federico. Por lo visto, Schonberg creyó *apuntarse un tanto* original lanzando su descubrimiento (?).

Probablemente no habría tenido tanta resonancia sin la difusión que Juan Aparicio le dio en *La Estafeta Literaria*, de Madrid. Es de suponer que lo que intentó Aparicio fue exculpar, de todas todas, al Régimen del general Franco.

g) *A la CEDA.* Menos extendida que las anteriores, la acusación al partido confesional Confederación Española de Derechas Autónomas, proviene, sin duda, de dos factores:

(8) Quiero hacer constar que no soy falangista ni lo he sido nunca. Y, supongo, no lo seré jamás.

218

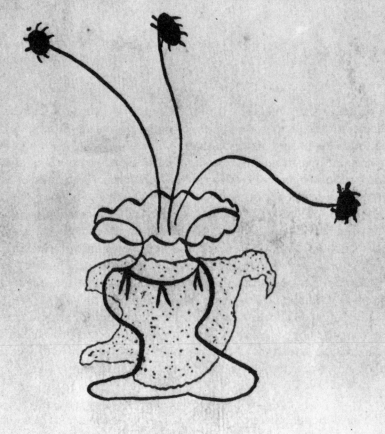

Romancero gitano

por

Federico García Lorca

1924
1927

Revista de
Occidente

Portada de la primera edición del «Romancero gitano».

1.º) Que Ruiz Alonso había sido diputado de la CEDA.

2.º) Que Falange quiso sacudirse, con toda razón, cualquier sombra de responsabilidad.

2. Mis conclusiones

A principios de 1974 se estrelló un avión DC-10 de las líneas turcas cerca del aeropuerto de Orly, del que acababa de despegar, muriendo todos los pasajeros y tripulantes.

En la investigación que inmediatamente empezó a efectuarse, uno de los ingenieros encargados de la misma contestó así a las preguntas de los periodistas:

—De momento aún no hemos llegado a una conclusión exacta. Pero tengan ustedes en cuenta que, siempre que cae una aeronave, no se debe sólo a una causa sino a un conjunto de ellas. La aviación comercial, hoy, está tan perfectamente organizada que muy difícilmente —puedo asegurar: casi imposible— una sola causa es capaz de originar un accidente de este tipo.

Esta frase se me quedó espeluznantemente grabada, pues en mi investigación respecto al asesinato de García Lorca había llegado a la misma conclusión, exceptuando, naturalmente, el que la vida de un hombre estuviese perfectamente organizada.

Mis conclusiones respecto a las causas del *accidente* que costó la vida a Federico son las siguientes:

a)   El caos desatado en Granada en julio de 1936.

b)   El que se llamase Federico (y su padre también).

c)   Su propio miedo y el de su familia.

d)   El que José Antonio Primo de Rivera no quisiese pagar 1 000 pesetas mensuales a Ramón Ruiz Alonso.

e)   La lucha entre Falange y CEDA.

f)   La estupidez burguesa de las *gentes de orden* que rodeaban a Valdés.

g)   La coincidencia en fechas del avance hacia Granada del general Varela y la detención del poeta.

Respecto al caos desatado en Granada en aquellas fechas, *factor primordial,* según Madariaga se ha exagerado el aspecto anárquico, irregular e irresponsable del terror que padeció España en los primeros meses de la guerra civil.

Desde luego, se refiere a ambos bandos.

Su teoría es que, en las dos zonas, los extremistas estaban en minoría en medio de una masa moderada y, por lo tanto, tenían que refugiarse en la opresión y en la violencia para asegurar su precario poder.

Así lo hicieron, al principio «tolerados» por las respectivas autoridades y, tras los primeros meses, «canalizados jurídicamente» por las mismas. Añade: «No valen argucias ni distingos. Suelen alegar los rebeldes que en cantidad no llegaron donde los revolucionarios; y los revolucionarios, que al principio carecieron (por culpa de los rebeldes) de fuerzas militares y de policía para resistir a la furia popular. Que cada cual escoja sus excusas según sus prejuicios. Todo es uno y lo mismo. El terrorismo se manifestó en ambos lados con igual empuje, con igual fanatismo y con igual ensañamiento. En el fondo, aunque grave y doloroso y humillante, fue meramente episódico y no afecta a la esencia de la guerra civil. Es de toda evidencia que quien quiera desencadenar una guerra civil rompe los frenos que el hombre consciente impone a su bestia y expone al país a la bestialidad humana» (9).

No estoy, en todo, de acuerdo con Madariaga. Sí en parte y en el criterio generalizado. Y creo que él mismo da la clave de lo que podría parecer una contradicción.

Es decir:

1.º) Los vencedores momentáneos —en cada zona— se consideran en minoría en medio de una masa moderada (u hostil); extreman su rigor, ya que el miedo hace obedecer.

2.º) Se agregan elementos foráneos a los primeros vencedores, adoptando sus ideologías, muchos de buena fe y otros por conveniencia.

3.º) Al rigor de los primeros vencedores se suma el extremismo de los adheridos: éstos lo fomentan y alardean de él, al estilo de —en tiempos pasados— los conversos.

4.º) Asimismo, el terror desata las inhibiciones personales: *se ha levantado la veda*; se produce el triple fenómeno de uso de la facultad de aplastamiento: por venganza, por intereses particulares o meramente como «deporte», como válvula de escape a instin-

(9) SALVADOR DE MADARIAGA, *España,* Ed. Sudamericana, 7.ª ed., Buenos Aires, 1964, pp. 506-507.

Para el poeta Ignasi Agusti.

Recuerdo de

Federico García Lorca.

ROMANCE DE LA LUNA, LUNA

A Conchita García Lorca.

1928 - 1932.

Barcelona.

Dedicatoria de García Lorca a Ignacio Agustí en uno de sus «romances» más célebres.

Ramón Serrano Suñer, informaciones «off the record». (Retrato por Vicente Eyré.)

Madrid, febrero de 1936. La imagen
de Gil Robles, jefe máximo de la CEDA,
en un cartelón de propaganda
electoral en la Puerta del Sol.

«Hacer propios todos los valores —sobre todo
los intelectuales— de España era la consigna
principal de entonces.» (De la carta
de Serrano Suñer a Chávez Camacho, 1948.)
Reproducción parcial de una nota
de Antonio Sánchez Barbudo publicada
en «Hora de España», mayo de 1937,
apostillando un artículo de Luis Hurtado
Álvarez, «A la España Imperial le han
asesinado su mejor poeta», aparecido
en el diario falangista «Unidad»,
de San Sebastián, el 11 de marzo de 1937.

HORA
DE
ESPAÑA

REVISTA MENSUAL

V

SUMARIO:

ENSAYOS DE *ANTONIO MACHADO, JOSÉ BERGAMÍN Y
RAFAEL DIESTE.* POEMAS DE *RAFAEL ALBERTI, JUAN GIL-
BERT Y LEÓN FELIPE.* NOTAS DE *A. SERRANO PLAJA,
OSSORIO Y GALLARDO, J. GRAU, MAX AUB, M. ALTOLAGUI-
RE Y R. GAYA.* DÍAS DE JULIO, *POR A. SÁNCHEZ BARBUDO.*

Viñetas de Ramón Gaya.　　*Valencia, Mayo, 1937.*

LA MUERTE DE GARCÍA LORCA
COMENTADA POR SUS ASESINOS

Hemos tenido ocasión de leer en el periódico *Unidad*, que editan los falan-
as de San Sebastián, un encanallado y enfático artículo titulado : *A la Es-
a imperial le han asesinado su mejor poeta.* Se refiere a Federico García
ca. Suponemos el asombro del lector, que será, sin duda, tan grande como
uestro. Y suponemos su ira ante tal monstruosidad y cinismo.
Nunca hubiéramos creído que esos escritores lamentables, esos envilecidos
tores» de Franco, llegasen, en su falta absoluta de honestidad, hasta el punto

«El terrorismo se manifestó en ambos lados con igual empuje, con igual fanatismo y con igual ensañamiento» (Salvador de Madariaga).

«A mí lo de "nacional" me parece muy bien, pero lo de "sindicalista" me da una patada en el estómago» (Valdés).

Federico García Lorca: un testigo que habla y escribe demasiado. (Aguatinta de José Maciá.)

tos perversos (ya no se trata exclusivamente del primer factor mencionado: necesidad de conservar la victoria precaria).

5.º) Se ha caído en el autoritarismo anárquico; esto favorece a los vencedores, quienes intentan encauzarlo; en algunos casos, lo consiguen.

6.º) Una vez conseguida la canalización seudojurídica de la opresión o la represión, éstas pueden atenuarse algo, pero nunca desaparecerán totalmente hasta el final del conflicto, pues, en tal caso, los vencedores momentáneos se expondrían a ser barridos por sus enemigos o por sus mismos adheridos, en el propio campo conquistado.

Llamarse Federico, o que su padre se llamase así, es el segundo factor en importancia: García Lorca salió de Madrid hacia Granada el 15 de julio (según Edgar Neville) o el 16 (según Martínez Nadal) *para estar junto a sus padres el día de su onomástica* (18 de julio). No es asunto para sonreír: al igual que en la introducción de *Esta noche en Samarcanda,* en que un personaje huye de Damasco a Samarcanda porque allí se le ha aparecido la muerte, y ésta, al propio tiempo, se extraña de verlo en Damasco, porque *le espera aquella misma noche en Samarcanda,* el hecho de llamarse Federico, él y su padre, le hace estar en Granada en momentos que serán fatales para él.

Su miedo ante los registros que organizan las milicias en Huerta San Vicente, le impele a refugiarse en un sitio seguro —«casi el cuartel general de Falange», dirá doña Esperanza a Ruiz Alonso—. Y tampoco se atreve a que Luis Rosales le pase, por el frente de Motril, a la zona republicana.

Factores «d)», «e)» y «f)»:
Ruiz Alonso quiso pasar de la CEDA a Falange antes de la guerra. Pero solicitaba las mil pesetas mensuales que cobraban los diputados. José Antonio aceptaba gustoso al tránsfuga siempre que lo fuese gratuitamente. El encargado de la operación había sido José Rosales. Ruiz Alonso no se lo perdonará ni a éste ni a Falange.

Llegado el momento de demostrar «que los falangistas esconden a un rojo», poco le costará convencer a sus correligionarios de asestar un buen golpe al partido nacionalsindicalista, que se está imponiendo en Granada. Tanto sus acompañantes Trescastro y García Alix, como muchos de los «asesores» civiles de Valdés, pertenecían a la CEDA. El propio Valdés, que estaba en contacto con Falange, dijo bien claro a todo el que quiso escucharle.

—A mí lo de *nacional* me parece muy bien, pero lo de *sindicalista* me da una patada en el estómago.

La estupidez burguesa de las *gentes de orden* que rodeaban a Valdés y que conocían perfectamente la independencia moral y patriótica de Federico, así como su amistad con el socialista Fernando de los Ríos, y sus éxitos artísticos y sociales durante la República —que igual lo hubieran sido con la Monarquía: cuestión de edad—, *ven* realmente en Federico, una vez denunciado, al *monstruo intelectual que con su palabrería engaña a las masas descarriadas*. No sólo no hacen nada por salvarle; probablemente susurran —ellos no gritan nunca— a Valdés: «¡Crucifícale!»

Creo que, aun en la complejísima forma de ser del comandante Valdés, sobre todo en aquellos momentos, en los que ni come ni duerme, viviendo sólo a base de tazas de café, él es un militar que, ante un hecho salido de lo corriente, *debe* —o le es más cómodo— pedir la solución a su superior jerárquico. Valdés ignora como superior al gobernador militar. Él cree estar —o lo está en realidad— a las órdenes del general que manda en la Andalucía liberada. No es de extrañar que solicitase consejo u órdenes.

Pero todo ello se ve complicado con la inminente llegada del general Varela a Granada. Éste está indignado con una forma de hacer la guerra que no cuadra a su honorabilidad militar, y está dispuesto a poner coto.

Así, pues, hay que *limpiar* «la Colonia». ¿Soltarlos?... No, y menos a Federico García Lorca: es un testigo que habla y escribe demasiado.

Apéndices

I. El «Canto a los muertos de la Falange»

Mientras Federico estuvo acogido en casa de los Rosales, calle de Angulo, 1, del 8 al 16 de agosto, fecha en que fue detenido allí, el poeta no escribió una sola línea, que se sepa.

Habló de corregir *La casa de Bernarda Alba* —que había terminado el 19 de junio, leyéndola, el 24, en casa de los condes de Yebes, y el 14 ó 15 de julio en casa del doctor don Eusebio Oliver— y de escribir un poema —*Adán*— sobre *el paraíso recuperado*.

Pero aún se discute sobre si propuso o no a Luis Rosales la creación, conjunta, de un «Canto» o «Himno» *a los muertos de la Falange.*

En algunos sectores del actual Régimen español, esto se ha utilizado como demostración de que, en realidad, Lorca era afín a Falange. (Existe quien afirma que José Antonio y Federico se conocían. Lorca, según esta versión, habría dicho alguna vez: «Ni a él ni a mí nos conviene que nos vean juntos.» Probablemente hablarían de todo menos de política.)

Yo no he creído jamás que Lorca fuese afín a Falange. ¡Si ni su íntimo Fernando de los Ríos consiguió inscribirle en el Partido Socialista! Ni siquiera en Izquierda Republicana.

Federico, en abril de 1936, le dice a Felipe Morales:

> El Mundo está detenido ante el hambre que asola a los pueblos. Mientras haya desequilibrio económico, el Mundo no piensa. Yo lo tengo visto. Van dos hombres por la orilla de un río. Uno es rico, otro es pobre. Uno lleva la barriga llena y el otro pone sucio el aire con sus bostezos. Y el rico dice: «¡Oh qué barca más linda se ve por el agua! Mire, mire usted el lirio que florece en la orilla.» Y el pobre reza: «Tengo ham-

bre, no veo nada. Tengo hambre, mucha hambre.» Natural. El día que el hambre desaparezca va a producirse en el mundo la explosión espiritual más grande que jamás conoció la Humanidad. Nunca jamás se podrán figurar los hombres la alegría que estallará el día de la Gran Revolución (1).

Fijémonos bien que está hablando precisamente «el rico que lleva la barriga llena» y que —¿quién mejor que él?— ve, y describe, los lirios que florecen en la orilla.

Cuando augura «la alegría que estallará el día de la Gran Revolución» ya la ha definido como una «explosión espiritual».

Lorca no deseó jamás ser *practicante* en política.

Y lo dijo así siempre, muy claro. Hay varios testimonios por ahí, en letra de imprenta. El más terrible es el de Edgar Neville:

> Federico habló conmigo el 15 de julio de 1936, el día en que, por desgracia, se iba a su Granada: «Me voy —me dijo— porque aquí me están complicando con la política, de la que no entiendo nada ni quiero saber nada. La otra noche me han organizado una encerrona en el Teatro Español, con ministros, etc. Yo no quiero eso, soy amigo de todos y lo único que deseo es que todo el mundo trabaje y coma (todo eso es textual). Me voy a mi pueblo para apartarme de la lucha de las banderías y las salvajadas» (2).

Ignacio Agustí explica en su libro *Ganas de hablar*:

> Cuando la compañía de la Xirgu vino a estrenar *Yerma*, la leyenda ya estaba en pie. La temporada venía a ser una afirmación republicana —eran los días en que los prohombres de la Generalidad purgaban sus culpas en el penal del Puerto de Santa María (3)— y las obras de Lorca, sin que éste pudiera comerlo ni beberlo, tenían un cariz izquierdista y, no se sabe por qué razón, catalanista.

O sea que Agustí recordaría o pensándolo más a fondo, o por sus apuntes que fue *después* del 6 de octubre. Y añade:

(1)   Entrevista publicada en el *Heraldo de Madrid* (8 de abril de 1936).
(2)   *ABC*, Madrid, 6 de noviembre de 1966.
(3   Agustí se refiere a las condenas por la revolución de octubre de 1934, en la que la Generalidad proclamó el Estado Catalán, que duró sólo unas horas.

Siempre me ha parecido —siempre, pero mucho más después del trágico fin del poeta— que García Lorca fue zarandeado por fuerzas que él ignoraba, entre las que vivía incautamente y sin advertir el peligro que constituían. La aureola que se formó alrededor de Lorca no tenía nada que ver con su exquisita naturaleza, con su fibra de artista excepcional como si fuera una paloma obligada a vivir entre reptiles. También el grupo de Margarita Xirgu pecaba probablemente de ingenuidad. La verdad es que nadie en aquella época era capaz de aventurar el porvenir que a todos nos aguardaba. Pero si hubiésemos sido todos un poco más avisados, hubiéramos aprendido a conocer en el fervor multitudinario y bullanguero de los estrenos de Lorca un anticipo solapado del hervor de multitudes que saltó a la calle, con la consiguiente amenaza, en julio de 1936. Todo eso era hasta cierto punto natural en cualquiera de los mítines políticos de aquella época, pero que apareciera en el estreno de una obra de teatro, entre los armoniosos versos de un gran poeta, era ciertamente significativo. Los únicos antecedentes que podríamos hallar en el fenómeno habíamos de buscarlos en el estreno de *Hernani*, de Victor Hugo, ochenta años atrás (4).

Entre los muchos testimonios que poseemos de su apoliticidad, podemos destacar los siguientes: Guillermo de Torre, en *Tríptico del Sacrificio*:

Federico no había tenido jamás la menor relación activa con la política. Rehuía igualmente participar en actos de sentido político, aunque tuviesen matiz literario: así recuerdo, como testigo presencial del hecho, su negativa absoluta a hablar o recitar en cierto banquete a varios escritores parisienses de paso en Madrid, festejados no tanto como literarios, sino en cuanto representantes del Frente Popular Francés (...) Jamás habría pensado en inscribirse en un partido, ni en suscribir ningún programa político.

R. M. Nadal, en el prólogo a la selección de poemas de Lorca que tradujeron Stephen Spender y J. L. Gili (5), recuerda:

El estreno en Barcelona, en diciembre de 1935, de *Doña Rosita la soltera*, una comedia de la vida de la clase media de

(4) IGNACIO AGUSTÍ, *Ganas de hablar*, Ed. Planeta, S. A., Barcelona, 1974, pp. 82-83.
(5) *The Dolphin*, Londres, 1939.

Granada a fines del siglo XIX, se convirtió en un pretexto para manifestaciones políticas. El poeta se disgustó y dijo: «No soy ningún tonto; están haciendo política de mi *Rosita*, y eso no lo consiento.»

También Dámaso Alonso escribe en *Poetas españoles contemporáneos* (6) que, charlando de las actividades políticas de cierto poeta, Federico le dijo:

> Es una pena. Así no habrá nada bueno. Yo no sería nunca un hombre político. Soy revolucionario, porque no es verdadero poeta quien no sea revolucionario. ¿No crees? Pero hombre político ¡nunca, nunca!

En fin, muchísimas más referencias podrían citarse para probar su total apoliticidad.

Él mismo declara poco antes del Alzamiento:

> Yo soy español integral, y me sería imposible vivir fuera de mis límites geográficos; pero odio al que es español por ser español nada más. Yo soy hermano de todos y execro al hombre que se sacrifica por una idea nacionalista abstracta por el solo hecho de que ama a su patria con una venda en los ojos. El chino bueno está más cerca de mí que el español malo. Canto a España y la siento hasta la medula; pero antes que esto soy hombre del mundo y hermano de todos. Desde luego no creo en la frontera política (7).

Sin embargo, yo sí creo que propusiese a Luis Rosales escribir conjuntamente el «Canto a los muertos de la Falange», aunque quizá no llegara a realizarse o a terminarse.

Hay quien lo ha transformado en «Himno a los muertos», sin distinción de bandos.

El propio Luis Rosales ha desmentido la hipótesis del «himno falangista», por lo menos en cuatro ocasiones: en 1954 a Claude Couffon, a Marcelle Auclair (no cita la fecha, debe de ser 1965), en 1966 a Ian Gibson, y a mí mismo en 1973. Sin embargo, insisto en que yo creo en el «Canto a los muertos de la Falange», precisamente «de la Falange».

(6) Ed. Románica Hispánica Gredos.
(7) BAGARÍA, *Diálogos de un caricaturista salvaje* (entrevista con F. G. L.), en *El Sol*, Madrid, 10 de junio de 1936.

«Federico no había tenido jamás la menor relación activa con la política» (Guillermo de Torre).

«Hombre político, ¡nunca!, ¡nunca!» (Lorca a Dámaso Alonso).

Federico García Lorca visto por Emili Grau-Sala, en un dibujo de 1933.

¿Miente, entonces, Luis Rosales? Sí, creo que lo hace. Probablemente es en lo único que ha mentido en toda esta historia.

¿Por qué? Porque Luis Rosales era el gran amigo de Federico, en el mejor estilo de la verdadera amistad. Y Luis Rosales cree que es *desprestigiar* su imagen el admitir tal himno. A Gibson, le dice: «Federico quería colaborar conmigo en una canción en memoria de todos los muertos de España, y no sólo los de la Falange de Granada. Nadie habló de hacer un *himno falangista*. Yo nunca, nunca dije eso. Si alguien me ha atribuido esas palabras, o me ha entendido mal o ha tratado deliberadamente de cambiar lo que dije.» Gibson añade por su cuenta: «Tengo fe absoluta en su palabra, pues sería inconcebible que Federico hubiera pensado escribir, en aquellas circunstancias, tal himno» (8). A mi modo de ver, precisamente, Federico estaba en las mejores condiciones psíquicas para «pensar escribir, en aquellas circunstancias, tal himno». Como creo también —y esto me lo explicó José Rosales— en su enorme ingenuidad, cuando éste, más tarde, va a visitarlo al despacho del Gobierno Civil donde está detenido, y le dice: «He rezado para que ganen los militares.»

Las dos veces sitúa su «tabla de salvación» en el contexto que le rodea: en casa de los Rosales son falangistas; en el Gobierno Civil, la mayoría son militares. Aunque las dos veces yerra respecto a sus interlocutores, pese a que a ambos los conoce bien, pues Luis Rosales no es falangista (pero lleva camisa azul) y José Rosales no es militar (pero manda un sector del frente).

Federico, desengáñese quien quiera, no tenía el valor físico de un Miguel Hernández. Cuando éste en 1939, después de ser juzgado y condenado a muerte, es visitado en la prisión de Torrijos por Rafael Sánchez Mazas, José M.ª de Cossío y José M.ª Alfaro, quienes le proponen que «los ayude en sus trabajos» y ellos están seguros de conseguir su libertad, Miguel se encoleriza y luego le explica a un compañero de cárcel: «¡Me parece increíble que esos viejos amigos no me hayan conocido mejor! ¡Que hayan venido a verme para hacerme pretensiones deshonestas como si Miguel Hernández fuera una puta barata!»

Y cuando Miguel conmutada su pena de muerte fue enviado al penal de Ocaña, esos mismos escritores intentaron una nueva gestión, pero él se negó a recibirlos. Y eso que Miguel Hernández, además de su situación personal, sabe que Josefina, su mujer, pasa

(8)   I. GIBSON, *La represión...*, p. 71.

hambre, que sólo come cebolla y que está amamantando. Le escribirá:

En la cama del hambre
mi niño estaba.
Con sangre de cebolla
se amamantaba.

. . . . . .

Una mujer morena
resuelta en luna
se derrama hilo a hilo
junto a la cuna.

Pero no admitirá cambiar su pensamiento ni aun simuladamente.

Federico, creo yo, habría dicho SÍ a la primera visita. ¿Disculpable? Probablemente. Cada hombre es un mundo distinto. En cada uno existe una fortaleza distinta y cada cual debe ser libre en sus conceptos personales que sólo a él atañen. Por eso disculpo también a Luis Rosales. Y hasta admito y admiro lo que él cree una defensa del prestigio de Federico. ¡Es tan difícil y tan maravilloso encontrar una amistad verdadera!

Pero la misión que me he propuesto en estas páginas es indagar «toda la verdad» y no debo respetar en este caso el sentimiento personal de Luis aunque, como ya he dicho, lo admita y lo admire.

Porque, además, tengo el testimonio de un hombre al que, desde las primeras palabras que crucé con él, comprendí que no mentía nunca. Cuanto él me dijo lo he ido comprobando por otros cauces, ya que, pese a mi intuición, no consideraba serio fiarme sólo de ella. Y siempre, efectivamente, resultaban ciertas sus afirmaciones.

Narciso Perales me contestó:

—Desde luego, Luis Rosales me dijo, en aquella época, que Federico le había propuesto escribir conjuntamente un «Himno a los muertos de la Falange». Sí, de la Falange (9).

Y Narciso Perales, repito, no miente.

(9) Conversación con el doctor Perales —es pediatra— en el despacho de su domicilio, en Madrid, julio de 1973.

II. Otros personajes "en torno a"...

1. Sí: son todos los que están, aunque no estén todos

Algunos de los nombres cuya referencia *en torno a* mis investigaciones sobre *el asesinato de García Lorca* voy a comentar a continuación, son ampliamente conocidos en la vida política e intelectual española y, en varios casos, mundial.

Conste, de antemano, que la actuación que expondré no implica, en la mayoría de los personajes, culpabilidad, ni siquiera *relación directa* con el hecho en sí, pues, por ejemplo, el ex ministro don Ramón Serrano Suñer, en aquel agosto de 1936, se hallaba recluido en la Cárcel Modelo, de Madrid, el catedrático don Manuel Jiménez de Parga tenía siete años de edad, y el escritor Arthur Koestler no conoció jamás a Federico.

De no haber destinado antes un espacio especial a los otros autores que investigaron la muerte del poeta, cabrían aquí también los nombres de Brenan, Couffon, Schonberg, Auclair y Gibson como títulos de sus correspondientes subcapítulos.

Tampoco se trata de *notas biográficas*, aunque a veces sea imprescindible situar al personaje individualmente en el conjunto histórico que le tocó —o escogió— vivir.

A mi juicio, todos estos nombres forman *una parte*, aunque quizá muchos aisladamente circular, *en torno* a mi búsqueda de toda la verdad.

Todos.

Eso no quiere decir que *estén* todos.

Pero *todos son*.

2. Arthur Koestler, el espía que llegó al calor

La acusación de «espía ruso» contra Federico García Lorca rebasa la más calenturienta imaginación. El poeta, en toda su vida, en toda su corta vida, no había espiado más que los trinos de los pájaros, el susurro de las aguas y la casa de una extraña familia Alba, en Valderrubio, entonces Asquerosa, de donde sacó el tema para su obra *La casa de Bernarda Alba* (el apellido es el auténtico de la modelo, el nombre no). Esto sí es cierto: cuando el 24 de junio de 1936, Federico lee su último drama escrito —terminado cinco días antes—, en casa de los condes de Yebes, advierte a sus oyentes que es «un documental fotográfico» (1). Y después, al decirle Carlos Morla que aquel ambiente más parece deba ser situado en Castilla que en Andalucía, Federico le explica que *es* totalmente andaluz y que lo ha visto él mismo «en Valderrubio. Mis padres eran dueños de una propiedad pequeña. En la casa vecina y colindante vivía la Alba. En el confín del patio, había un pozo medianero sin agua. A él descendía para espiar a esa familia extraña».

Ése fue todo su espionaje.

Sin embargo, posiblemente le habría ido mejor (en agosto de 1936) si, realmente, hubiese sido sólo y efectivamente «espía ruso».

Veamos el caso:

Con la curiosa casi coincidencia de fechas, un verdadero espía comunista, el 22 de agosto de 1936, parte para Lisboa. Se llama Arthur Koestler y allí consigue dos cartas de recomendación para el general Queipo de Llano; una firmada por Nicolás Franco; la otra, por José M.ª Gil Robles.

Don Nicolás Franco no ocupaba aún la embajada en Lisboa, pero era muy eficaz enlace con el Gobierno portugués; don José M.ª Gil Robles actuaba en Portugal «como partidario y agente de los sublevados, pese a sus atenuaciones posteriores» (2).

Todo ello nos lo explica Ricardo de la Cierva en un capítulo de su libro *Leyenda y tragedia de las brigadas internacionales*, al que titula «El prisionero de Málaga». Koestler había venido a España

---

(1) CARLOS MORLA LYNCH, *En España...*, p. 484.
(2) R. DE LA CIERVA, *Leyenda y tragedia de las brigadas internacionales*, Ed. Prensa Española, Madrid, 1973, 3.ª ed., pp. 80-88 y 179.

a reunir material propagandístico sobre la intervención nazi en España.

Luis Bolín —el corresponsal de *ABC* que tanto contribuyó al envío de un avión a las Islas Canarias para trasladar a Franco a Marruecos— era entonces capitán honorario encargado de controlar los movimientos y actividades de los corresponsales extranjeros. En Sevilla conoce a Koestler, quien le presenta su credencial del *New Chronicle*.

Aunque Koestler aún no ha podido reunir excesivo material del apoyo masivo nazi, ya que en esas fechas sólo habían ayudado los alemanes con los Junkers, en el puente aéreo del paso del Estrecho, Koestler lo considera más que suficiente para la Comintern, sobre todo al darse cuenta de que un corresponsal berlinés le ha reconocido y no tardará en denunciarle a Bolín. Huye de Sevilla, y consigue cruzar la frontera de Gibraltar escasos minutos antes de que, allí mismo, le alcance Bolín, que había salido en su persecución.

Publica en París su libro *L'Espagne ensanglantée*, precisamente abusivamente tópico y tremendista sobre la represión en la zona nacional. Y, a fines de enero de 1937, vuelve a España, también como periodista, pero esta vez a la zona gubernamental: Málaga.

De la Cierva añade:

Para justificar de alguna forma su pretexto periodístico, no se le ocurrió cosa mejor que observar de cerca las operaciones para la defensa de Málaga contra el asalto de Queipo de Llano en enero-febrero de 1937. La fase final del avance —en el que colaboraron por primera vez contingentes italianos de infantería— es tan rápida que al día siguiente de la caída de la ciudad, Koestler, hospedado en casa del estrambótico cónsul británico sir Peter Chalmers-Mitchell, no se ha dado cuenta del desastre y se encuentra al pie de una escalera encañonado en la espalda... por el jefe de Prensa y malagueño de pro capitán Luis Bolín.

El capítulo de la guerra particular entre Bolín y Koestler toma muy mal cariz para el espía de la Comintern, quien durante unos mortales segundos teme lo peor; su conciencia no estaba precisamente muy tranquila. Pero, en contra de todas las teorías de *L'Espagne ensanglantée* (sobre la mesa de Luis Bolín cae muy pronto, fresca la tinta, uno de los primeros ejemplares), Bolín no aprieta el gatillo y Koestler, tras de varios tumbos, recala en la prisión de Sevilla, donde, pasados casi cien días de cárcel, es canjeado por la bella esposa del héroe rebelde del aire, Carlos de Haya.

Téngase presente que Arthur Koestler, en 1937, no era aún el conocido Koestler de *El cero y el infinito*, que concebiría precisamente en la cárcel de Sevilla (según Ricardo de la Cierva). Ni era autor famoso, ni del PEN-Club. Sin embargo, no se aconsejó *que desapareciera*.

Indiscutiblemente, a Federico García Lorca le habría convenido más ser, de verdad, «espía ruso» que poeta, sólo espía de trinos, susurros y, como mucho, de la casa de la Alba, en Valderrubio.

3. Manuel Pérez Serrabona, abogado de los García Lorca

Marcelle Auclair, en su libro (p. 396), dice que el 16 de agosto de 1936, cuando el padre de Luis Rosales telefonea a Federico García Rodríguez para anunciarle la detención de su hijo, éste «decide no decir nada a su mujer: ¿para qué inquietarla? (...): al día siguiente, quizá la misma noche, encarga a un abogado, Francisco Serrabona, de la defensa». Gibson recoge dicha versión en su página 82.

Pude enterarme de que el Francisco Serrabona que mencionan no existió más que por aproximación: se trata de Manuel Pérez Serrabona, padre del actual (octubre de 1974) alcalde de Granada, José Luis Pérez Serrabona.

En junio de 1973 me hice presentar a éste por Rafael Zurita, entonces teniente de alcalde.

José Luis Pérez Serrabona es un hombre afable, cortés y culto. Prototipo del político muy de derechas, aunque esto no quiera decir que sea incompatible la afabilidad, la elegancia y la educación con las ideas izquierdistas. Pero el alcalde tiene, además, esa presencia especial y un expresionismo particular que denotan un arraigado derechismo.

—Mi padre era amigo de Federico García Lorca —me dijo—. Cuando éste empezó a demostrar sus «aficiones especiales» muchos de sus amigos dejaron, si no de tratarle, por lo menos de frecuentar su compañía. Mi padre fue uno de ellos. Eso lo he oído por terceras personas, pues yo, entonces, era muy joven.

Reconozcamos que esta actitud es perfectamente comprensible en ciertos sectores de la España de 1936. Mucho más en la sociedad andaluza, tan aferrada al conservadurismo católico, y menos cosmopolita que, por ejemplo, Madrid por su capitalidad, o Barcelona y San Sebastián por su proximidad fronteriza. La homosexualidad siempre ha sido aquí —y lo es, hoy, bastante arraigadamente pese a Freud, Marañón y López Ibor— un calificativo insultante o despreciativo. Las modernas corrientes de tolerancia o proselitismo topan con una curiosa mezcla de concienciación natural, temor al ridículo y el clásico «machismo» español.

Y continúa Pérez Serrabona:

—Pero mi padre siguió siendo el abogado de los García Lorca... Quiero aclarar que, hace poco, una revista (sic) ha publicado que cuando Federico fue detenido sus padres llamaron a un abogado llamado *Francisco Serrabona* (mi padre se llamaba Manuel Pérez Serrabona). No es cierto. A mi padre le llamó don Federico García Rodríguez después de haber muerto el poeta, para que intentase lograr que ellos salieran de España. Se fue a Salamanca y estuvo hablando con el Caudillo. Más tarde, continuó siendo su abogado hasta el punto que efectuó, como letrado, la partición de bienes de Federico, en Nueva York.

Le explico lo difícil que me es concretar la personalidad del comandante Valdés Guzmán, primer gobernador civil nacional tras el Alzamiento. Se me han indicado, por diversas personas, las idiosincrasias más opuestas: «un patriota», «un asesino», «un valiente», «un psicópata»...

—Ayer, precisamente, un prestigioso abogado de aquí, Antonio Jiménez Blanco...

—Sí, le conozco mucho.

—...me decía: «Valdés era una bestia, pero si no llega a ser por él hubieran matado a mi padre y al de los Rosales y a ése y a aquél» (3)...

—Estoy completamente de acuerdo con la teoría de Jiménez Blanco: si no hubiese sido por Valdés, habrían muerto su padre y el mío.

—Entonces, ¿admiras a Valdés?

—Sí. Admiro a Valdés. Hizo lo que debía hacer. Pero, desde luego, era un hombre duro. Mi padre, al principio, iba mucho al Gobierno Civil e intercedió por varios perseguidos o presos, hasta que, al final, el comandante le dijo (cariñoso pero serio) que si volvía a verle por allí «llorando», le pegaría un tiro a él...

_____

(3) Jiménez Blanco me había matizado que esa expresión no respondía exactamente a su propio pensamiento sino al *ambiente* que dominaba a las derechas granadinas.

Y me explica otra anécdota:

—Un tío mío fue llamado por Valdés para que fuese concejal. En aquellos momentos, como sabes, la situación aún estaba muy confusa. Granada estaba prácticamente sitiada por los rojos y había que mantener un orden interior drástico. Mi tío era un hombre pacifista, tranquilo, y dijo que *ni hablar, que no estaba para aquellos trotes.* Con esta idea se fue a ver a Valdés. Llegó a su despacho, y éste le recibió, como de costumbre, con su gesto hosco y mirada tan profundamente penetrante, que, cuando le preguntó el motivo de su visita, mi tío sólo pudo responder: «Nada, mi comandante, venía a agradecerle su nombramiento; que se haya acordado usted de mí.»

Le recuerdo el discurso de despedida de Valdés, cuando es sustituido como gobernador civil. Se publicó en *Ideal*, el 22 de abril de 1937:

(...) ¡Granadinos! Yo os pido perdón si, en el inexorable cumplimiento de las obligaciones de mi cargo, no fui con vosotros lo benévolo que hubiese querido, pero no olvidéis que hemos vivido seis meses históricos y que las responsabilidades que en mí encarnaban ante Dios y ante mi Patria eran tremendas; cuando el tiempo haga su perspectiva más distante, todos lo comprenderemos en sus justos términos.

—Sí —me dice Serrabona—, conozco muy bien ese discurso. Lo considero magnífico.

Otras opiniones sobre la actuación, en 1936, de Manuel Pérez Serrabona:

José Rosales (junio de 1973): «El padre de Federico llamó a Pérez Serrabona y sí le encontró. Fue al día siguiente o al otro de la detención. Probablemente, Federico ya estaba muerto.»

Luis Rosales (julio de 1973): «Creo que el padre de Federico sí llamó a Pérez Serrabona. Éste tenía mucha influencia con Valdés. Supongo que sería para el doble objetivo —salvarle y encargarlo de su defensa—, pues era abogado.»

Manuel Jiménez de Parga y Cabrera (septiembre de 1973) (al tratar sobre el hecho de que Valdés fuese o no lo suficientemente culto para que esa ignorancia disculpase sus actos): «Tenía a su alrededor personas cultas, como el abogado Pérez Serrabona, que luego fue el promotor del pintor Revello de Toro. Serrabona perseguía a Valdés pidiéndole "¡Hagamos un papelito!" a fin de legalizar situaciones o circunstancias.»

Francisco García Lorca (febrero de 1974): «Pérez Serrabona no hizo nada ni por mi hermano ni por mis padres. Éstos salieron de España gracias a la gestión de Soledad Ortega, hija de Ortega y Gasset.»

¡Hasta en la actuación de este abogado, tan poco relacionado directamente con la muerte del poeta, hay disparidad de criterios!

4. Gabriel Arias Salgado, ministro de la desinformación

El 19 de julio de 1951, Franco realiza uno de los cambios ministeriales más intensos de su Gobierno, en el que se crea la cartera de Información y Turismo, que ostentará Gabriel Arias Salgado.

Arias será el destinatario de la carta que Dionisio Ridruejo enviará a raíz del trabajo que «con intención demasiado miserable» —dice Ridruejo— y basado en Schonberg, publica *La Estafeta Literaria* el 13 de octubre de 1956.

Sobre Arias Salgado me limito a reproducir el texto publicado en *La Actualidad Española*, del 31 de octubre de 1974 (p. 10), firmado por «Equipo 80». Son de destacar los dos últimos párrafos:

> Gabriel Arias Salgado, graduado en Lenguas Clásicas y Humanidades y doctor en Filosofía, tiene cuarenta y siete años al ser nombrado ministro. Encarcelado en Madrid por la República en 1936, consigue escapar y pasa la guerra en Valladolid, donde convierte en periódico diario el semanario *Libertad*. Gobernador civil de Salamanca después del conflicto, es, durante los cinco años anteriores a su nombramiento como ministro, subsecretario de Educación Popular y delegado nacional de Prensa y Propaganda.
>
> Desde 1946 es también secretario de las Cortes Españolas y secretario general para la ordenación económico-social de las provincias españolas en la Presidencia del Gobierno. Arias dice en la toma de posesión que se propone la lealtad de los que mandan y obedecen a «los principios de justicia y alta moral que figuran en el programa del Movimiento». Primero como subsecretario y luego como ministro, Arias Salgado controlará durante más de quince años toda la información del país y dará paso a uno de los periodos más tristes y lamentables de la historia del periodismo español. Su teoría del Estado defini-

dor del bien común y encargado de su tutela le llevará al mantenimiento de una rigidísima censura. Representa el sector ultrarreaccionario del franquismo.

5. Juan Aparicio, traductor de francés

El famoso artículo de Schonberg *Enfin, la vérité...*, publicado en *Le Figaro Littéraire* del 29 de septiembre de 1956 y *reproducido* —a su manera— por *La Estafeta Literaria* el 13 de octubre del mismo año, produjo la indignada reacción, como ya he explicado, de Dionisio Ridruejo.

Éste me asegura que el «traductor» (a su manera) del mismo fue Juan Aparicio, entonces director general de Prensa y director también de *La Estafeta Literaria*. Su currículum, según el *Diccionario biográfico español contemporáneo* (4), es el siguiente:

> Uno de los hombres claves del periodismo de la inmediata posguerra, Juan Aparicio López, nació en Guadix (Granada) el 29 de julio de 1906. Comenzó a interesarse, desde muy niño, por el periodismo y en 1927 publica sus primeras colaboraciones de crítica literaria en la revista de Giménez Caballero *Gaceta Literaria*. En 1931 funda con Ramiro Ledesma Ramos *La Conquista del Estado*, órgano ideológico del jonsismo, del que fue uno de los principales teóricos. Durante la II República colabora también en los diarios *El Sol, Informaciones*, y perteneció al fundarse *Ya* en 1935, como editorialista de política internacional, a su primitiva redacción. Durante la guerra civil dirige en Salamanca *La Gaceta Regional* hasta 1941, en que es nombrado Delegado Nacional de Prensa. Ocupa este cargo cinco años, en cuyo lapso funda *La Estafeta Literaria*, *El Español, Fantasía, Así es, Memorando* y *Acimenta*, y luego dirige *Pueblo*. De 1951 a 1957 fue Director General de Prensa y fundó las Escuelas Oficiales de Periodismo de Madrid (1941) y Barcelona (1952). Ha sido también Director de la Mutualidad de Periodistas, Consejero de información de publicaciones sindicales y Consejero de información en la Embajada de

(4) Editado por Círculo de Amigos de la Historia, Madrid, 1970, tomo I, pp. 146-147.

246

España en el Quirinal (Roma), y Procurador en Cortes. Tiene publicados los libros *Historia de un perro hinchado* y *Españoles con clave* y las antologías de los periódicos *La Conquista del Estado* y *Jons*.

Maximiano García Venero dice, en cambio, que Juan Aparicio, novel periodista, llegó a *El Fascio* procedente de la escuela de *El Debate* (5), y cuando el intento de recreación cismática de las JONS, en 1935, Aparicio fue de los pocos que se separó de la línea joseantoniana (6), tanto que, ya en plena guerra, en 1937, afecto al cuartel general de Mola, se dedicaba a confeccionar fichas político-sociales de los falangistas de algún renombre y categoría, al estilo de las que el presbítero catalán Tusquets hacía en busca de rastros masónicos entre los adheridos al Movimiento Nacional (7).

El colofón de García Venero es éste: «Pasó el tiempo. Juan Aparicio, meses antes del final de la guerra, resultó movilizado. Me pidió que interviniese cerca de mi buen amigo el general de Artillería don Eduardo Martín González, gobernador militar de Salamanca, para que no se le enviase más que a un cuartel. Lo hice con diligencia y fortuna» (8).

Quizá aprendiera allí francés.

6. El arzobispo Moscoso tiene un palacio

Éste es el nombre del palacio que en Víznar ocupó el capitán Nestares como cuartel general. Por allí pasaban las órdenes, o *sugerencias*, para que fuesen ejecutados, sin juicio, los presos que Valdés enviaba. Algunos de ellos eran encerrados en una villa próxima, «la Colonia». Otros, tras esperar, ante el palacio del Arzobispo, algunas horas, eran, luego, llevados directamente a la muerte entre los barrancos, los olivos o los pinos que rodean el camino de Víznar a Alfacar, pasando por Fuente Grande. El capitán Nestares cumplía bien su oficio.

(5) Maximiano García Venero, *Falange en la guerra...*, p. 37.
(6) Op. cit., p. 59.
(7) Op. cit., p. 343.
(8) Op. cit., p. 368.

Quien hizo construir ese palacio se llamaba Juan Manuel de Moscoso y Peralta.

Había nacido, a mediados del siglo XVIII, en Arequipa (Perú). Cuando ocurrió la sublevación india del Túpac Amaru —de donde viene el actual nombre de «tupamaros»—, en 1780, era obispo de Cuzco. Creyendo las autoridades españolas que estaba complicado en el intentó revolucionario, fue trasladado a la Península, donde pudo probar su inocencia. En consuelo, fue nombrado arzobispo de Granada. Godoy hace grandes elogios de este prelado en sus *Memorias*.

Un sobrino suyo, Mariano Tristán de Moscoso, coronel del Ejército en las colonias americanas y caballero de la Orden de Santiago —la primera en titularidad de nobleza— se amancebó con Thérèse Laisnavy, aristócrata emigrada de la Revolución francesa. Tuvieron una hija, a la que el padre reconoció.

Ésta sería famosa por dos motivos: por ser la abuela del pintor Paul Gauguin y, sobre todo, por sus teorías y escritos revolucionarios internacionalistas.

Es la primera en lanzar al mundo: «Proletarios de todos los países: uníos», antes que Marx y Engels.

Su nombre es muy conocido. Se llamaba Flora Tristán.

El mundo es un pañuelo.

7. «Los» Jiménez de Parga son de otra generación

Uno de los apellidos acusados en relación con las represiones de Granada es el de «los» Jiménez de Parga.

Ian Gibson lo escribe completo (siempre con el «los hermanos», delante) y Marcelle Auclair utiliza iniciales («les frères J. P.»).

En ningún caso se citan los nombres de pila.

Ante todo, hay que resaltar que los Jiménez de Parga aludidos pertenecen a la generación anterior a los actuales Jiménez de Parga, entre los cuales los más conocidos son los catedráticos Manuel y Rafael Jiménez de Parga y Cabrera. El primero lo es de la Facultad de Derecho de Barcelona, habiendo sido propuesto para decano, sin llegar la designación oficial, al parecer, por sus escritos críticos sobre la actualidad política española, que publica asiduamente en libros, diarios y revistas. El segundo lo es de Derecho Mercantil en la Universidad Autónoma de Barcelona; ha publicado también diversos trabajos técnicos y sociológicos. Ambos, además, poseen conjuntamente uno de los bufetes más prestigiosos de Barcelona.

En 1936, Manuel Jiménez de Parga y Cabrera contaba siete años de edad. Rafael aún no había nacido. *Nada pues podían tener que ver con los sucesos de Granada en aquella época.*

Es importante aclarar esta situación pues, a mí mismo, se me ha dicho y preguntado por personas no relacionadas con el caso, ni informadas a fondo de la cuestión, «si era cierto que los hermanos Jiménez de Parga tuvieron que ver con la muerte de García Lorca». Mi respuesta siempre ha sido la edad de éstos.

Esta confusión es similar al extendidísimo mito de culpabilidad de la Guardia Civil, absurdo y falso, empezado por ignorancia, continuado por maledicencia y aceptado «como costumbre».

«Los» Jiménez de Parga aludidos por Gibson y Marcelle Auclair eran tres : Manuel, José y Antonio Jiménez de Parga y Mancebo. Los tres vivían en Granada en julio de 1936.

M. Auclair y Gibson son realmente crueles en los calificativos que les asignan. A mi modo de ver, calumniosos. Y ninguno de ellos cita la procedencia de sus informaciones.

Mis informantes directos han sido, entre otros, José Rosales, Luis Rosales, Narciso Perales, José Rodríguez Contreras y Manuel Jiménez de Parga y Cabrera. Con éste tuve una extensa conversación, en su despacho de Barcelona, el 12 de septiembre de 1973.

Él la resume, por una parte, y amplía, por otra, en la siguiente carta :

26 de septiembre de 1973

Sr. don José Luis Vila-San-Juan
Barcelona

Querido amigo :

Después de tu visita del día 12, he obtenido información sobre los asuntos que me planteaste y he podido encontrar y leer los libros de que me hablaste. Ahora recibo tu carta, de fecha 14 de septiembre de 1973, con fotocopia de algunas páginas de esos libros. Lo que he conseguido comprobar, como hechos ciertos, te lo resumo a continuación.

1. Mi padre, Manuel Jiménez de Parga y Mancebo, no tuvo cargo alguno en el Gobierno Civil de Granada, ni antes de la guerra civil, ni durante ésta, ni después de terminada la gue-

rra. Es completamente falso, por tanto, decir que fue «asesor jurídico» o cosa por el estilo.

2. Mi padre tenía una cierta amistad con el comandante Valdés, debido a que las dos familias veraneábamos en Torre del Mar (Málaga), con hijos de edades parecidas. Como en aquellos años, 1934 y 1935, las comunicaciones entre Torre del Mar y Granada eran malas, sin transportes públicos directos, el señor Valdés, como otros veraneantes, solían aprovechar el automóvil particular de mi padre para los desplazamientos de fin de semana. Por esta circunstancia concreta, mi padre era de los pocos granadinos que trataban al señor Valdés.

3. Producido en Granada el llamado «Alzamiento Nacional», en cuyo acto mi padre no participó, y situado el comandante Valdés en el Gobierno Civil, algunos amigos de mi familia, temerosos de ser víctimas de la terrible represión, acudieron a mi padre para que los avalase ante el nuevo y todopoderoso gobernador civil. Se acudía a mi padre por las siguientes razones:

a) Porque se supo que era uno de los pocos granadinos que conocían al comandante Valdés, dada la circunstancia de veranear en la misma playa.

b) Porque mi padre fue, a lo largo de la República, uno de los dirigentes más destacados de la derecha granadina: fue él quien presentó a Gil Robles, en un mitin en la plaza de toros (según cuenta el mismo Gil Robles en *No fue posible la paz*), y luego, como miembro de Renovación Española, padeció persecución e incluso permaneció unos días en la cárcel, junto con otros portavoces de la opinión católica, como eran el superior de los padres jesuitas, nuestro párroco don Rafael Ponce de León, otros sacerdotes y algunos profesionales, como mi padre, abogado en ejercicio.

c) Porque el trabajo profesional le había facilitado contactos con gentes de muy distinta clase e ideología política, algunos de los cuales —clientes, jueces, compañeros de abogacía, profesores universitarios— se encontraron con dificultades después del 18 de julio.

4. Como ya te anticipé en nuestra conversación del día 12, en mis años de estudiante en Granada pude comprobar que varias personas (entre ellas algunos catedráticos de mi Facultad) estaban muy agradecidas al «aval» de mi padre en los días primeros de la guerra civil. Y no recuerdo que nadie,

absolutamente nadie, ni directa ni por alusiones indirectas, hiciese la más mínima reserva de la conducta caballerosa de mi padre en aquellos trágicos momentos de Granada.

5.   Un hermano de mi padre, mi tío Antonio, mucho más joven, fue el único miembro de la familia que tuvo una participación en el «Alzamiento», marchando luego inmediatamente al frente de Sierra Nevada y terminando la guerra como oficial de complemento en el cuerpo de ejército de Aragón.

6.   El otro hermano de mi padre, mi tío José, formó parte del Ayuntamiento de Granada, como teniente de alcalde, durante muchos años; creo que desde el primer Ayuntamiento de 1936 hasta 1948, más o menos.

7.   El único cargo político que mi padre ostentó, sólo durante unos meses, fue el de diputado provincial, puesto que aceptó a petición de sus amigos de lucha política durante la República y con la esperanza de que el objetivo del «Alzamiento» sería muy distinto del que en realidad tuvo.

8.   La recentísima alusión a los «hermanos Jiménez de Parga», como personajes importantes en la guerra civil de Granada, es muy sospechosa y revela el deseo de alguien de implicarnos a nosotros, la actual generación Jiménez de Parga, en lo que algunos de nosotros no conocieron (como mis hermanos menores, nacidos después de abril de 1939) y otros no recordamos apenas (al tener entonces siete u ocho años). Y digo que es sospechosa esa referencia a «los hermanos Jiménez de Parga», ya que:

a)   En los dos libros se habla una sola vez de ellos, y nunca se precisan nombres propios. Afirmar algo de «los hermanos Jiménez de Parga» revela, a mi entender, el propósito de crear una confusión: alguien puede pensar que somos nosotros, los hijos de aquéllos. Resulta rarísimo que mientras el informante de Ian Gibson, por ejemplo, da el nombre propio y los dos apellidos de personajes completamente desconocidos (José Vico Escamilla, Manuel García Ruiz, Carlos Jiménez Vílchez, etcétera), desconocidos a escala nacional tanto ellos como sus descendientes, ese informante, digo, cuando se trata de «los hermanos Jiménez de Parga» no puntualiza más.

b)   Si los «hermanos Jiménez de Parga», o alguno de ellos, hubiera tenido protagonismo en la guerra civil de Granada, lo lógico es que volviera a aparecer en las páginas de los libros. Pero no se dice nada más de ellos, absolutamente nada. El informante del autor ya cumplió su propósito de implicar a una familia conocida, como la mía, en los terribles hechos.

c) Y resulta revelador de la mala intención que se hable de «los hermanos Jiménez de Parga» sólo en los últimos años. Las primeras versiones de la guerra civil en Granada no se refieren a ellos. Comenzó —al parecer— un informador a intentar mezclar nuestro apellido, precisamente cuando yo era catedrático de Barcelona y cuando con mis hermanos adoptamos una postura independiente del Gobierno. La mala intención se ve más clara todavía: alguien que no tiene buena conciencia nos quiere manchar con esa alusión vaga e imprecisa a los «hermanos Jiménez de Parga».

Al ser ésta la información que he verificado, espero de tu caballerosidad y hombría de bien que no recojas en el libro que preparas los insidiosos testimonios de quienes te hayan afirmado que «los hermanos Jiménez de Parga» tuvieron otra participación, distinta de la que te acabo de precisar, en la guerra civil de Granada. Y si ese falso, o esos falsos testigos, continúan propalando su versión tendenciosa, injuriosa y calumniosa, o alguien recoge en un libro que se edite en España su relato falso, mis hermanos y yo nos veremos obligados a acudir a los Tribunales de Justicia en defensa del buen nombre de nuestro padre, el cual falleció en 1967, sin tener la menor noticia, gracias a Dios, de que iba a ser utilizado en la forma injusta, injustísima, que se ha hecho en los libros que tú me indicaste, y por quienes desean implicar a sus hijos, a nosotros, en algo que nos es completamente ajeno.

Una fotografía mía en el libro que preparas la considero tan improcedente como si fuese incluida en una obra sobre la historia de los navegantes a vela. Y serviría al propósito malo de confundir e implicar a personas ajenas a los hechos del libro, que, por lo visto, anima el proceder de alguien.

Te agradezco las frases amables que me dedicas. Estoy a tu completa disposición para ratificarte, en la forma que desees, cuanto te afirmo en esta carta, así como para ampliarte los datos que yo pueda.

Un abrazo,

MANUEL JIMÉNEZ DE PARGA

En la conversación del 12 de septiembre de 1973, antecedente de esta carta, le pregunté:

—¿Puede calificarse a los Jiménez de Parga y Mancebo como «asesores jurídicos» de Valdés, según se me ha dicho?

—Rotundamente, no —me contestó—. Eso es como hablar de «asesores de astronáutica de Felipe II». El mundo de Valdés estaba al margen de cualquier contacto jurídico.

—Por lo que he investigado, suscribo esta última frase. Pero, en fin, pertenecían al ámbito de las *personas cultas* que rodeaban a Valdés.

—Había muchas *personas cultas* que rodeaban a Valdés. La más conocida, entonces, era el abogado Manuel Pérez Serrabona que siempre andaba tras el comandante pidiéndole «¡Hagamos un papelito!» para legitimar sus actuaciones.

También me expresó que a su padre le telefoneó el catedrático de Derecho Político Joaquín García Labella (9), a quien no pudo salvar, pues Valdés se adelantó acusando a Jiménez de Parga de hablar por teléfono con «rojos».

Insistió mucho en que consideraba una *maniobra* la implicación de su apellido, que actualmente designa a él, a sus hermanos y a sus primos, sobre todo «si se tiene en cuenta que esto se produce cuando mi padre ya está muerto y somos nosotros, ahora, los conocidos por nuestra labor y nuestros escritos».

Después de un inciso para exponer las informaciones directas que he obtenido sobre *los* Jiménez de Parga y Mancebo —generación anterior—, volveré a analizar algunos puntos de la declaración transcrita.

José Rosales Camacho (en Granada, junio de 1973): se refiere concretamente al 16 de agosto de 1936, cuando a la vuelta de Güéjar-Sierra, por la noche, se entera de la detención de Lorca, va al Gobierno Civil y entra, por la fuerza, en el despacho de Valdés: «Estaba acompañado del policía Julio Romero Funes, de los Jiménez de Parga y de Díaz-Pla.»

Comentario mío: es curioso que tanto Gibson como M. Auclair unan el nombre de Jiménez de Parga a Julio Romero Funes (Auclair: «les frères J. P. et un certain R.»). ¿Fue José Rosales la *fuente* de ambos? Éste no ha sabido aclarármelo. *Cree* que no.

(9) Gibson, en la página 59, «le fusila» en el cementerio, y en la página 93 en Víznar. En la 103 afirma que Valdés firmó su sentencia de muerte. Desde luego, fue fusilado. Pero no creo que Valdés *firmase* ni ésa ni otras penas de muerte. No le gustaban «los papelitos»...

Por otro lado, es interesante esta declaración de *Pepiniqui* pues, comparada con el escrito que el abogado Antonio Jiménez Blanco hizo, para su archivo particular, sobre una conversación al respecto sostenida con José Rosales, en agosto de 1971, coincide perfectamente. Es obvio que un lapso de dos años, sin variar ni el fondo ni los nombres, puede demostrar veracidad, sobre todo en un hombre como José Rosales que no es —y menos en la actualidad— de los que «se aprenden la lección». Y, desde luego, José no había leído ni a Gibson ni a M. Auclair.

Luis Rosales Camacho (Madrid, julio de 1973): «Los Jiménez de Parga eran los "asesores jurídicos" de Valdés.»

Narciso Perales (Madrid, julio de 1973): «Cuando llegué a Granada, el 13 de julio de 1936, me acordé de Jiménez de Parga que no recuerdo si había sido "triunviro", pero sí, desde luego, muy dirigente de Falange, y a él me presenté. Esto sería el 14 ó 15 de julio. Jiménez de Parga me puso en contacto con Aureliano Castilla (...) "Permanezca en contacto con Aureliano Castilla", me dijo Valdés el 17.»

Comentario mío: es el único que no me habla de «los» ni de «los hermanos» Jiménez de Parga, sino que singulariza. Podemos deducir que éste era *Antonio*.

Doctor Rodríguez Contreras (Granada, noviembre de 1973): «Iban muchísimo al Gobierno Civil. Acumulaban cargos. Tenían gran amistad con Valdés.»

Ninguno de ellos me pudo concretar, tampoco, nombres de pila.

ANÁLISIS DE ALGUNOS PUNTOS DE LA CARTA QUE, EL 26 DE SEPTIEMBRE DE 1973, ME REMITE MANUEL JIMÉNEZ DE PARGA Y CABRERA

En principio, se desprende —como ya he comentado— que el Jiménez de Parga a que se refiere Perales es Antonio. Y, lógicamente, a los que se refieren los demás informantes deben de ser: José, teniente de alcalde desde el primer Ayuntamiento de la guerra, y Manuel, diputado provincial (*párrafos 6 y 7 de la carta*).

Párrafo 3-a. Efectivamente, Valdés había hecho muy pocas amistades en Granada (confirmado en el párrafo 2). Es natural, pues, que al llegar a gobernador civil «contase» con sus amigos o conocidos de cuya capacidad y anticomunismo no dudaba.

Párrafo 3-b. Confirma el prolegómeno de todo el párrafo 3. Porque, precisamente, los dirigentes derechistas de Granada no fueron los que iniciaron allí el Alzamiento. Fue, una vez que éste había vencido, cuando lo apoyaron.

Párrafo 3-c. Muy lógico.

Párrafo 4. Igualmente lógico, y derivado del anterior concepto.

Párrafo 8-prolegómeno. Este concepto lo dejo bien aclarado en estas páginas.

Párrafo 8-a. No estoy de acuerdo; el hecho de ser *Jiménez de Parga* un apellido compuesto, «de los que suenan», y que existiesen, allí, tres hermanos, hace perfectamente admisible la confusión de nombres. Me sucede, con frecuencia, a mí mismo (*Vila-San-Juan*) respecto a mis hermanos.

Por otra parte, las puntualizaciones de «personajes completamente desconocidos» tienen razón de ser, al menos en dos de los citados: Carlos Jiménez Vílchez vive todavía y está empleado en el Ayuntamiento de Granada; José Vico Escamilla también vive en Granada y es un hombre rico de allí; no tengo datos sobre Manuel García Ruiz. Es natural que si Gibson fue a buscar su información a Granada, resultase más completa la obtenida —por lo menos, respecto a nombre y apellidos— sobre personas que aún viven y residen allí.

Párrafo 8-b. De acuerdo, puede ser una razón válida, aunque sin mucha fuerza. Tampoco aparecen repetidos los citados Jiménez Vílchez, Vico Escamilla ni García Ruiz.

Párrafo 8-c. Sí y no. No creo que el informador —o informadores— tuviese —o tuviesen— intención insidiosa contra los *actuales* Jiménez de Parga. (Y el hecho de que no se mencione el apellido en las primeras versiones sobre la guerra civil en Granada carece de importancia porque, en muchas de ellas, por ejemplo, tampoco se menciona el de García Lorca.)

Sí creo, en cambio, que, aprovechando el apellido, se haya intentado involucrar (algunos ignorantemente, pero otros conscientemente) a los Jiménez de Parga y Cabrera por razones estrictamente políticas.

Respecto al final de la carta («espero de tu caballerosidad y hombría de bien...»), creo que en estas páginas hago honor a tales supuestos, aunque en mi trabajo de investigación deba expresar cuanto conduzca al esclarecimiento propuesto.

El solo hecho de aclarar, públicamente, que «los» Jiménez de Parga que estaban en Granada, en 1936, no eran los actuales —lo cual aún está en muchas mentes— debe ser motivo de congratulación para el ilustre catedrático de Barcelona. Y me alegra poder hacerlo.

Por otra parte, es lógico que todo hijo defienda, con razones, con dientes y con uñas, la memoria de su padre. Lo contrario es de mal nacidos. No creo que los hechos aquí expuestos dañen esa memoria en demasía. Se demuestra que «aquellos» Jiménez de Parga eran personas importantes de la derecha —quizá «ultraderecha» de entonces (10)— granadina, y que, como es natural —lo hicieron todos los pertenecientes a esa clase— se pusieron al servicio del Alzamiento.

La circunstancia de que haya hijos que no tienen las mismas ideas políticas que sus padres, me parece inútil destacarla. Lo contrario es la excepción, sobre todo teniendo en cuenta la distancia temporal y la evolución de los acontecimientos en España.

Como, también, por estos mismos conceptos (tiempo y acontecimientos) ha sido y es muy frecuente el cambio o evolución de ideología o creencia en una misma persona.

La antítesis se llama *inmovilismo*.

8. Narciso Perales, la verdad

Detrás del Retiro madrileño existe un barrio, bastante nuevo, cuyas calles tienen, todas, nombres de Navidad cristiana: Anunciación, Portal de Belén, Reyes Magos, Nazareth...

Es amplio, bonito, despejado, con amplias avenidas y suficiente arboleda. La contaminación no puede ser allí problema.

En un piso bajo de Portal de Belén vive, y tiene su consulta, el doctor Narciso Perales.

La calurosa tarde del 11 de julio de 1973, a requerimiento mío, me citó allí este hombre, que, desde el primer momento de nuestra conversación, me causó una grata seguridad en sus palabras.

Muy pocos días después, leería un artículo de Dionisio Ridruejo (*Destino*, 21 de julio de 1973) en el que éste, que, naturalmente,

---

(10) Confirman mi tesis las palabras: «Aquí la derecha siempre ha actuado como si fuera extrema derecha.» (Ricardo de la Cierva, en la Asociación de la Prensa, de Barcelona, 7 de noviembre de 1974. Publicado en *La Vanguardia* del 8 de noviembre de 1974, firmado por Fernando Monegal.)

Arthur Koestler.

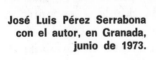

José Luis Pérez Serrabona
con el autor, en Granada,
junio de 1973.

Narciso Perales.

conocía a Perales mucho mejor que yo, coincidía con mi concepto, e incluso me aclaraba algunos detalles de los que no estaba informado. Decía Ridruejo: «amigo mío (muy querido y respetado, entonces y ahora, por sus altas cualidades morales) que había sido el único, que yo sepa, en acompañarme en la decisión de abandonar la vida oficial en 1942, sufriendo una suerte equivalente a la mía.»

Y añade, refiriéndose a 1944: «Él seguía teniendo esperanzas de reconquista en las que yo —que sé de mí mismo algo más que los memorialistas— no podía acompañarle.»

En 1973, sobre Perales, yo anotaba en mi cuaderno: «Su conversación tiende al *recuerdo heroico de la guerra*. Su *momento actual* me parece desfasado, pero sin *ultrismo*. Diríase que aún espera que Falange vuelva a ser Falange.»

Su despacho no es muy amplio. En la mesa, un pequeño crucifijo. En la pared, tras el doctor Perales, un gran Cristo y Vírgenes.

—Yo debía ir, antes del Movimiento, a organizar la Falange Española de Granada, por encargo de José Antonio... —me explica—. Pero, al final, se consideró mejor que siguiese en Valladolid.

—Ian Gibson —comento— dice en la página 82: «Para evitar que su hijo siguiera exponiéndose, el padre de Perales le envió a estudiar a la Universidad de Granada, donde se encontraba cuando estalló el Movimiento.

—No. No. Todo lo contrario. Yo estuve en Granada de 1931 a 1933. Fue de Sevilla, que era muy peligrosa, de donde me sacó mi padre para llevarme a Valladolid... De todas formas, me detuvieron once veces: en todas las convocatorias de julio y septiembre...

—Entonces, ¿cuándo llegó a Granada?

—El 13 de julio de 1936.

—¿No se dio a conocer como jefe falangista, uno de los *dos* que poseían la Palma de Plata, concedida directamente por José Antonio?

—Yo quería, *debía*, presentarme como un falangista más. El jefe de la Falange de Granada, que si, en principio, tenía que ser yo, era Antonio Robles. Así que me acordé de Jiménez de Parga que, no recuerdo si incluso había sido *triunviro*, pero sí, desde luego, muy dirigente en Falange, y a él me presenté. Esto sería el 14 ó 15 de julio. Jiménez de Parga me puso en contacto con Aureliano Castilla, falangista valenciano que estaba huido en Granada. Vi a Valdés, el 17, en un bar.

—¿Qué tal le pareció Valdés?

—No me convenció. Era hombre de pocas palabras. Entre otras cosas, expresaba: «Lo de *nacional* me gusta mucho, pero lo de *sindicalista* me da tres patadas en el estómago.»

(Yo supongo que la frase no sería *exactamente* así. Pero Perales no suelta un solo *taco*.)

Continúa:

—«Permanezca en contacto con Aureliano Castilla», me dijo Valdés. Y el día 20 me citaron a su casa. Antes, el 17 ó 18, ya estuve en casa del comandante Aguilera Bassecourt, en otra reunión con suboficiales. El 20, a las cinco de la tarde, en casa de Valdés nos dieron pistolas y un brazalete. Y salimos a tomar el Gobierno Civil. En la esquina de la calle había un soldado. No sabíamos si era nuestro o contrario. Hubo un disparo. El teniente Fajardo nos dijo: «A mí no me desmoralizan ustedes las fuerzas. El que manda soy yo. Ni un tiro si no doy la orden.» Fue obedecido. A partir de entonces, se nos encargó de la pacificación de las calles...

Perales no conocía a los hermanos Rosales —«sólo algo a Antonio», especifica—, y cuando se presenta en el cuartel de Falange, recién instalado en el convento de San Jerónimo, va a parar precisamente a las órdenes de Luis Rosales.

—«Tú tienes condiciones», me dijo Luis. Él, entonces, no tenía ni idea de quién era yo en Falange. Aquella misma noche, después de conseguir unas escopetas y llenarnos de cartuchos en la fábrica de El Fargue, salimos en camiones...

¿*Salían en camiones* hacia el frente? No. *No había aún frente.* Salían a hacer el frente. El mismo 20 llegaron hasta Alhendín (a unos 13 km de Granada, hacia el Sur, por la carretera de Motril). Era la 2.ª Escuadra de Falange, que mandaba Carvajal, asignada al Regimiento de Infantería de Lepanto.

—La consigna era «Lepanto, arriba España» —me dice.

El 21, de madrugada, están en Pinos Puente (al NO), y, poco después, toman Cijuela, ya en la carretera occidental que une a Sevilla...

Narciso Perales sigue relatándome la historia de *su* guerra, en Granada. Es interesantísima, pero no cabe en estas páginas, dedicadas a otro fin. Su forma de hablar, su mirada serena y el ambiente que él mismo da, me convence de que este hombre no miente.

Quiero hacer una aclaración: exceptuando muy contados casos, yo no tenía por qué sospechar que me mintiese la persona que, amablemente, se prestaba a responder a mis indagaciones. Sin embargo, más o menos, por un motivo u otro, unas veces lógico, otras defensivo y otras, sencillamente, por afán de aureolarse, han sido tantas las personas cuyas declaraciones quedaban deshechas en las confrontaciones de otros datos, que mi trabajo al respecto tuve que multiplicarlo al objeto de encajar las piezas del inmenso *puzzle*, muchas de las cuales se contradecían...

Por ello, quiero expresar que, aun en los casos en que mi intuición me aseguraba que mi interlocutor era sincero, he procurado comparar sus palabras con las de otras personas o escritos que merecían plena confianza. Sin que esto suponga acusación alguna de falsedad a *todos* los demás personajes que cito, debo recalcar que en dos hombres —Narciso Perales y Julián Fernández Amigo— he encontrado siempre la más pura e inusitada veracidad.

—De haber estado yo en Granada, y no en el frente, entonces, le aseguro que lo de García Lorca no ocurre —me dice.

Y continúa:

—Yo iba, naturalmente, a veces, a la ciudad, entre otras cuando me recogieron herido; fui al Gobierno Civil y a la Jefatura de Falange. Valdés había nombrado al comandante Tapias que, en el parabrisas de su coche, había instalado un rótulo que decía: «Jefe de las Milicias Fascistas.» Le pedí que lo cambiase y él me contestó: «Bueno, quítalo tú mismo»... A él le sustituyó el capitán Rojas, famoso por lo de Casas Viejas... Rojas era un asesino. No le interesaba mucho estar en el frente... Cuando me enteré de lo que se tramaba contra Luis Rosales, ya después de muerto Lorca, me encaré con aquel bandido: «¿Tú eres Rojas? Yo soy Perales Palma de Plata»... «Encantado», contestó... «Yo, no. Has expulsado a un jefe de Sector. He visto el oficio, estaba firmado por ti»... «Orden de Valdés», se disculpó... «Tu oficio no vale. Luis sigue siendo falangista.» Y yo sabía lo que me jugaba...

9. El capitán Rojas, un asesino

Manuel Rojas Feijenspan nace el 14 de mayo de 1899. Ingresa en el Ejército el 1 de septiembre de 1916, y alcanza las estrellas de teniente de Artillería el 9 de diciembre de 1922.

En mayo de 1931, el entonces teniente coronel Muñoz Grandes recibió del Gobierno el encargo de formar un nuevo cuerpo que, con el nombre de Guardia de Asalto habría de sustituir en ciertas funciones a los guardias de seguridad. La nueva fuerza debía ser ágil, leal y, sobre todo, prorrepublicana. Los candidatos serían elegidos por su destreza atlética y su fidelidad al nuevo régimen. En principio no tendrían que ir armados, y fueron entrenados para disolver manifestaciones sin derramamiento de sangre, pero no tardaron en adoptar métodos más contundentes. Fueron, en cierto modo, una imitación de las S. A. hitlerianas. Rojas ingresó en la Guardia de Asalto, alcanzando el grado de capitán.

La celebridad le llegó de súbito, uniendo su nombre al de un luctuoso suceso: *Casas Viejas*. En enero de 1933 los anarcosindicalistas habían preparado una insurrección a escala nacional, y el Gobierno, avisado del proyecto con antelación, dio instrucciones a las fuerzas del orden público a fin de que tomaran las medidas necesarias para que la insurrección fuera sofocada, como en efecto ocurrió. Sin embargo, el 11 de enero, los campesinos de Casas Viejas, una mísera y semiaislada aldea gaditana (11), proclamaron el comunismo libertario y cercaron el cuartel de la Guardia Civil. La llegada de refuerzos gubernamentales desde Medina Sidonia, pueblo vecino, devolvió casi absolutamente la paz a la aldea, pero un grupo de insurrectos se hizo fuerte en la choza del anarquista *Seisdedos*, desde donde repelían los continuos ataques de las fuerzas del Gobierno.

El capitán Rojas, que a la sazón se hallaba en Madrid, fue enviado urgentemente a Casas Viejas con una compañía de guardias de asalto para pacificar definitivamente la aldea. Tras un intenso tiroteo que se prolongó durante toda la noche, el capitán mandó incendiar la choza. Los que intentaron huir del fuego fueron ametrallados, y al final la choza se derrumbó, pereciendo en su interior casi todos los rebeldes. A continuación, Rojas mandó detener, un tanto al azar, a doce braceros que habían participado en la insurrección, y los hizo fusilar allí mismo.

Al llegar a Madrid las noticias de esta violenta represión se produjo un grave revuelo. Rojas fue arrestado y se formó una comisión parlamentaria para investigar los hechos, mientras la oposición derechista aireaba el asunto lo más posible. Rojas aseguró que había recibido del Gobierno órdenes estrictas en lo tocante a la represión: «Ni heridos, ni prisioneros: tiros a la barriga.» Arturo Menéndez, director general de Seguridad, se vio forzado a dimitir, e incluso llegó a ponerse en duda la inocencia de Azaña en el asunto. La comisión parlamentaria esclareció los hechos, demostrando que el Gobierno no había tenido ninguna participación en la matanza de Casas Viejas, y que toda la responsabilidad debía recaer sobre Rojas. Pese a todo, el escándalo hizo tambalearse al gobierno Azaña y lo desprestigió enormemente.

Juzgado al año siguiente en Cádiz por un tribunal civil, el capitán Rojas fue declarado culpable y condenado a veintiún años

---

(11)   Actualmente, se llama Benalup de Sidonia.

de cárcel por las muertes que injustificadamente había provocado.

El 24 de enero de 1936, el Tribunal Supremo casa la sentencia de la Audiencia de Cádiz contra el capitán Rojas, reduciendo la condena a tres años de prisión.

En agosto de 1936 se halla en Granada como sustituto del «jefe de las Milicias Fascistas»; y quien había afirmado por escrito en relación con el asunto Casas Viejas que se había sacrificado «para bien de España, de la República y del Gobierno (...) trabajando para descubrir a los traidores que luchan contra la República» (documento fechado por Rojas el 1 de marzo de 1933), se permite arrancar el yugo y las flechas de la camisa de Luis Rosales, ya que sabe que va a tener que fusilarlo en breve y *no conviene* que siga siendo falangista, ideología que el capitán ostenta.

Manuel Rojas me ha sido definido varias veces (por Luis Rosales, por Narciso Perales, etc.) con dos escuetas palabras: *un asesino.*

10. Ramón Serrano Suñer, del poder tenido a tener poder de convocatoria intelectual

Ramón Serrano Suñer (léase Suñer, no Súñer, generalizado lapso lingüístico que me costó una justificada aunque amable bronca suya) ha sido definido como uno de los pocos políticos de posguerra que conservan poder de convocatoria intelectual.

Efectivamente, recuerdo al respecto la presentación en Barcelona de la última edición (no sé si la 11.ª o la 12.ª) de su *Entre Hendaya y Gibraltar* (12), que aglutinó a las más descollantes personalidades literarias de la ciudad.

Serrano Suñer está, en la actualidad, apartado de la política activa, pero representa la autenticidad de lo que puede entenderse por un ex ministro. Su actuación en Gobernación y en Asuntos Exteriores no me concierne a mí estudiarla y, desde luego, no la alabaría, pese a las declaraciones del general Jodl, jefe de Operaciones del Estado Mayor de las Fuerzas Armadas del III Reich, según el cual España no entró en la 2.ª Guerra Mundial precisamente gracias a Serrano.

Su conversación produce hoy una grata impresión de cultura y

(12)   Ed. Nauta, Barcelona, 1973.

refinamiento, con el chisporroteo de anécdotas que su prodigiosa memoria va lanzando.

En agosto de 1936, Serrano se hallaba en la Cárcel Modelo de Madrid. El traer su nombre a estas páginas se debe sólo a que, *vox populi*, fue él el primero en expresar la culpabilidad de Ramón Ruiz Alonso, lo cual demuestro no fue así, en el capítulo VII.

Sin embargo, no cabe duda de que el hecho de que fuese él quien lo dijese (aunque no el primero) sirvió como referencia a muchos autores e investigadores que demostraron la realidad de la afirmación *off the record*.

11. Francisco García Lorca, imperturbable, habla claro

El hermano de Federico me recibió muy amablemente, en su piso de la calle de Miguel Ángel, de Madrid, el 13 de febrero de 1974. Su amabilidad era superior a la normal en cualquier persona educada, puesto que se encontraba padeciendo una molesta gripe. Ante todo le expuse mi extrañeza ante su teoría (según Max Aub) de que fuese el padre de los Rosales el delator de Federico.

Max Aub, en *La gallina ciega* (13), escribe:

8 de octubre (1969)

—Sí, «No puede uno fiarse de nadie», así acaba lo que le dijo Luis Rosales a Marcelle Auclair. ¿A quién se refería?
—¿A quién?
—Posiblemente a su padre.
—Sabes que cuando Luis Rosales habla de la denuncia y muerte de Federico saca a relucir la *envidia*. En su libro, Marcelle Auclair hace decir al propio Rosales, palabra por palabra: «España es un país donde los frutos del renombre están envenenados. El renombre no trae ni dinero ni consideración ni ventajas de ningún orden, sólo envidia —*jalousie*— de la más sórdida. Y en ninguna otra parte era envidiado Federico como en Granada.
—Sí: la envidia es prenda española, no exclusivamente,

(13) Se trata de unas memorias de Aub referentes a su último viaje a España. (Ed. Joaquín Mortiz, México, D. F., 1971, pp. 243-245.)

pero de ahí a asegurar que «en ninguna parte era envidiado Federico como en Granada» va un abismo que no quiero salvar —dice Paco—. No es cierto. ¿Quién podía envidiar a Federico en Granada? ¿Qué dramaturgo, qué poeta? Como no fuese Luis Rosales... Y de esto, ni hablar. Que fuese un hombre débil es otro problema. Pemán es gaditano y no entra en juego. Pero es curioso, por lo menos, dejar constancia de esa idea que tiene Rosales acerca de Federico en Granada. No era el diputado de la CEDA Ramón Ruiz Alonso el que podía envidiarle. Y a Ramón Ruiz Alonso, según todos los libros o la mayoría de los autores que han estudiado el asesinato de Federico, están acordes en colgarle el sambenito de haber denunciado a mi hermano. Es posible que fuera él, personalmente, el que fuese a denunciar dónde estaba Federico, es decir, en casa de los Rosales. Todos los detalles de los libros de Couffon y de Marcelle Auclair coinciden, y lo más probable es que sucediera tal como lo cuenta, por lo menos la ida de Federico a casa de Luis, pero lo que importa es hacer resaltar que cuando fueron a detenerle, a las dos o tres semanas de vivir ya sin esconderse demasiado, se movilizaron grandes fuerzas —que debían estar en el frente—, y que, en aquel momento, no había ninguno de los cinco hombres que vivían en casa de los Rosales. Ninguno. Pueden dar las razones que quieran. Pero no había ninguno. ¡Qué casualidad! Ellos, los grandes amigos de Federico. Y tampoco estaba su padre. Ahora que éste acaba de morir ha empezado a correr la voz de que fue él quien le denunció a Ruiz Alonso. Es posible que sí, es posible que no. Y que diera las órdenes oportunas para que no hubiese ningún hombre en la casa.

. . . .

—Nunca se sabrá exactamente lo sucedido. Lo más probable es que la orden de ejecución fuera firmada, sin importarle, por ignorante, por el comandante Valdés; que la detención se hiciese con gran lujo de fuerzas, mandadas por Ruiz Alonso y que el soplo *de lo que no pocos sabían* fuera dado por el padre de los Rosales, *que cuidó que Federico estuviese solo*, o con las mujeres solas, en la casa, *a la hora señalada*. Que, luego, Luis Rosales fracasara en sus intentos de salvación, es otra historia, *tan repetida del lado «nacional»* que no vale insistir en ello.

¿Cuál fue la razón que tuvo Rosales padre para obrar así?
¡Quién sabe! Ahí sí están abiertas todas las interrogantes.

Francisco García Lorca me aseguró rotundamente que era falso que él hubiera dicho tales palabras a Max Aub.

—Incluso estuve a punto de desmentirlas públicamente...

Él estaba en Bruselas en aquel agosto de 1936. Todo lo que sabe, al igual que su hermana Isabel (hoy los únicos vivos de los García Lorca) es sólo por referencias de sus padres, de su hermana Concha, de amigos...

—Tampoco es cierto que Luis Rosales me llamase desde Nueva York para hacer una declaración conjunta. Tampoco es cierto que el abogado Pérez Serrabona ayudase a salir a mis padres. No hizo nada. Quien consiguió que saliesen mis padres de España fue Soledad Ortega, hija de Ortega y Gasset. La partida de defunción de mi hermano es totalmente falsa. Yo no la hice...

Me ruega le disculpe, por la gripe. Se le nota cansado.

Aunque, como ya he dicho, Francisco García Lorca no pudo vivir aquellos trágicos momentos por hallarse ausente de Granada, naturalmente ha oído miles de veces las conversaciones de los suyos que allí estaban.

Por eso sus palabras son de gran importancia.

—¡Ya sabía yo que Paco no podía haber dicho eso de mi padre! —me dirá Luis, después—. ¿Por qué se lo inventaría Max Aub? Tampoco lo comprendo...

Francisco García Lorca, tras su imperturbabilidad —¡son treinta y nueve años de oír y ser preguntado sobre la muerte de su hermano!—, tiene, a pesar de su gripe, la gentileza de recibir y contestar las preguntas de un desconocido para él, como yo. La de hablarle claro, y la de desmentir una calumnia que él no ha dicho.

III. Cronología

Año	Vida de Federico García Lorca	Obra de Federico García Lorca	Mundo artístico y cultural	España política	Historia del mundo
1898	El 5 de junio nace en Fuente Vaqueros (Granada). El 11 de junio es bautizado en la iglesia parroquial de dicho pueblo. En agosto enferma gravemente.	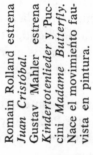	Suicidio, en Finlandia, del diplomático y escritor Angel Ganivet,[1] precursor de la generación del noventa y ocho. Émile Zola escribe el artículo *J'accuse*, en defensa de Dreyfus. Herbert George Wells publica *La guerra de los mundos*.	El 20 de junio, la isla española de Guam se rinde a la Armada norteamericana. El 10 de diciembre el Tratado de París pone fin a la guerra hispano-americana, que comenzó con la voladura del acorazado *Maine* y en la que España pierde sus últimas colonias en América y Filipinas.	Derrota de los chinos en la guerra chino-japonesa. En Omdurman, el general Kitchener recupera Sudán para Gran Bretaña. Se funda el Partido Socialdemócrata, por los marxistas en Rusia y los socialistas en los demás países.
1904	Se traslada con su familia a Asquerosa (hoy Valderrubio).		Romain Rolland estrena *Juan Cristóbal*. Gustav Mahler estrena *Kindertotenlieder* y Puccini *Madame Butterfly*. Nace el movimiento fauvista en pintura.	Atentado contra don Antonio Maura. Acuerdos franco-españoles sobre Marruecos.	Alianza anglo-francesa (Entente Cordiale). Estalla la guerra ruso-japonesa.
1905		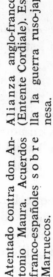	Manuel de Falla estrena *La vida breve*. Muere don Juan Valera. Matisse pinta *La mujer del sombrero* y Derain *Efectos del sol en el agua*. Debussy estrena *La mer*. Muere Julio Verne.	Creación, en Bilbao, de la Confederación de Sindicatos Católicos. Incidentes antimilitaristas en Barcelona.	Domingo sangriento en Rusia, con la matanza de un grupo de reivindicadores ante el palacio del Zar.[2] Tratado de Portsmouth, que pone fin a la guerra ruso-japonesa. Manifiesto de Octubre: el zar Nicolás II da una Constitución al país.

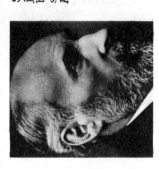

[267]

1906

Santiago Ramón y Cajal[3] recibe el Premio Nobel. Muere Henrik Ibsen. Paul Claudel publica *Partition de midi*.

Matrimonio de Alfonso XIII con Victoria Eugenia de Battenberg. Bomba del anarquista Mateo Morral contra la carroza real en el día de la boda, que causa numerosas muertes. Se crea, en Barcelona, la Solidaridad Catalana. Conferencia de Algeciras.

Revuelta, en Cuba, entre liberales y conservadores. Intervención de EE. UU., que ocupa el país y establece un gobierno provisional.

1907

Corta estancia en Almería con su primer maestro, Antonio Rodríguez Espinosa.

Benavente estrena *Los intereses creados*. Ravel compone *Rapsodia española*. Kirchner pinta su *Autorretrato con modelo*. Rilke publica *Nuevas poesías*.

Gobierno maurista.[5]

1908

Baroja publica *La dama errante*, y Juan Ramón Jiménez sus *Elegías*. Jacinto Benavente estrena *La fuerza bruta*. Georges Braque pinta *El eco de Atenas*. Muere Rimski-Kórsakov.

Se reconoce el derecho de huelga y se crea el Instituto Nacional de Previsión.

Asesinato del rey de Portugal. Primera crisis balcánica, con anexión de Herzegovina y Bosnia a Austria.

1909

En septiembre, se trasladá a Granada con su familia, iniciando el bachillerato en el colegio del Sagrado Corazón.

Enrique Granados[4] compone y estrena *Danzas españolas*. Fructuoso Gelabert rueda *Don Guzmán el Bueno*. Muere Isaac Albéniz. Actúan por primera vez en París los ballets rusos. En EE. UU., Windsor Mc Coy produce la primera película de dibujos animados: *Gerthie*

Desastre del Barranco del Lobo en Marruecos. Comienza la guerra del Rif. El 26, 27 y 28 de julio se desarrolla la Semana Trágica de Barcelona. Ejecución de Francisco Ferrer Guardia. Dimite Maura. Nuevo Gobierno, bajo la égida de Canalejas.

Revolución en Turquía: el sultán es depuesto.

Año	Vida de Federico García Lorca	Obra de Federico García Lorca	Mundo artístico y cultural	España política	Historia del mundo
			el dinosaurio. Guillaume Apollinaire acaba *El encantador en putrefacción*. El pintor Umberto Boccioni publica en *Le Fígaro* su *Manifiesto futurista*. Jawlensky pinta *El chal rojo*.		
1912				Asesinato de Canalejas.[4] Gobierno del conde de Romanones. Huelga de ferroviarios.	
1914	Inicia las carreras de Derecho y Filosofía y Letras en la Universidad de Granada. Primeras amistades de adolescencia.	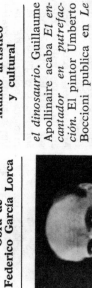	Juan Gris pinta *Vaso y paquete de tabaco*. Ortega y Gasset[2] publica *Meditaciones del Quijote*, y Unamuno[3] *Niebla*. Cecil B. de Mille rueda *La rosa del rancho*. James Joyce publica el volumen de cuentos *Dubliners*. Kandinsky pinta *Improvisación 35*.	El 7 de agosto, España se declara neutral en la conflagración mundial.	El heredero al trono austriaco, archiduque Francisco Fernando, y su esposa, son asesinados en Sarajevo (Bosnia). Estalla la Primera Guerra Mundial. Se inicia el papado de Benedicto XV.
1915	Estudios de piano y guitarra. Amistad con su profesor de Derecho, don Fernando de los Ríos.[1]	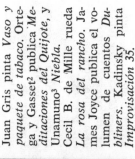 	Ofrece algunos conciertos privados en el Centro Artístico de Granada.	Manuel de Falla compone *El amor brujo*. Joaquín Sorolla pinta *Saliendo del baño*. Unamuno publica sus *Ensayos*. David W. Griffith rueda *El nacimiento de una nación*, Cecil B. de Mille *La marca del fuego* y Charles Chaplin treinta y cinco cortometrajes. Arp pinta *Composición*	España atraviesa un período de prosperidad económica.	El hundimiento del *Lusitania*[5] lleva a EE. UU. al borde de intervenir en el conflicto. Italia entra en la guerra junto a los aliados.

8

1916

Comienza a frecuentar la tertulia cultural de «El rinconcillo», en el café Alameda de Granada.

Según sus biógrafos, escribe sus primeras poesías.

estática. Debussy compone doce estudios.

Gual rueda *Los misterios de Barcelona*, en ocho episodios. Enrique Granados estrena en Nueva York *Goyescas*; de vuelta a España, el barco en el que viajaba es torpedeado por un submarino alemán y el compositor muere. Ortega y Gasset inicia la serie de ensayos agrupados bajo el título de *El espectador*.

Nace, en Nueva York, el movimiento artístico y literario Dadá. En esta misma ciudad James Joyce publica su primera novela, *Retrato del artista adolescente*. Franz Kafka publica dos relatos: *El juicio* y *La metamorfosis*. Muere Rubén Darío.[6]

En Rusia, asesinato del favorito Rasputín[8] por un miembro de la familia real. Portugal entra en la guerra junto a los aliados.

Se forman las «Juntas de Defensa» (sindicatos militares). España toma posesión de Cabo Juby.

6

1917

Viaje de estudios con la clase de *Teoría de la Literatura y de las Artes*, por Castilla y Andalucía. Conoce a Antonio Machado y a Manuel de Falla.

En febrero publica, en el *Boletín* del Centro Artístico, su artículo *Fantasía simbólica*, en conmemoración del centenario de Zorrilla.

Salvador de Madariaga publica *La guerra desde Londres*; Baroja, *Juventud, egolatría*, y Juan Ramón Jiménez7 *Platero y yo* y *Diario de un poeta recién casado*. Paul Valéry publica *La joven parca*. Satie compone *Parada*, y Prokófiev *Sinfonía clásica*. Matisse pinta *Interior con violín*, y Mondrian *Compo-*

Las Juntas de Defensa son reconocidas por el Gobierno. Huelga general revolucionaria, que es sofocada.

Se inicia la guerra submarina por parte de Alemania. Abdica el zar Nicolás II, estableciéndose un gobierno provisional mandado por Kerenski, menchevique. Los Estados Unidos entran en la guerra. Lenin llega a Moscú. Jerusalén es tomada por los ingleses. Revolución de Octubre en Rusia; bolcheviques

7

Año	Vida de Federico García Lorca	Obra de Federico García Lorca	Mundo artístico y cultural	España política	Historia del mundo
			sición número tres, con planos de color. Victor Sjöström rueda en Suecia Los proscritos.		en el poder. Armisticio germano-ruso.
1918	Publica su primer libro, Impresiones y paisajes, que dedica a su maestro Martín D. Burrueta. Escribe sus primeros poemas fechados: Balada triste, en abril, y La oración de las rosas, en mayo.		Juan de Echevarría pinta Naturaleza muerta. Carlos Arniches estrena Es mi.hombre. Stravinski compone Historia del soldado, y Bartók El castillo de Barba Azul. Ernst Lubitsch realiza Carmen. Bertolt Brecht escribe Baal. Mueren Debussy y Apollinaire.	Incendio del palacio real de La Granja. Se extiende el malestar social por Andalucía.	En un discurso ante el Congreso, el presidente Wilson propone sus «catorce puntos» para la paz. El zar Nicolás y su familia son asesinados por los bolcheviques. Checoslovaquia proclama su independencia. Se proclama la República de Polonia. El káiser Guillermo II abdica, proclamándose la República alemana. Abdica asimismo el emperador Carlos Francisco José de Austria. En Rusia, guerra civil entre los bolcheviques (rojos) y los antibolcheviques (blancos). El imperio austrohúngaro capitula. Fin de la Primera Guerra Mundial.
1919	Se traslada a Madrid, instalándose, por consejo de Fernando de los Ríos, en la Residencia de Estudiantes. Algunos amigos: Dalí, Buñuel,[1] Moreno Villa. También	Escribe El maleficio de la mariposa. Publica su primera poesía, Balada de la placeta, en la Antología de la poesía española editada por La Novela Corta.	Falla estrena El sombrero de tres picos. Ramón Gómez de la Serna publica sus Greguerías selectas, y Gabriel Miró El humo dormido. Bonnard pinta El puente	España ingresa en la Sociedad de Naciones. Huelga anarquista en La Canadiense (empresa eléctrica en Cataluña), que se hace general. Romanones dimite. Nuevo	Se firma el Tratado de Versalles. Fundación de la III Internacional Comunista.

de Grenelle y Modigliani *Elvira.* Proust publica *A la sombra de las muchachas en flor,* segunda parte de *En busca del tiempo perdido.* Satie compone *Sócrates.* Mauritz Stiller dirige en Suecia *El tesoro de Arno.* Muere Pierre Auguste Renoir.

conoce a Eduardo Marquina.

1920 — Veraneo en Asquerosa, Vega de Zujaira (Granada). A su regreso a Madrid se matricula en la Facultad de Filosofía y Letras, pero casi no asiste a clases.

1921 — Conoce a Juan Ramón Jiménez, quien le invita a colaborar en *Índice.*

Gobierno Maura. Congreso en Madrid de la CNT.

Estrena, en el teatro Eslava de Madrid, *El maleficio de la mariposa* (dirección de Gregorio Martínez Sierra y coreografía de la Argentinita). La obra obtiene un ruidoso fracaso.

Publica su *Libro de poemas,* editado por García Maroto. Comienza el *Poema del cante jondo.* Publica, en *Índice, El jardín de las morenas* (núm. 2) y *Suite de los espejos* (núm. 3).

Sublevación militar fracasada en Zaragoza.

Turina estrena *Sinfonía sevillana.* León Felipe publica el primer tomo de *Versos y oraciones del caminante,* Salvador de Madariaga *Shelley* y Calderón y Valle-Inclán *Luces de bohemia,* que no verá estrenada comercialmente. Muere Benito Pérez Galdós.[2] Robert Wiene realiza en Alemania *El gabinete del doctor Caligari.* Klee pinta *Paisaje de ensueño en las coníferas.* Proust[3] publica *El mundo de Guermantes.*

Ortega y Gasset publica *España invertebrada.* Muere doña Emilia Pardo Bazán. Se estrena la obra de Luigi Pirandello *Seis personajes en busca de autor.* Mondrian pinta *Composición.*

Irlanda del Sur se constituye en provincia autónoma, con la aprobación del Gobierno inglés. Nacen los Estados de Albania, Checoslovaquia, Estonia, Finlandia, Hungría, Letonia, Lituania, Polonia y Yugoslavia.

Desastre de Annual. Asesinato de Dato. Congreso del Partido Socialista: informe desfavorable de Fernando de los Ríos tras de su viaje a Rusia. Los partidarios de la III Internacional se separan del PS y forman—

En Rusia, Lenin[4] proclama la Nueva Política Económica (NEP). Warren G. Harding, 29 presidente de EE. UU. Proceso Sacco y Vanzetti. Conferencia de Washington para la limitación de armamentos.

Año	Vida de Federico García Lorca	Obra de Federico García Lorca	Mundo artístico y cultural	España política	Historia del mundo
			compone *El amor de las tres naranjas.*	man el Partido Comunista Español.	
1922	Organiza en Granada, en colaboración con Manuel de Falla, un Festival del Cante Jondo.[1] 	El 19 de febrero pronuncia una conferencia sobre el cante jondo en el Centro Artístico de Granada. Escribe algunas poesías del *Poema del cante jondo.*	Benavente recibe el Premio Nobel de Literatura. Pedro Salinas publica *Presagio,* y Wenceslao Fernández Flórez *Volvoreta.* James Joyce publica en París *Ulysses,* su segunda novela. Proust publica *Sodoma y Gomorra,* T. S. Eliot *Tierra baldía,* y Paul Valéry *Cementerio marino.* Eugene O'Neill estrena *Anna Christie.* Matisse pinta *La odalisca del sombrero rojo,* y Soutine *El joven pastelero.* Fritz Lang dirige *El doctor Mabuse* y F. W. Murnau *Nosferatu, el vampiro.* Muere Proust. Oswald Spengler publica *La decadencia de Occidente.*	Atentado contra Angel Pestaña. Son destituidos Martínez Anido y Arlegui. Pero continúa la ola de violencias.	El cardenal Ratti es elegido Papa con el nombre de Pío XI. Marcha de los fascistas sobre Roma; Mussolini[2] en el poder. Queda constituida la Unión de Repúblicas Socialistas Soviéticas (URSS). 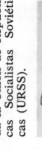
1923	Se licencia en Derecho por la Universidad de Granada. Comienza a dibujar. Organiza, con Falla, una «Fiesta para los niños» en Granada.	El 5 de enero dirige, en su casa de Granada, la representación de su pieza para guiñol *La niña que riega la albahaca y el príncipe preguntón,* con música de Manuel de Falla, dentro de la «Fiesta para los niños».	Picasso pinta *La mujer del velo azul.* Amadeo Vives estrena *Doña Francisquita.* Erich von Stroheim dirige *Los rapaces,* de siete horas de duración, y Chaplin estrena en Nueva York *La opinión pú-*	Pronunciamiento de Primo de Rivera, que se constituye en dictador con apoyo del rey. Abd el-Krim entrega prisioneros españoles hechos en 1921 a cambio de cuatro millones de pesetas. Es asesinado el cardenal	Ocupación de la cuenca del Ruhr por tropas francobelgas. Se proclama la República de Turquía. Golpe de Hitler y Ludendorff en Munich; Hitler es encarcelado.

	Empieza a escribir *Mariana Pineda*.	Soldevila. La CNT se autodisuelve, continuando su acción en la clandestinidad. El rey y Primo de Rivera viajan a Italia.

	blica. Kandinsky pinta *En el círculo negro*. Muere Pierre Loti.	Muere Lenin; Stalin[4] y Trotski,[5] en lucha por el poder. Se proclama la República de Méjico.

1924 — Amistad con Gregorio Prieto y Rafael Alberti. Acaba su libro *Canciones*. Comienza el *Romancero gitano*. Concibe la idea de *Doña Rosita la soltera o el lenguaje de las flores*.

Rafael Alberti recibe el Premio Nacional de Literatura por su libro de poemas *Marinero en tierra*, que es publicado ese mismo año. Unamuno es deportado a Fuerteventura.

Nace en París el movimiento surrealista, con su *Manifiesto* de André Breton. Thomas Mann publica *La montaña mágica*. Buster Keaton realiza *Las leyes de la hospitalidad*, Eisenstein *La huelga* y John Ford *El caballo de hierro*. Mueren Puccini y Anatole France.

La Dictadura emprende la pacificación de Marruecos. Tranquilidad social en el país.

Desembarco de Alhucemas y ocupación de Axdir. Pacificación total del protectorado. Conversión del Directorio Militar en ministerios civiles. Periodo de grandes obras públicas (carreteras, ferrocarriles, etc.).

1925 — Estancia en Cadaqués, invitado por los Dalí, a quienes lee *Mariana Pineda*.[3] Inicia correspondencia con Jorge Guillén.

El 8 de enero termina *Mariana Pineda*.[3]

Primera exposición de Salvador Dalí, en la galería Dalmau de Barcelona. Américo Castro publica *El pensamiento de Cervantes*, y Ortega y Gasset *La deshumanización del arte*. Florián Rey dirige *El lazarillo de Tormes*.

Se publica, póstumamente y en contra de la voluntad de su autor, *El proceso*, de Kafka. Tam-

Hindenburg, canciller de Alemania. Se proclama la República de Albania.

Año	Vida de Federico García Lorca	Obra de Federico García Lorca	Mundo artístico y cultural	España política	Historia del mundo
			bién se publican *El gran Gatsby*, de Francis Scott Fitzgerald; los *Poemas* de T. S. Eliot y *Los monederos falsos*, de André Gide. George Bernard Shaw recibe el Premio Nobel de Literatura. Se ruedan *La quimera del oro* de Chaplin, *El acorazado Potemkin* de Eisenstein, *El gran desfile* de King Vidor y *La calle sin alegría*, de Pabst, con Greta Garbo. Prokófiev estrena su *Segunda Sinfonía*.		
1926	Conoce al torero Ignacio Sánchez Mejías.[1]	El 13 de febrero pronuncia una conferencia en el Ateneo de Granada sobre *La imagen poética de don Luis de Góngora*. El 8 de abril lee algunos de sus poemas en el Ateneo de Valladolid. Publica, en *Revista de Occidente*, su *Oda a Salvador Dalí*. Escribe la primera versión de *La Zapatera Prodigiosa*. El 17 de octubre lee su *Homenaje a Soto de Rojas* en el Ateneo de Granada.	Salvador Dalí es expulsado de la Escuela Superior de Bellas Artes de San Fernando. Juan Gris pinta *El álbum*. Falla estrena su *Concierto*. Gregorio Marañón publica *Tres ensayos sobre la vida sexual*, Gabriel Miró *El obispo leproso* y Valle-Inclán *Tirano Banderas*. Muere Gaudí? Marc Chagall pinta Domingo. Ernest Hemingway publica en París *The sun also rises (Fiesta)*, y Paul Eluard *Capital del dolor*. Berg estrena su *Suite lírica*. F. W. Murnau dirige *Fausto*, [2]	Se cierra la Academia de Artillería. Limitación de la jornada de trabajo a ocho horas.	Se produce una huelga general en Gran Bretaña. Alemania ingresa en la Sociedad de Naciones.

Herbert Brenon *Beau Geste*, con Ronald Colman, y Fred Niblo *Ben-Hur*, con Ramón Novarro.

Se inicia la construcción de la Ciudad Universitaria de Madrid. Se crea el partido único Unión Patriótica y se anuncia la preparación de una nueva Constitución.

Benito Perojo rueda *El negro que tenía el alma blanca*. Luis Cernuda publica *Perfil del aire*, Unamuno *Romancero del destierro* y Alberti *El alba del alhelí*. Muere Juan Gris en París. Primera película sonora: *El cantor de jazz*, con Al Jolson, dirigida por Alan Crosland. Fritz Lang dirige *Metrópolis*, René Clair *Un sombrero de paja de Italia*, Abel Gance *Napoleón* y Erich von Stroheim *La marcha nupcial*. Chagall pinta *La casada de doble rostro*. Publicación póstuma de *El tiempo recobrado*, última parte de *En busca del tiempo perdido*, de Marcel Proust. Stravinski estrena *Oedipus rex*.

Trotski y sus partidarios, desterrados por Stalin. Se establece en China el Gobierno nacionalista Kuomintang, bajo la dirección de Chiang Kai-shek.[3]

1927

En primavera, estancia en Cadaqués, invitado por Dalí. Amistad con Sebastià Gasch y Vicente Aleixandre. Viaje a Sevilla con otros poetas de su generación, invitados por el Ateneo sevillano. Conoce a Luis Cernuda.

Escribe *Soledad*, en homenaje a Góngora. Publica en *La Gaceta Literaria* su trabajo *La sirena y el carabinero*. Publica sus *Viñetas flamencas*. Publica, en Málaga, su libro *Canciones*, con poemas de 1921-1924. Expone 24 dibujos en la galería Dalmau de Barcelona. Margarita Xirgu le estrena en el teatro Goya de Barcelona *Mariana Pineda*, con decorados de Dalí. Publica en *Verso y Prosa* el poema *Romance de la luna de los gitanos*, *Estampa del cielo*, *Tres historietas del viento* y *Escuela*. Publica *Santa Lucía y San Lázaro* en *Revista de Occidente*.

1928

Atraviesa una gran crisis sentimental. Funda, con un grupo de intelectuales amigos, la revista *Gallo*, de la que salen un par de números, en Granada.

Publica, en *Gallo*, *Historia de este gallo*, *La doncella, el marinero y el estudiante* y *El paseo de Buster Keaton*. Publica el *Primer romancero gitano*, con poemas de 1924-1927. Publica, en *L'amic de les arts*, de

Antonio Machado publica sus *Poesías Completas*, y Jorge Guillén *Cántico*. Muere Blasco Ibáñez en Menton (Francia). Publica David Herbert Lawrence *El amante de Lady Chatterley*, y Aldous Huxley *Contrapun-

Se inaugura el ferrocarril transpirenaico de Canfranc, con asistencia del rey y el presidente de Francia. Durante todo el año, manifestaciones contra la Dictadura. Escrivá de Balaguer funda en Madrid el Opus Dei.

Se firma el Pacto de París, condenando la guerra, suscrito por sesenta y cuatro naciones.

Año	Vida de Federico García Lorca	Obra de Federico García Lorca	Mundo artístico y cultural	España política	Historia del mundo
		Sitges, *Nadadora sumergida* y *Suicidio en Alejandría*. Publica su *Oda al Santísimo Sacramento del altar*, en *Revista de Occidente*. En el Ateneo de Granada pronuncia las conferencias *Imaginación, inspiración, evasión* y *Sketch de la pintura moderna*. Lee *Las mareas infantiles* en la Residencia de Estudiantes.	to. Bertolt Brecht estrena *La ópera de los cuatro centavos*, y Sean O'Casey *La copa de plata*. Klee pinta *Vista de una vieja ciudad*. King Vidor dirige *La multitud*, S. M. Eisenstein *Octubre (Diez días que conmovieron al mundo)*, y Walt Disney[1] la película de dibujos animados *Mickey Mouse*.		Ratificación del Pacto de Letrán, que regula las relaciones del papado con el Estado italiano. 29 de octubre: «crack» de Wall Street, catástrofe de la bolsa de Nueva York con la que se inicia el periodo de la Depresión.
1929	Amistad con Carlos Morla, diplomático chileno. En mayo parte para los Estados Unidos, pasando por París, Londres, Oxford y Escocia. Pasa el verano en Columbia y Catskill Mountains, y el otoño en Columbia.	Termina *El amor de don Perlimplín con Belisa en su jardín*. Trabaja en las *Odas* y prepara, para *Revista de Occidente*, la segunda edición de *Canciones*. El 16 de diciembre lee algunas poesías del *Poema del cante jondo* en una fiesta en honor de la Argentinita, celebrada en el Philosophy Hall.	Ramón J. Sender publica *Imán*, Alberti *Sobre los ángeles*, Ortega y Gasset *La rebelión de las masas* y León Felipe el segundo tomo de *Versos y oraciones del caminante*. Ortega y Gasset, Fernando de los Ríos, Sánchez Román y García Valdecasas renuncian a sus cátedras, como protesta ante la Dictadura. Dalí y Luis Buñuel ruedan *Le chien andalou*, y Florián Rey *La aldea maldita*. William Faulkner publica *El ruido y la furia*. Segundo manifiesto surrealista. Premio Nobel de Literatura a Thomas Mann. King Vidor realiza	Muere la reina María Cristina.[2] Disolución del Cuerpo de Artillería. Se celebra la Exposición Internacional de Barcelona. Se extiende el descontento intelectual: deportaciones. Baja de la peseta en el mercado internacional. 	

Comienza el periodo de «desobediencia civil» de Gandhi,[3] en la India.

Año	Vida y obra de Lorca	Acontecimientos culturales	Acontecimientos históricos
1930	Invierno en Nueva York. Pronuncia conferencias en la Universidad de Columbia y en el Vassar College. Amistad con Dámaso Alonso, Andrés Segovia, Mildred Adams, etcétera. En primavera marcha a Cuba, invitado por la Institución Hispano-Cubana de Cultura. En verano vuelve a España, estrenando en el Teatro Español de Madrid una versión breve de *La zapatera prodigiosa.* Proyecta el teatro universitario «La barraca».	Escribe casi por entero *La zapatera prodigiosa.* Adapta canciones populares para *la Argentinita.* Pronuncia cuatro conferencias en Cuba. Trabaja en dos obras de teatro: *Así que pasen cinco años* y *El público.* *Aleluya,* Walt Disney *Sinfonías tontas,* Fritz Lang *Una mujer en la Luna,* Eisenstein *La línea general* y Alfred Hitchcock *Chantaje.*	Dimite Primo de Rivera, que muere meses después en París. Gobierno del general Berenguer. Sublevación, en Jaca, de Galán y García Hernández, que son ejecutados. Firma del Pacto de San Sebastián, del que saldrá, más tarde, el primer Gobierno provisional de la República. En diciembre, huelga general republicana, apoyada por la aviación (Ramón Franco). El comité político republicano es encarcelado.
1931	Publica un ensayo sobre Nueva York en la *Revista de Occidente.* Lee poemas de *Poeta en Nueva York* en la Residencia de Estudiantes. Publica en Madrid el *Poema del cante jondo.* Escribe *Retablillo de don Cristóbal.* Pronuncia, en La Coruña, una conferencia sobre el cante jondo.	Picasso obtiene el Premio Carnegie por su *Retrato de una mujer sentada.* Luis Buñuel rueda *La edad de oro.* Mueren Gabriel Miró y Julio Romero de Torres. Vivin pinta *El Louvre* y Léger *La bailarina de las llaves.* Josef von Sternberg dirige a Marlene Dietrich en *El ángel azul.* Stravinski estrena la *Sinfonía de los salmos.* Mueren D. H. Lawrence y sir Arthur Conan Doyle, creador de Sherlock Holmes. Miguel Hernández publica su primer poema en *El Pueblo,* semanario de Orihuela. Marañón, Ortega y Gasset y Pérez de Ayala fundan la Agrupación al Servicio de la República. Muere Santiago Rusiñol. Eugene O'Neill estrena *El luto le sienta bien a Electra.* William Faulkner publica *Santuario.* James Whale dirige *Frankenstein,* René Clair	El 12 de abril se celebran elecciones municipales, con victoria de la República. El 14, Alfonso XIII se ausenta de España. El 15 se constituye el Gobierno provisional de la República, bajo la presidencia de Niceto Alcalá Zamora. El 14 de julio, Julián Besteiro se inicia en su cargo de presidente de las Cortes. Disturbios anarquistas en Sevilla. Congreso Los alemanes lanzan el primer acorazado «de bolsillo». Los japoneses invaden Manchuria.

Año	Vida de Federico García Lorca	Obra de Federico García Lorca	Mundo artístico y cultural	España política	Historia del mundo
			*Viva la libertad* y Chaplin *Luces de la ciudad.*	de la CNT en el que se separan el grupo de los «treintistas» (Peiró, Pestaña, etc.). El 9 de diciembre se aprueba la nueva Constitución; como presidente de la República es elegido Niceto Alcalá Zamora.[2] Nueva subversión anarquista en Andalucía y La Rioja.	
1932	Recorre varias ciudades españolas pronunciando conferencias, invitado por el Comité de Cooperación Intelectual. En Semana Santa viaja a Cuenca. Efectúa una gira por los pueblos de España con «La barraca».	Acaba *Bodas de sangre*,[1] que lee en casa de Carlos Morla. Lee en la Residencia de Señoritas *Poeta en Nueva York.*	Joan Miró pinta *Mujer*. Buñuel dirige *Las Hurdes* («*Tierra sin pan*»). Mueren el pintor Ramón Casas y el compositor Amadeo Vives. Aldous Huxley publica *Un mundo feliz*, y Louis Ferdinand Céline *Viaje al fin de la noche.*	Ley de Matrimonio Civil; Ley de Divorcio; ley instituyendo las asociaciones de patronos y obreros. Levantamiento del general fracasado Sanjurjo en Sevilla. Aprobación del Estatuto de Cataluña. En las elecciones a Cortes catalanas triunfa la Esquerra. El Gobierno de la República disuelve la Compañía de Jesús.	Eamon de Valera, presidente del Consejo Ejecutivo del Estado Libre de Irlanda. Franklin Delano Roosevelt es elegido presidente de EE. UU. Antonio de Oliveira Salazar es nombrado primer ministro de Portugal.
1933	Funda, con Pura Ucelay, los clubs teatrales de cultura. Colabora en la representación de *El amor brujo*, de Falla. Amistad con Victoria Ocampo, Eduardo Blanco Amor, etc. En septiembre marcha a la Argentina, donde permanece	Josefina Díaz de Artigas le estrena *Bodas de sangre* en Madrid. Estrena también *El amor de don Perlimplín con Belisa en su jardín*. Publica su *Oda al rey de Harlem* en *Los cuatro vientos*. Lola Membrives le presenta varias obras en	Se estrena en Madrid *El divino impaciente*, de José María Pemán. Miró termina su *Pintura*. Alejandro Casona estrena *La sirena varada.* Klee pinta *Máscara de mujer*. Cooper y Schoedsack dirigen *King-Kong*. Elio Vittorini publica	Levantamiento en Casas Viejas (Cádiz), sofocado violentamente. José Antonio Primo de Rivera funda Falange Española. Se funda asimismo la CEDA, confederación de fuerzas de derechas. El financiero Juan March se fuga de la prisión.	Hitler es nombrado canciller de Alemania. Japón y Alemania se retiran de la Sociedad de Naciones. Se reanudan las relaciones diplomáticas entre EE. UU. y Rusia.

hasta marzo del siguiente año.

Buenos Aires. Pronuncia numerosas conferencias, entre ellas una al alimón con Pablo Neruda. Publica en América su *Canto nocturno de los marineros andaluces* y su *Oda a Walt Whitman*.

Conversación en Sicilia, y André Malraux *La condición humana*. Muere John Galsworthy, Premio Nobel de Literatura.

Muere Francesc Macià.[4] Las derechas ganan las elecciones.

1934

Principios de año en Montevideo. En Buenos Aires dirige su adaptación de *La dama boba* de Lope de Vega. En mayo regresa a España, pasando por Río de Janeiro. Gira en verano con «La barraca». Muere su amigo Ignacio Sánchez Mejías.

Termina *Yerma*[3] que es estrenada por Margarita Xirgu. Se publica la antología de Gerardo Diego *Poesía española*. En que aparecen varios poemas suyos inéditos. Escribe *Llanto por la muerte de Ignacio Sánchez Mejías*. Pronuncia numerosas conferencias.

Henri d'Abbadie d'Arrast rueda *La traviesa molinesa*, basándose en la novela de Alarcón *El sombrero de tres picos*. Pío Baroja y Gregorio Marañón ingresan en la Real Academia de la Lengua. Homenaje nacional a Unamuno, que es nombrado rector vitalicio de la Universidad de Salamanca. Max Aub publica *Luis Álvarez Petreña*, Luis Rosales *Abril*, Pedro Salinas *La voz a ti debida* y Vicente Aleixandre *La destrucción o el amor*. Muere Ramón y Cajal.

Henry Miller escribe *Trópico de Cáncer*, y F. Scott Fitzgerald *Suave es la noche*. Eugene O'Neill estrena *Días sin fin*. John Ford dirige *La patrulla perdida* y Jack Conway *¡Viva Villa!*

Gil Robles hace profesión de fe republicana e incorpora a la República a sus núcleos (CEDA). Los españoles toman posesión de Ifni. Revolución de Octubre y proclamación del Estat Catalá, que sólo dura diez horas. En Asturias, los mineros se hacen fuertes y la represión es feroz: más de 30 000 detenidos, entre éstos Azaña.

Polonia y Alemania firman un pacto de no agresión. Golpe de estado nazi en Viena. Rusia es admitida en la Sociedad de Naciones.

1935

Participa en los homenajes a Feliciano Rolán y Pablo Neruda. Proyectan

Termina *Doña Rosita la soltera o el lenguaje de las flores*. Publica *Llanto*

Dámaso Alonso publica el ensayo *La lengua poética de Góngora*, y Ra-

Los ministros de la CEDA y agrarios dimiten, provocando la crisis.

Plebiscito del Sarre, por el que la región del Sarre vuelve a Alemania.

Año	Vida de Federico García Lorca	Obra de Federico García Lorca	Mundo artístico y cultural	España política	Historia del mundo
	hacerle un homenaje con motivo de la representación de *Yerma*, pero rehúsa. Excursión a Sevilla. Pasa el mes de septiembre en Barcelona. En diciembre, sus amigos catalanes le ofrecen un homenaje.	por la muerte de Ignacio Sánchez Mejías. Colabora en *El tiempo presente*, *El Sol*, *Caballo verde para la poesía* y *Almanaque Literario*. Acaba *Poeta en Nueva York*. Publica *Seis poemas gallegos*.	món J. Sender la novela *Mr. Witt en el cantón*, que obtiene el Premio Nacional de Literatura. El violoncelista Pau Casals recibe la medalla de oro de Madrid. Benito Perojo rueda *La verbena de la Paloma*. Ortega y Gasset rechaza la Banda de la República que le es ofrecida en el cuarto aniversario del régimen. Berg compone y estrena *Lulú*. Jacques Feyder dirige *La kermesse heroica*, Julien Duvivier *La bandera*, Henry Hathaway *Tres lanceros bengalíes* e Hitchcock *Treinta y nueve escalones*. Jean Giraudoux estrena *No habrá guerra de Troya*.	Indemnización de 230 millones de pesetas para los Grandes de España que han sido expoliados de sus tierras. El escándalo del estraperlo hace tambalearse al Gobierno, provocando una nueva crisis. Nuevos Gobiernos de Chapaprieta y Portela Valladares, que duran poco. Alcalá Zamora disuelve las Cortes.	Hitler denuncia el Tratado de Versalles y declara el servicio militar obligatorio. Estalla la guerra italo-etíope. Restauración monárquica en Grecia. 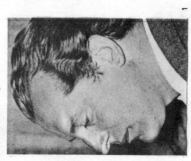
1936	Participa en los homenajes a Rafael Alberti, Valle-Inclán y Cernuda. Proyecta viajar a Méjico. Estancia en San Sebastián, donde pronuncia una conferencia y conoce a Gabriel Celaya. Lee *La casa de Bernarda Alba* en casa de los condes de Yebes y ensaya en el Club Teatral Anfistora *Así que pasen cinco* 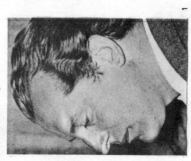	Publica *Bodas de sangre* y *Primeras canciones*. Acaba *La casa de Bernarda Alba* y *Así que pasen cinco años*. Concibe la idea de una *Oda a los muertos...* (¿de la Falange?, ¿de España? Indudablemente, de la guerra).	Unamuno es investido doctor «honoris causa» por la Universidad de Oxford. Miguel Hernández publica *El rayo que no cesa*, Benjamín Jarnés, *Doble agonía de Bécquer*, Luis Cernuda, *La realidad y el deseo* y Antonio Machado *Juan de Mairena*. Mueren Unamuno, Valle-Inclán, Ramiro de Maeztu...	En febrero se celebran elecciones generales. La izquierda se presenta unida bajo el nombre de Frente Popular, obteniendo la mayoría. Se forma el Gobierno Azaña. Falange es declarada fuera de la ley. Alcalá Zamora es destituido de la Presidencia de la República, siendo elegido, en su lugar, Azaña. Calvo So-	Muere Jorge V de Inglaterra, siendo proclamado rey Eduardo VIII.[2] Tropas alemanas ocupan las zonas desmilitarizadas de Alemania, con lo que se prescinde del Tratado de Locarno. Los italianos invaden Etiopía. Salazar asume poderes dictatoriales en Portugal. Roosevelt es reelegido como presidente de EE. UU. Se

años.

5 de julio. Acompaña a sus padres a la estación, pues van a Granada a pasar el verano, y les promete que estará allí el 18, día de San Federico.

10 de julio. Es nombrado alcalde de Granada su cuñado, doctor Manuel Fernández Montesinos.

11 de julio. Cena en Madrid, en casa de Pablo Neruda, con Rafael Alberti y otros amigos.

13 de julio. Visita a su antiguo maestro Antonio Rodríguez Espinosa y le pide prestadas doscientas pesetas «para marcharse aquella misma noche a Granada».

14 de julio. Visita a José Bergamín, pero éste no se halla en su despacho. Le deja allí el manuscrito de *Poeta en Nueva York*.

15 de julio. Lee *La casa de Bernarda Alba* en casa del doctor don Eusebio Oliver.

16 de julio. Almuerza en casa de Rafael Martínez Nadal. Éste le acompaña a la agencia de viajes, a su piso (Alcalá, 102), donde le ayuda a hacer

Louis Ferdinand Céline publica *Muerte a crédito*, William Faulkner *¡Absalón, Absalón!* y Curzio Malaparte *Sangre*. Jean Renoir dirige *Los bajos fondos*, Fritz Lang *Furia* y Chaplin *Tiempos modernos*. Mueren el ensayista Oswald Spengler y los novelistas Rudyard Kipling y Máximo Gorki.

3

telo es asesinado. El 16 de julio, el comandante Ríos Capapé, por orden del teniente coronel Juan Bautista Sánchez, avanza con sus tropas, por la noche, secretamente hacia Melilla.

17 de julio. Se inicia el Alzamiento[3] en Marruecos.

18 de julio. Se inicia en Navarra. Triunfo en las islas mayores de Canarias y en Sevilla. El general Franco sale de Gran Canaria en avión, pernoctando en Casablanca.

19 de julio. El avión en el que viaja Franco llega a Tetuán. El Alzamiento se extiende a las principales poblaciones españolas. Nuevo Gobierno de Martínez Barrio, que intenta pactar con los sublevados, sin éxito. Gobierno Giral.

20 de julio. Se inicia el puente aéreo entre Marruecos y Sevilla.

22 de julio. En Granada se rinde el Albaicín. La capital sigue prácticamente rodeada por territorio gubernamental.

23 de julio. El general Cabanellas es nombrado presidente de la Junta de Defensa Nacional, en

inician las purgas estalinistas en URSS. Se inicia el reinado de Faruk en Egipto.

Año	Vida de Federico García Lorca	Obra de Federico García Lorca	Mundo artístico y cultural	España política	Historia del mundo
	el equipaje, y a la estación. *17 de julio.* Llega a Granada. *8 de agosto.* Registro en la Huerta San Vicente, en busca del hermano del casero. Federico es reconocido. Luis Rosales le acoge en su casa. *16 de agosto.* Es detenido en casa de los Rosales y llevado al Gobierno Civil. *Madrugada del 19 al 20.* Es asesinado en Viznar[1] (Granada).			Burgos. Las dos zonas en guerra ya están, prácticamente, delimitadas. *1 de agosto.* Llega a Granada una columna legionaria aerotransportada. *5 de agosto.* Paso del Estrecho. *7 de agosto.* El general Franco llega a Sevilla y establece allí su cuartel general. *8 de agosto.* Fuerzas gubernamentales transportadas desembarcan en Ibiza. *9 de agosto.* Ocupan Ibiza. *11 de agosto.* Fuerzas nacionales ocupan Mérida, enlazándose los ejércitos del Norte y del Sur. *18 de agosto.* Al ocupar Loja, se rompe el asedio de Granada, estableciéndose comunicación directa con Sevilla. En Granada se espera la inmediata llegada del general Varela. *20 de agosto.* Antes de llegar a entrar personalmente en Granada, el general Varela es destinado (con urgencia) a Córdoba, por Queipo de Llano.	

IV. Ediciones extranjeras y bibliografía sobre Federico García Lorca anteriores a su muerte

1. Ediciones publicadas en el extranjero

Balada de los tres ríos, Gráfico de la Petenera, Plano de la Soleá (del *Poema del cante jondo*), en *Antonia Mercé, la Argentina*, Columbia University, Nueva York, 1930.

Canciones (1921-1924), Ed. Sur, Buenos Aires, 1933.

Canto nocturno de los marineros andaluces, en *La Nación*, Buenos Aires.

Mariana Pineda. Romance popular en tres estampas, Ed. Moderna, Santiago de Chile, 1928.

Bodas de sangre. Tragedia en tres actos y siete cuadros, Teatro del Pueblo (col. Argentores), acto III, Buenos Aires, 1936. *Revista de las Indias*, Bogotá, 1936, núm. 3, pp. 69-79.

Breve antología, poemas seleccionados y presentados por Juan Marinello, Antigua Librería Robredo de Porrúa e hijos, Méjico, 1936. (Ed. de la LEAR.)

Antología, selección y prólogo de María Zambrano, Ed. Panorama, Santiago de Chile, 1936. (Contiene además poemas de Machado, Alberti y Neruda.)

MOLINARI, RICARDO DE, *Una rosa para Stefan George*, dibujo de Federico García Lorca, F. A. Colombo, Buenos Aires, 1934. *El Tabernáculo*, dibujo de F. García Lorca, F. A. Colombo, Buenos Aires, 1934.

NOVO, SALVADOR, *Seamen shymes*, dibujos de Federico García Lorca, F. A. Colombo, Buenos Aires, 1934.

2. Traducciones

Chansons gitanes, traducción del *Romancero gitano*, por Armand Guibert, Éditions Mirages, Túnez, 1936.

The Martyrdom of St. Olalla (Gypsy romances), en *The European Caravan*, ed. S. Putnam, Nueva York, 1931, pp. 412-414.

Song of the little death, traducción de R. Humphries, en *The Nation*, Nueva York, 1936, CXLIII, p. 635.

3. Estudios y homenajes

Federico García Lorca, en *Palabra*, Lima, 1936, I, núm. 2, p. 13 (poesía de Emilio Champion y prosa de José María Arguedas, Augusto Tamayo Vargas, José Alvarado Sánchez y Alberto Tauro).

Un rato de charla con F. G. L. Para el gran poeta español, soñar es mejor que vivir, en *Correo de Galicia,* Buenos Aires, 22 de octubre de 1933.

Sobre *Gallo,* en *L'amic de les arts,* Sitges, 23 de marzo de 1928.

La poesía popular en la lírica española contemporánea, Gronau, Jena-Leipzig, 1933, pp. 17-19.

AZORÍN, *Los cuatro dones,* en *Crisol,* Madrid, 2 de julio de 1931. En *Repertorio americano,* San José (Costa Rica), 23 de febrero de 1935.

BAEZA, R., *De una generación y su poeta,* en *El Sol,* Madrid, 24 de agosto de 1927.

BARGA, CORPUS, *Amor místico y amor pagano,* en *La Nación,* Buenos Aires, abril de 1933.

BARJA, CÉSAR, *Libros y autores contemporáneos,* Stechert, Nueva York, 1935, VII, p. 246.

BLANCO FOMBONA, RUFINO, *El modernismo y los poetas modernistas,* Madrid, 1929, p. 42.

CERNUDA, LUIS, *Notas eludidas: F. G. L.,* en *Heraldo de Madrid,* Madrid, 26 de noviembre de 1931.

COSSÍO, F. DE, *Ensayos. Una lectura,* en *El Norte de Castilla,* Valladolid, 19 de abril de 1926.

COSSÍO, J. M. DE, *Los toros en la poesía castellana,* C.I.A.P., Madrid, 1931, I, pp. 333, 335, 336 y 339; II, pp. 371-374.

CUCHI COLL, ISABEL, *Del Madrid literario,* Impr. Venezuela, San Juan (Puerto Rico), 1935, pp. 79-83.

CHABAT, CARLOS H., (Federico García Lorca), en *Índice,* Guadalajara (Méjico), 1936, núm. 3, pp. 33-36.

CHACÓN Y CALVO, JOSÉ MARÍA, *Lorca, poeta tradicional,* en *Revista de Avance,* La Habana, 1930, V, pp. 101-102.

DÍAZ-PLAJA, GUILLERMO, *García Lorca y su «Nueva York»,* en *Luz,* Madrid, 28 de diciembre de 1932. *Notas para una geografía lorquiana,* en *Revista de Occidente,* Madrid, 1931, XXXIII, pp. 352-357. *El arte de quedarse solo y otros ensayos,* Ed. Juventud, Barcelona, 1936, pp. 103-110.

DIEGO, GERARDO, *La nueva arte poética española,* en *Síntesis,* Buenos Aires, 1929, VII, pp. 183-199. *Poesía espa-ñola: Antología (1915-1931),* Ed. Signo, Madrid, 1932, pp. 297-324. *Poesía española (contemporánea),* Ed. Signo, Madrid, 1934, pp. 422-445.

DÍEZ CANEDO, ENRIQUE, *Nuevos versos, nuevos poetas,* en *La Nación,* Buenos Aires, 17 de enero de 1926. *La poesía y los poetas,* en *El Sol,* Madrid, 10 de enero de 1929.

DOMENCHINA, JUAN JOSÉ, *Poetas españoles del 13 al 31,* en *El Sol,* Madrid, 12 y 19 de marzo de 1933.

ECHAVARRI, L., *La visita de un poeta español y su duende,* en *El Sol,* Madrid, 10 de diciembre de 1933.

ESTRADA, JENARO, *Federico García Lorca,* en *Universidad,* Méjico, 1936, II, núm. 10, p. 15.

FERNÁNDEZ ALMAGRO, M., *El mundo lírico de García Lorca,* en *España,* Madrid, 13 de octubre de 1923. *Nómina incompleta de la joven literatura,* en *Verso y Prosa,* Madrid, 1927, año I, núm. 1.

FLORIT, EUGENIO, *La lírica española e hispanoamericana después del modernismo,* en *Cuadernos de la Universidad del Aire,* La Habana, 1933, 2.º curso, núm. 36, pp. 477-484.

FRÍAS, J. D., *Un poeta popular,* en *Crisol,* Méjico, 1932, VIII, pp. 52-54.

GASCH, SEBASTIÁN, *Lorca dibujante,* en *La Gaceta Literaria,* Madrid, número 30, 15 de marzo de 1928. *Una exposició y·um decorat* (de Lorca y Dalí respectivamente), en *L'amic de les arts,* Sitges, núm. 16, 31 de julio de 1927.

GIL BENUMEYA, RODOLFO, *Estampa de García Lorca,* en *La Gaceta Literaria,* Madrid, 15 de enero de 1931. *La luna y la nueva poesía,* en *La Gaceta Literaria,* Madrid, 1 de julio de 1929.

GIMÉNEZ CABALLERO, E., *Itinerarios jóvenes de España: Federico García Lorca* (entrevista), en *La Gaceta Literaria,* Madrid, 15 de junio de 1928.

Homenaje a Pepe Caballero y García Lorca, en *La Provincia,* página de «Letras», 1935, con trabajos de Adriano del Valle, Rafael Manzano, J. Pérez Palacios y Carlos María del Vallejo, con motivo de la publicación de *Llanto por la muerte de Ignacio Sánchez Mejías.*

Homenaje a Feliciano Rolán, en *El Sol,* Madrid, 31 de enero de 1935.

Homenaje a Luis Cernuda. Convocatoria y firmantes, en *El Sol,* Madrid, 19 de agosto de 1936.

HURTADO, J. y PALENCIA, A. G., *Historia de la literatura española,* Tip. de archivos, Madrid, 3.ª ed., 1932, p. 995.

JIMÉNEZ, JUAN RAMÓN, *Caricatura lírica de Federico García Lorca (1928),* en *Revista Hispánica Moderna,* 1935, I, p. 185. *Poetas de antro y diantre,* en *La Gaceta Literaria,* Madrid, 15 de noviembre de 1930.

LASSAIGNE, J., *Poètes espagnols,* en *Le Figaro,* París, 21 de enero de 1933.

LATCHAM, RICARDO A., *Notas sobre García Lorca,* en *Atenea,* Concepción (Chile), 1936, XXXVI, núm. 136, pp. 13-22.

LUNA, J. R., *El poeta que ha estilizado los romances de la plazuela,* en *El Debate,* Madrid, 1 de octubre de 1933. *La vida de García Lorca, poeta,* en *Criterio,* Buenos Aires, 10 de marzo de 1934.

MARCIRI, A., *Poeti Nuovi di Spagna,* en *Rassegna Nazionale,* III, diciembre de 1930.

MASOLIVER, JUAN RAMÓN, *A l'entorn de Federico García Lorca,* en *Ginesta,* Barcelona, 1929, núms. 2-3.

MASSA, P., *Federico García Lorca. El romancillo popular y «La Argentinita»,* en *Crónica,* Madrid, 20 de marzo de 1932.

MONTESINOS, J. F., *Die moderne spanische dichtung,* Teubner, Leipzig, 1927, pp. 117-118, 195-198.

MORA GUARNIDO, J., *Dos poetas andaluces: Federico García Lorca y Rafael Alberti,* en *La Pluma,* Montevideo, 1928, IV, pp. 51-57.

NERUDA, PABLO, *Oda a Federico García Lorca,* en *SECH,* revista de la Sociedad de Escritores de Chile, Santiago de Chile, 1936, I, núm. 3, pp. 6-8.

NOVO, SALVADOR, *Continente Vacío,* Espasa-Calpe, Madrid, 1935. (G. L. en Buenos Aires.)

ONÍS, FEDERICO DE, *Antología de la poesía española e hispanoamericana*

(1882-1932), Centro de Estudios Históricos, Madrid, 1934, pp. 1101-1118, 1194.

ORS, EUGENIO D', *Federico García Lorca,* en *Conferencias,* Buenos Aires, 1935, año III, núm. 27, pp. 2 y 6.

PROEL-GALERÍA, *Federico García Lorca, el poeta que no se quiere encadenar,* en *La Voz,* Madrid, 18 de febrero de 1935.

RAMÍREZ, OCTAVIO, *El poeta en tres tiempos,* en *La Nación,* Buenos Aires, 19 de noviembre de 1933.

RÍO, ÁNGEL DEL, *El poeta Federico García Lorca,* en *Revista Hispánica Moderna,* Nueva York, 1935, I, pp. 174-184.

RIVERA, MODESTO, *Federico García Lorca: Motivos naturales. Sevilla, Córdoba, Granada,* en *Brújula,* San Juan (Puerto Rico), 1935, I, núms. 3 y 4, pp. 29-34.

RODRÍGUEZ CÁNOVAS, J., *Poetas españoles: Federico García Lorca,* en *La Verdad,* Murcia, 22 de noviembre de 1934.

ROSENBAUM SIDONIA C., y GUERRERO RUIZ, J., *Federico García Lorca. Bibliografía,* en *Revista Hispánica Moderna,* Nueva York, 1935, I, pp. 186-187.

RUMAZO RODRÍGUEZ, J., *El nuevo clasicismo en la poesía,* Tall. Gráf. Nacionales, Quito, 1932, pp. 12-13.

SOLANA, DANIEL, *Federico García Lorca,* en *Alhambra,* agosto de 1929, p. 24.

SOUVIRON, J. M., *La nueva poesía española,* Ed. Nascimento, Santiago de Chile, 1932, pp. 35-37.

TORRE, GUILLERMO DE, *Federico García Lorca (Boceto de un estudio crítico inconcluso),* en *Verso y Prosa,* Madrid, 1927, año I, núm. 3.

TREND, J. B., *A poet of «Arabia»,* en *Alfonso the sage,* London, 1926, pp. 155-161.

VALBUENA PRAT, Á., *La poesía española contemporánea,* C.I.A.P., Madrid, 1930, pp. 88-96.

WILSON, E. M., *Two modern Spanish poets,* en *The Bookman,* London, 1931, LXXX, pp. 228-229.

Bibliografía

ABAD DE SANTILLÁN, Diego, *¿Por qué perdimos la guerra?*

AGUIRRE Y LECUBE, José Antonio de, *De Guernica a Nueva York pasando por Berlín*, Edit. Vasca Ekin, S.R.L., Buenos Aires, 1943.

AGUSTÍ, Ignacio, *Ganas de hablar*, Ed. Planeta, Barcelona, 1974.

ANSALDO, Juan Antonio, *¿Para qué...? De Alfonso XIII a Juan III*, Edit. Vasca Ekim, S.R.L., Buenos Aires, 1951.

Anuario Militar de España (varios años).

ARRARÁS, Joquín, y cols., *Historia de la Cruzada*, Ediciones Españolas, Madrid, 1939-1943.

AUB, Max, *La gallina ciega*, Ed. Joaquín Mortiz, México, D. F., 1971.

AUCLAIR, Marcelle, *Enfances et mort de García Lorca*, Éditions du Seuil, París, 1968.

AVILÉS, Gabriel, *Tribunales rojos*, Ediciones Destino, Barcelona, 1939.

BAREA, Arturo, *Lorca, el poeta y su pueblo*, Edit. Losada, S. A., Buenos Aires, 1957.

BELAMICH, André, *Lorca*, Gallimard, París, 1962.

BERKENAU, Franz, *El reñidero español*, Ruedo Ibérico, París, 1969.

BERNANOS, G., *Los grandes cementerios bajo la luna.*

BOLÍN, Luis, *España «Años vitales»*. Espasa-Calpe, S. A., Madrid, 1967.

BRAVO, Francisco, *José Antonio*, Ediciones Españolas, S. A., Madrid, 1939.

BRAY, Myor Norman, *Mallorca salvada*, Edit. «La Esperanza», Palma de Mallorca, 1937.

BRENAN, Gerald, *The face of Spain*, Turnstile Press, Londres, 1950.

— *El laberinto español*, Edición Ruedo Ibérico, París, 1962.

BROUÉ, Pierre, y TÉMINE, Émile, *La révolution et la guerre d'Espagne*, Éditions de Minuit, París, 1961.

BUENO, José María, *Uniformes militares de la guerra civil española*, Edit. San Martín, Madrid, 1971.

CABANELLAS, Guillermo, *La Guerra de los Mil días*, Ed. Grijalbo, Buenos Aires, 1973.

CALVO SERER, Rafael, *La literatura universal sobre la guerra de España*, Ed. Ateneo, Madrid, 1962.

CAMPBELL, Roy, *The Collected Poems*, The Bodley Head, Londres, 1957.

CANO, José Luis, *García Lorca*, Destino, Barcelona, 1962.

— introducción a *Miguel Hernández. Poemas*, Selecciones, Poesía Española, Plaza & Janés, S. A., Barcelona, 1964.

CARBALLO, Eduardo, *Prisión flotante*, Ediciones B. y P., Barcelona.

CARR, Raymond, *Spain, 1808-1939*, Oxford, 1966.

CIERVA, Ricardo de la, con la colaboración de Manuel RUBIO CABEZA y Jesús LOZANO GONZÁLEZ, *Historia ilustrada de la Guerra Civil española*, 2 tomos, Ediciones Danae, Barcelona, 1970.

— *Leyenda y tragedia de las brigadas internacionales*, Ed. Prensa Española, Madrid, 1973.

CLEUGH, James, *Furia Española 1936-1939. La Guerra española vista por un escritor inglés*, Editorial Juventud, Barcelona, 1964.

COUFFON, Claude, *Granada y García Lorca*, Ed. Losada, Buenos Aires, 1967.

— *Orihuela y Miguel Hernández*, Edit. Losada, S. A., Buenos Aires, 1967.

Crónica de la Guerra Civil española, 5 tomos, Edit. Códex, Buenos Aires, 1967.

CROZIER, Brian, *Franco: Historia y Biografía*, dos tomos, Editorial Magisterio Español, Madrid, 1969.

CHÁVEZ CAMACHO, Armando, *Misión de prensa en España*, Edit. Jus, México, 1948.

DAHMS, H. Günther, *La Guerra española del 36*, Rialp, Madrid, México, Buenos Aires, Pamplona, 1966.

DÍAZ, José, *Tres años de lucha*, Colección Ebro, París, 1970.

DÍAZ-PLAJA, Fernando, *El siglo XX. — La guerra (1936-1939). — La Historia de España en sus documentos*, Ediciones Faro, Madrid, 1963.

— *La guerra (1936-1939)*, Ediciones Faro, Madrid, 1963.

DÍAZ-PLAJA, Guillermo, *Federico García Lorca*, Edit. Espasa-Calpe, Buenos Aires, 1954.

Diccionario Biográfico Español Contemporáneo, 3 tomos, Edit. Círculo de Amigos de la Historia, Madrid, 1970.

FERNÁNDEZ AREAL, M., *La política católica en España*, Dopesa, Barcelona, 1970.

FERNÁNDEZ DE CASTRO, Ignacio, *De las*

Cortes de Cádiz al Plan de Desarrollo (Ensayo de interpretación política de la España Contemporánea) 1908-1969, Ruedo Ibérico, París, 1968.

FRANCO BAHAMONDE, Francisco, *Palabras del Caudillo*, Edit. Nacional, Madrid, 1943.

FRUTOS, Víctor de, *Los que no perdieron la guerra (España 1936-1939)*, Edit. Oberón, Buenos Aires, 1967.

GALINSOGA, Luis de, con la colaboración del general FRANCO SALGADO, *Centinela de Occidente. (Semblanza biográfica de Francisco Franco.)* Edit. AHR, Barcelona, 1956.

GALLEGO Y BURÍN, Antonio, *Guía de Granada*, Granada (?), 1946.

GALLO, Max, *Histoire de l'Espagne Franquiste*, Robert Laffont, París, 1969.

— *Cinquième Colome 1930-1940*, Plon, París, 1970.

GARCÍA LORCA, Federico, *Obras completas*, Aguilar, Madrid, 1954.

— *Obras completas* (Recopilación y notas de Arturo Hoyo), Aguilar, Madrid, 1955.

GARCÍA VENERO, Maximiano, *Falange en la Guerra de España: la Unificación y Hedilla*, Ruedo Ibérico, París, 1967.

GAULE, Jacques de, *La Guerra de España*, 3 tomos, Círculo de Amigos de la Historia, Madrid, 1970.

GIBSON, Ian, *La represión nacionalista de Granada en 1936 y la muerte de Federico García Lorca*, Ed. Ruedo Ibérico, París, 1971.

GIL MUGARZA, Bernardo, *España en llamas, 1936*, Ediciones Acervo, Barcelona, 1968.

GIL ROBLES, José María, *No fue posible la paz*, Ariel, Barcelona, 1968.

GOLLONET Y MEGÍAS, Ángel, y MORALES LÓPEZ, José, *Rojo y azul en Granada*, Prieto, Granada, 1937.

GÓMEZ OLIVEROS, B., *General Moscardó*, Edit. AHR, Barcelona, 1956.

HERNÁNDEZ, Miguel, *Poesías. — Temas de España*, Tauros Ediciones, Madrid, 1967.

HILLS, George, *Franco. The Man and his Nation*, Robert Hale, Londres, 1967.

IBÁRRURI, Dolores; AZCÁRATE, Manuel;

BALAGUER, Luis; CORDÓN, Antonio; FALCÓN, Irene, y SANDOVAL, José, *Guerra y Revolución en España 1936-1939*, tomos I-II, Editorial Progreso, Moscú, 1966.

IGLESIAS RAMÍREZ, M., *Federico García Lorca, el poeta universal*, Edit. Dux, Barcelona, 1963.

JACKSON, Gabriel, *La República española y la Guerra Civil*, Princeton University Press, México, D. F., 1967.

KNOBLAUGH, H. Edward, *Corresponsal en España* (Colección la Guerra de España), Editor Fermín Uriarte, Madrid, 1967.

KOLSTOV, M., *Diario de la Guerra de España*, Ediciones Ruedo Ibérico, París, 1963.

KRIEGEL, Annie, *Las internacionales obreras*, Ediciones Martínez Roca, S. A., Barcelona, 1968.

La Campaña de Andalucía. — Monografías de la Guerra de Liberación, núm. 3. Servicio Histórico Militar. Ponente: coronel José Manuel Martínez Bande, Librería Editorial San Martín, Madrid, 1969.

La dominación roja en España. Avance de la Información Instruida por el Ministerio Público («Causa General»), Ministerio de Justicia, Madrid, 1946.

La invasión de Aragón y el desembarco en Mallorca. Servicio Histórico Militar. Ponente: coronel José Manuel Martínez Bande, Librería Editorial San Martín, Madrid, 1970.

LORENZO, César M., *Les Anarchistes Espagnoles et le punvoir 1868-1969*, Colection esprit «La cité prochaine», Éditions du Seuil, París, 1969.

MADARIAGA, Salvador de, *España. Ensayo de Historia Contemporánea*, Edic. Sudamericanas, 7.ª edición, Buenos Aires, 1964.

MARRERO, Vicente, *La guerra española y el trust de cerebros*, Ed. Punta Europa, Madrid, 1961.

MARTIN, Claude, *Franco: soldado y estadista*, Fermín Uriarte Editor, Madrid, 1965.

MARTÍNEZ, Juan de la C., S. J., *¿Cruzada o rebelión?*, Librería General, Zaragoza, 1938.

MARTÍNEZ NADAL, Rafael, Introducción a *Poems. F. García Lorca*, traducción inglesa de S. Spender y J. L. Gili, Dolphin, Londres, 1939.

MASSIS y BRASILLACH, *Les cadets de l'Alcazar*, París, 1936.

MICHEL, Bernard, con la colaboración de Edmond Bergheand, Edouard Bobrowski, Max Clos, Pierre Guillemond, Michel Honorin y Christian Honillion, *La Guerre d'Espagne*, 3 tomos, Éditions de Crémille, Ginebra, 1970.

MONLEÓN, José, *García Lorca. Vida y obra de un poeta*, Ed. Ayná, Barcelona, 1974.

MORA GUARNIDO, José, *Federico García Lorca y su mundo. Testimonio para una biografía*, Losada, Buenos Aires, 1958.

MORLA LYNCH, Carlos, *En España con Federico García Lorca*, Edit. Aguilar, 1958.

NENNI, Pietro, *La Guerra de España* (Colección Ancho Mundo, 14), Ediciones Era, S. A., México, 1964.

OBREGÓN, Antonio de, y CUNQUEIRO, Álvaro, *Laureados. — 18 de julio de 1936*, Ediciones «Cigüeña», San Sebastián, 1940.

OLMEDO, A., y GENERAL CUESTA, *General Queipo de Llano*, Edit. AHR, Barcelona, 1958.

ORWELL, George, *Homenatge a Catalunya. Un testimoni sobre la revolució espanyola*, Ediciones Ariel, Esplugas, Barcelona, 1969.

PARIS, Robert, *Los orígenes del fascismo*, Ediciones Península, Barcelona, 1969.

PAYNE, Stanley G., *Falange: historia del fascismo español*, Ruedo Ibérico, París, 1965. Publicada por Stanfor University Press.

— *Los militares y la política en la España contemporánea*, Ruedo Ibérico, Madrid, 1968.

PEMÁN, José María, *Comentarios a mil imágenes de la Guerra Civil española*, Editorial AHR, Barcelona, 1967.

PRIETO, Indalecio, *Entresijos de la Guerra de España (Intrigas de nazis, fascistas y comunistas)*, Editorial Bases, Buenos Aires, 2.ª edición, 1954.

— *Convulsiones de España*, Ediciones Oasis, S. A., México, 1967.
— *Palabras al viento*, 2.ª edición, Ediciones Oasis, S. A., México, 1969.
PRIETO, Tomás, *Héroes y gestas de la cruzada. Datos para la Historia*, Ediciones Tormes, Madrid, 1942.
PUCCINI, Dario, *Romancero de la résistance espagnole*, Edit. Feltrinelli, Milán, 1960.
— *Miguel Hernández. Vida y Poesía*, Ediciones Losada, S. A., Buenos Aires, 1966.
PUGA, Álvarez, *Historia de la Falange*, Dopesa, Barcelona, 1969.
PUJALS, Esteban, *España y la guerra de 1936 en la poesía de Roy Campbell*, Ed. Ateneo, Madrid, 1959.
RISCO, P. Alberto, S. J., *La epopeya del Alcázar de Toledo*, Edit. Española, San Sebastián, 1941.
RODRIGO, Antonina, *Mariana de Pineda*, Edit. Alfaguara, Madrid, 1965.
RODRÍGUEZ ESPINOSA, Antonio, *Federico García Lorca*, Seghers, París, 1966.
ROJAS, Carlos, *¿Por qué perdimos la guerra?* (Antología de testimonios de los vencidos en la contienda civil), Edit. Nauta, Barcelona.
ROS, Félix, *Preventorio D*, Edit. Yunque, Barcelona, 1939.
ROSSIF, Frédéric, y CHAPSAL, Madelaine, *Mourir à Madrid*, Ediciones Seghers, París, 1963.
ROUX, Georges, *La Guerra Civil de España*, Ediciones Cid, Madrid, 1964.
· SANZ Y DÍAZ, José, *Escritores asesinados por los rojos*, Publicaciones Españolas, Madrid, 1958.
SCHONBERG, Jean-Louis, *Federico García Lorca. El hombre — La obra*, Compañía General de Ediciones, México, 1959.
SECO SERRANO, Carlos, *Historia de España. — Segunda República. — La Guerra Civil. — La España actual*, tomo VI, Instituto Gallach de Librería y Ediciones, S. L., Barcelona, 1968.
SERRANO SUÑER, Ramón, *Entre Hendaya y Gibraltar*, Ed. Nauta, Barcelona, 1973.
SEVILLA ANDRÉS, Diego, *Historia Política de la Zona Roja*, Ediciones Rialp, S. A., Madrid.
SOLJENITSIN, A., *Archipiélago Gulag*, Ed. Plaza & Janés, Barcelona, 1973.
SOUTHWORTH, Herbert Rutledge, *El mito de la cruzada de Franco*, Ruedo Ibérico, París, 1963.
— *Antifalange. Estado crítico de «Falange en la guerra de España» de M. García Venero*, Ruedo Ibérico, París, 1967.
STEER, G., *El árbol de Guernica*, Edic. Gudari, 1963.
TALÓN, Vicente, *Arde Guernica*, Edit. San Martín, Madrid, 1970.
THOMAS, Hugh, *La Guerra Civil española*, Ediciones Ruedo Ibérico, París, 1962.
TORRE, Guillermo de, *Tríptico del sacrificio*, Edit. Losada, S. A., Buenos Aires, 1948.
— *Tríptico del sacrificio*, Edit. Losada, Buenos Aires, 1960.
TUÑÓN DE LARA, Manuel, *La España del siglo XX*, Librería Española, París, 1966.
UMBRAL, Francisco, *Lorca, poeta maldito*, Biblioteca Nueva, Madrid, 1968.
VÁZQUEZ OCAÑA, F., *García Lorca. Vida, cántico y muerte*, Ed. Grijalbo, México, 1957.
VEYRAT, M., y NAVAS, J. L., *Falange hoy*, Ed. G. del Toro, Madrid, 1973.
VICENT, Manuel, *García Lorca*, Ed. Epesa, Madrid, 1969.
VILALLONGA, José Luis de, *Furia*, Ed. du Seuil, París, 1974.
VILANOVA, Antonio, *La defensa del Alcázar de Toledo (Epopeya o mito)*, Editores Mexicanos Unidos, S. A., México, 1963.
VILA-SAN-JUAN, José Luis, *¿Así fue?; enigmas de la guerra civil española*, Ed. Nauta, Barcelona, 1972.
ZUGAZAGOITIA, Julián, *Guerra y vicisitudes de los españoles*, Librería Española, París, 1968.

DIARIOS Y REVISTAS CONSULTADOS

ABC, Madrid.
ABC, Sevilla.
Adelante, Valencia.
Arriba, Madrid.
Ayuda, Madrid.
Brotéria, Lisboa.
Diario de Barcelona, Barcelona.
Diario de Burgos, Burgos.
Diario de Huelva, Huelva.
Écrits de Paris, París.
El Alcázar, Madrid.
El Castellano, Burgos.
El Defensor de Granada, Granada.
El Siglo, Bogotá.
El Sol, Madrid.
El Universal Gráfico, México.
Epoca, Milán.
Excelsior, México.
Heraldo de Madrid, Madrid.
Hora de España, Valencia.
Iberia, Nueva York.

Ideal, Granada.
Índice, Madrid.
Informaciones, Madrid.
La Estafeta Literaria, Madrid.
La Prensa, México, D. F.
La Prensa, Buenos Aires.
La Provincia, Huelva.
La Voz, Madrid.
Le Figaro Littéraire, París.
Le Socialiste, París.
Les Lettres Françaises, París.
L'Express, París.
Litoral, Madrid.
Mundo Gráfico, Madrid.
Realidad, Roma.
Residencia, México.
Rivarol, París.
Sábado Gráfico, Madrid.
Solidaridad Obrera, Barcelona.
Unidad, San Sebastián.
Ya, Madrid.

ÍNDICE ONOMÁSTICO

Las cifras en cursiva remiten a las ilustraciones

espejo
de
españa

Una aportación a la tarea de esclarecimiento
de las complejas realidades
peninsulares de toda índole —humanas, históricas,
políticas, sociológicas, económicas...— que nos
conforman individual y colectivamente.

Títulos publicados: